CIVILIZATION

The West and the Rest

文明

[英] 尼尔·弗格森◎著
曾贤明 唐颖华◎译

中信出版集团 | 北京

图书在版编目（CIP）数据

文明/（英）弗格森著；曾贤明，唐颖华译. —北京：中信出版社，2012.1（2024. 5重印）
书名原文：Civilization
ISBN 978-7-5086-3157-8

I. 文… II. ①弗… ②曾… ③唐… III. 文化史－研究－欧洲 IV. K500.3

中国版本图书馆CIP数据核字（2011）第248090号

文明
WENMING

著　　者：[英] 尼尔 · 弗格森
译　　者：曾贤明　唐颖华
出版发行：中信出版集团股份有限公司（北京市朝阳区东三环北路27号嘉铭中心　邮编　100020）
承 印 者：北京通州皇家印刷厂
开　　本：787mm × 1092mm　1/16　　**印　　张：**22.5　　**字　　数：**325千字
版　　次：2012年1月第1版　　**印　　次：**2024年5月第17次印刷
京权图字：01–2011–0825
书　　号：ISBN 978-7-5086-3157-8 /K · 211
定　　价：69.00元

目 录
CIVILIZATION

中文版前言

本书于2010年年底完稿，其后一年间并未发生何事让我改变原先的观点，即西方与其他地区之间历时500年的“大分流”即将落幕。就在我行文之时，欧盟正经历着一场经济政治危机，在被誉为西方文明摇篮的雅典和罗马，当局政府正处于风雨飘摇之中。颇具象征意味的是，2011年10月，欧洲金融稳定基金的负责人飞抵北京寻求中国投资人对欧洲货币联盟的支持。昔日辉煌的欧洲竟衰败至此。

35年前，德国人的平均富裕程度是中国的15倍，而今天这一差距已不足3倍。回溯至1980年，中国占全球经济产值的份额仅为2.2%，是德国的1/3。根据国际货币基金组织预测，到2016年，中国占全球经济产值的份额将达到18%，6倍于德国。事实上若以购买力平价衡量，中国将在这一年赶超霸主美国，成为世界第一大经济体。至于若以美元计算，中国何时能超越美国，则要视人民币与美元的汇率而定。但很少有人（至少在中国）会认为美元能够在可预见的未来走强。

正当西方国家经济发展滞缓之时，中国的经济却在以8%或9%左右的速度增长，工业产值年增长率达到15%。以美元计，中国的资本投资也高于美国。2010年，中国股票市场上首次公开募股的价值是纽约市场的3.5倍。这一经济奇迹所带来的社会意义同样令人惊叹。根据瑞士信贷（Credit Suisse）统计，在中国，拥有10 000~100 000美元财富的人口比例为1/3；而在印度，拥有同样财富的人口比例仅为7%。我们正处于东西方经济运势的拐点，近500年的历史到此将面临一个分水岭。

在本书中，我提出西方之所以能在1500年后崛起并领先于世界其他地区（包括中国），要归因于一系列的体制革新，我将此称为"撒手锏"。

1. 竞争。欧洲的政治处于割据状态，形成多个君主制国家或共和制国家，其内部又分割为多个相互竞争的集团，现代商业集团便发轫于此。

2. 科学革命。17世纪，数学、天文学、物理学、化学和生物学的所有重大突破均发生在西欧。

3. 法治和代议制政府。这一最优的社会政治秩序出现于英语国家，它以私有财产权以及由选举产生的代表着财产所有者的立法机构为基础。

4. 现代医学。19世纪和20世纪医疗保健的所有重大突破都发生在西欧和北美，其中包括对热带疾病的控制。

5. 消费社会。随着工业革命的兴起，以棉纺织品为发端，涌现出大量提高生产力的先进技术，同时对物美价廉的商品的需求也随之扩大。

6. 工作伦理。西方人最早将更广泛而密集的劳动和更高的储蓄率结合在一起，从而促进了资本的持续积累。

几百年来，这些撒手锏为欧洲或派生的北美及澳大利亚所独享。西方人不仅比其他地区的人更富有，而且在体格上更高大，更健康和长寿，他们也变得更为强大。自日本开始，非西方国家相继效仿搬用这些撒手锏。东西方差距之所以在我们这个时代开始缩小，尤其是中国在1978年实行改革开放后开始崛起，其中一半原因便是因为这些国家成功地借鉴了西方经验，而另一半原因则是西方国家自己却在逐渐摒弃这些成功的秘诀。

我们不妨扪心自问：如今谁的工作伦理观念更强？韩国人每年平均工作时数比美国人高出40%。韩国学校每年学期常长达220天，而美国则为180天。消费社会又如何？你是否知道世界最大的30家购物商场中有26家位于新兴市场，大多坐落在亚洲，而位于美国的仅有3家？现代医学又怎样呢？的确，美国的医疗支出水平无人能及：美国医疗支出占国内生产总值的比例是中国的3倍。但它的公共医保在效果上却并没有好于中国3倍。

法治的情况又怎样呢？许多美国人仍坚信他们的法律体系最为健全，认为它最大程度地保障了企业家、投资人和消费者的利益，但是最近的世界经济论坛执行意见调查的结果显示并非如此。下表选取了衡量政府效能的16个标准，着重考量法治方面的成效，它囊括了从私有财产权保障到腐败监管以及有组织犯罪的防范控制等各方面。

世界经济论坛执行意见调查对法治的衡量

事项	排名第一的国家	最高分	美国得分	美国排名	中国香港排名
财产权保障	芬兰	6.4	5.1	39	6
反腐败	新西兰	6.6	4.6	36	10
政治家道德	新加坡	6.4	3.2	50	22
反贿赂	新西兰	6.7	4.9	42	11
独立司法	新西兰	6.7	4.9	36	15
无政治偏袒	瑞典	5.8	3.3	50	29
处理私人纠纷的法律效率	新加坡	6.3	4.5	36	5
处理与政府纠纷的法律效率	芬兰	5.7	4.2	39	3
低成本防范犯罪和暴力	叙利亚	6.6	4.5	81	8

（续）

事项	排名第一的国家	最高分	美国得分	美国排名	中国香港排名
低成本防范有组织犯罪	丹麦	6.8	4.9	86	28
警察的可靠性	芬兰	6.7	5.6	30	9
公司伦理	丹麦	6.7	5.1	29	15
财务审计和报告标准	南非	6.5	5.2	40	12
公司监管	瑞典	5.9	5.1	26	31
小股东保障	瑞典	6.0	4.8	32	24
投资者保障	新西兰	9.7	8.4	5	3

注：执行意见调查各项指标的分值范围大多为 1~7 分，7 分为最优；投资者保障这一项除外，该项指标的分值范围为 0~7 分。

从表中可以看出，在 16 个领域中，美国在 15 项上都不及中国香港，这个结果令人震惊，这一事实也鲜为人知。事实上美国只在投资者保障这一个方面挤入了世界前 20 名；而在其他各个方面，它都表现得差强人意。诚然，中国仍在许多指标上落后于美国，但也并非全然如此。而中国台湾与美国相比，更是在 16 个指标中胜出 10 项。唯一能让美国立法者、律师和执法者稍感安慰的是，其他西方国家情况更糟，尤其是南欧。

鉴于这种评分和排名是通过调查得出的，我们或许可以认为它存在主观偏差。但中国商人对其本国政治家的评价比美国人对其本国政治家的评价更高却是事实，对此美国是应引起重视，还是付之一笑？事实上，另一些研究机构通过其他方法在对各国法治进行考量后，也得出相似的结论。近期传统基金会就财产权保障方面对各国进行评测，美国在总分 100 分的分制下得到 85 分，中国为 20 分。但是中国香港和新加坡均得到 90 分，高出美国 5 分。在抵制腐败方面，美国得到 75 分，远高于中国（36 分），但再次落后于中国香港（82 分）和新加坡（92 分）。

科学情况怎样呢？世界知识产权组织的最新数据显示，东盛西衰的趋势仍在延续。如果以授予国际专利的数量衡量（必须承认这一衡量标准并不完美），西方的优势正遭受侵蚀。中国已然在 2009 年超过了德国。最后说到竞争，正是这个撒手锏将四方割据的西方国家推向了与中央集权制的封建中华帝国迥然不同的发展道路。幸运的是世界经济论坛在过去 30 多年中，每年都会对全球竞争性进行一次综合调查。自该机构在 2004 年采用现行的测评方法后，美国的竞争性平均分值从 5.82 降为 5.43，为发达国家中跌幅最大的国家之一。与此同时，中国的分值则从 4.29 跃至 4.90。

即使在苹果公司首席执行官史蒂夫·乔布斯去世之后，许多美国人依然相信未来的世界格局仍如同 iPhone："加州设计"与"中国组装"。他们错了。西方的主导地位将终结于我们这个时代。它的终结不仅仅是因为世界其他地区终于学会使用西方的撒手锏，也是因为西方未能弘扬这些撒手锏，甚至已将其舍弃。

中国对美国构成的经济挑战不仅仅是程度大小的问题，根据某些评论家的说法，两个超级大国之间的角逐也是两种模型的较量：它是资本主义和社会主义市场经济之战。

"华盛顿共识"是为了促成亚洲及其他地区的新兴市场实现经济转轨而设计的十项经济政策，包括：加强财政纪律，压缩甚至消灭财政赤字；扩大税基，降低边际税率；实施利率和汇率市场化；实施贸易和资本流动自由化。当亚洲经济遭受 1997~1998 年金融危机重创时，美国评论家纷纷对遭受重创国家"裙带资本主义"的缺陷表示哀叹。

今天，美国在经历了大萧条以来最严重的一次金融危机之后，世界也由此改变。2008~2009 年金融市场的崩溃，不仅暴露了资本主义体制根本性的脆弱，中国在抵抗华尔街内爆余波时所展现的强大力量也暗示着是时候拥抱新的“北京共识”了。

在许多方面这都是一场关于中国的争论。布雷默自己也写道，“中国掌握着关键”。然而将中国近期取得的经济成就都归因于国家的力量而排除市场的作用是否切实呢？这要取决于你来到的是中国的什么地方。比如在上海和重庆，中央政府的影响较大。而在温州，它那种以企业和市场为导向的活跃的经济不亚于我去过的其他任何地方。

事实上，世界大多数国家对经济均有所干预，只是在干预的强度上和广度上有所不同。

让我们首先问一个可以用经验数据作答的简单问题。世界上哪个国家对经济的干预程度最高，而哪个国家又最低？国际货币基金组织公布了各国的政府支出占国内生产总值的比例。一些极端的国家，比如东帝汶和伊拉克，它们的政府支出超过国内生产总值；而另一些国家，比如孟加拉国、危地马拉和缅甸，它们的政府支出比例则低得匪夷所思。忽略这些极端的例子，我们来看看中国的情况。中国该比例从 30 年前的 28% 降为 2009 年的 23%，根据这一标准，中国在 183 个有数据可考的国家中排在第 147 位。德国的政府支出占国内生产总值的比例为 48%，排在第 24 位。美国的比例为 44%，恰好也排在第 44 位。根据这种标准，国家干预属于欧洲现象，而非亚洲现象：丹麦、法国、芬兰、比利时、瑞典、奥地利、希腊、意大利、荷兰、匈牙利和葡萄牙，它们的政府支出占比更是高于德国，丹麦的数据为 58%，是中国的两倍有余。

若考察政府的消费性支出水平，即剔除转移性支出或投资支出、政府对商品和劳务的购买占国内生产总值的比例，也可以得出相似的结果。再次忽略一些极端例子，作为购买者，对经济影响最大的政府仍是欧洲国家：丹麦（27%）远高于德国（18%），美国为 17%，中国内地则为 13%，中国香港地区为 8%，中国澳门地区为 7%。中国唯一超过西方国家的方面是公共部门固定资本的巨大比重。根据世界银行的数据，2008 年中国这一支出占国内生产总值的比例为 21%，为该比例最高的国家之一，它反映出在基础设施投资方面，中国政府仍起着主导地位。西方发达国家这一支出的相应比例微乎其微，在西方，政府更像一个挥霍者而非投资者，它们以借贷来购买商品和劳务。

由此可见，如果我们想要了解在当今世界政府和经济关系的变化，我们必须避免简单地将某经济体归结为"国家干预"。我们这个时代并非要在社会主义市场经济的中国与市场资本主义的美国，以及夹在中间的欧洲三者之间分出高下，而是需要考虑如何在重于财富创造的经济体制和重于财富调控、再分配的政治体制两者之间找到适合的平衡点，并最大程度地杜绝寻租行为，即各式各样的"腐败"现象，在公共部门和私人部门的交汇处相当容易滋生这种行为。

然而本书并非确定无疑地宣告中国的世纪即将来临，相反，我始终认为中国在未来的数十年中同样面临着严峻的挑战。在为本书作序之前，我用了 3 周时间游览了中国，这也是我 5 年来第五次来到中国。除去在北京的几日，我避开了西方游客偏爱的观光点。我去了延安，在那里毛泽东于 20 世纪 30 年代确立了他在共产党内的领袖地位。我去了秦始皇陵，这位始皇帝在 2 000 多年前将中国铸造成一个统一的大帝国。我去了有火炉之称的重庆，这座位于长江上游的特大城市正在高速发展。我去了尘土飞扬的湖南长沙，我还去了闷热的安徽合肥，我甚至在壁山的旅舍中度过了一晚，这是安徽南部一个僻静的乡村，时间似乎在这里停顿了百年。

然而璧山只是个例外。除此之外我所经过的地方，放眼看去，四处充斥着城市住宅房地产投资过热的迹象。每个城市的城郊都林立着正在施工的公寓楼群。这些建筑是中国应对西方金融危机时遗留下的后果。在 2008 年 9 月后的数月中，美国金融体系摇摇欲坠，中国国内的银行遂以前所未有的规模放出贷款。最大的借款人便是房地产开发商和当地政府。由于通货膨胀率高于银行存款标准利率，中国日渐庞大的中产阶级便被吸引到房地产热潮中。人们在已经拥有一套或数套住房的情况下仍购买新公寓作为投资，甚至在入住前就转手卖出赚取差价。中国人民银行针对这些以及其他通货膨胀信号作出反应，在 2011 年提高了利率和银行准备金以限制贷款规模。然而依靠向某些非官方贷款人（影子银行、表外工具、投资信托）融资，房地产热潮仍持续了多月。2008 年中国官方银行贷款额为国内生产总值的 97%，该比例如今达到了 120%。没有人确切知道非官方的贷款金额，估计为国内生产总值的 15%~60%。这与西方的房地产泡沫非常相似，虽然它带着些中国特色。在我撰写前言之时，中国当局正在着力解决房价下跌以及冒进的开发商无力还款所产生的一系列问题。

此外，中国的经济发展需要大量消耗自然资源。在未来数十年中，中国会愈加痛苦地发现这种原料的供给刚性将严重制约它的发展。

而在可预见的未来，另一种失衡无疑会变得更为尖锐，那就是男女比例的失衡。据美国企业研究所人口学家尼古拉斯 · 埃伯施塔特统计，在中国 0~4 岁的儿童中，每 100 名女童对应着 123 名男童，这一失衡程度比 50 年前严重许多，当时每百名女童对应的男童为 106 名。这意味着今天中国这些新生儿成年后，将面临着潜在配偶长期短缺问题。根据中国社会科学研究院调查，每 5 名男性青年中会有一名单身。在 20~39 岁的年龄层中，男性将比女性多出 2 200 万人。问题是如此巨大的男性剩余人口将产生怎样的后果。根据德国学者贡纳尔 · 海因索恩的研究，欧洲在 1500 年后的帝国扩张就是男性“青年膨胀”的结果。日本在 1914 年后的帝国扩张也是类似的青年膨胀所导致的。

40 年前，理查德·尼克松比其他多数人更早地察觉到中国的巨大潜能。他在深思后说："你可以静想一下，假如任何一个体制健全的政府能够控制中国大陆，天哪，那世上就没有一个国家能与之匹敌。我的意思是，如果 8 亿中国人在一个健全的体系下有效组织起来……那他们将主导世界。"一些评论家认为这一预言正在成为现实。但是中国作为一个新生的超级大国，是否会继续依照该国领导人所设定的目标，一以贯之地走"和平崛起"的发展道路，却令人心存疑窦。相反，1972 年尼克松总统访华后建立的中美之间实力不对等的伙伴关系，很有可能发展为实力相当的敌对关系。

中美之间是否会像 1950~1953 年朝鲜战争时期那样再度交恶？这点并非没有可能。正如亨利·基辛格最近的提醒，100 年前正是德国的崛起在经济上和地缘政治上对英国构成威胁，引发了战争。此外，在久拖未决的中国台湾和朝鲜问题上，中美两国也存在难以弥合的分歧。基辛格也曾说过，中国的崛起可能"导致世界格局再次出现两极分化"，引发新的"冷战"（甚至可能是"热战"）。但基辛格仍保持乐观态度，他援引了中国外交政策专家郑必坚的观点，郑必坚主张中国"要超越世界近代以来后兴大国传统的崛起之路"，"不走德国那种谋求霸权引发第一次世界大战的老路"。基辛格建议，美国不应"组织拉拢亚洲其他国家来牵制中国，或是建立一个民主国家集团，与中国进行意识形态的对抗"，而是应该采取更好的方式，与中国相互协作，共同建设一个新的"和平社区"。

然而奥巴马总统似乎选择了相反的道路，他向中国下达了"战书"。2011 年 11 月，奥巴马总统在澳大利亚发表演讲，美国计划在此处驻扎 2 500 名海军士兵，他宣称："美国将全力参与 21 世纪的亚太事务，你们不必对此存有怀疑。"他随后前往巴厘岛，与跨太平洋伙伴关系的代表会晤，惹人注意的是中国被排除在这个组织之外。6个月前，国务卿希拉里·克林顿即语出惊人，她称中国政府害怕所谓的中东阿拉伯之春，她在接受《大西洋月刊》采访时告诉杰弗里·戈德堡："他们在为此担心，他们试图阻挠历史前进，这无疑是螳臂挡车，他们无法阻挡历史。"这些言论首次表露出华盛顿当局正在考虑采取更具对抗性的战略来抗衡中国的崛起，此外，他们还威胁把中国贴上"货币操纵者"的标签，或是在国会中制造保护主义舆论。

世界在经济、社会和地缘政治上都正处于全球转变期，此时我们迫切需要对历史有一个深刻认识，没有这种认识，我们将可能重复历史的错误。本书包含了两大思想，它们在东西方文明的交汇之际为读者提供了适时的视角。第一个思想揭示了各种文明（不同于帝国）之间的冲突是可以避免的。通过交换思想、参效体制，不同文明在接触中可以实现并存，甚至相互融合。

第二个思想涉及历史变革，它认为历史变革并非以渐进的方式来临。历史由临界点组成，它充满了非线性结果和随机行为。那些随意预言东方崛起、西方衰败的人要知道"协同进化"（基辛格语）也可能发生，同样那些认为历史会按"协同进化"方式发展的人也应认识到革命爆发的突然性，这也是所谓的专家难以预料的。

英国版前言

CIVILIZATION

现在我在努力回想，是什么地方、什么时候让我顿悟的？是在2005年我首次沿着上海外滩漫步时吗？是在烟雾缭绕、尘土飞扬的重庆吗？那时我在听一位政府官员的介绍：他指着巨大的碎石堆，将它描述为中国西南未来的金融中心——那是2008年。从某种程度上说，这给我留下了至深的印象，这比北京奥林匹克运动会开幕式上那五光十色、让人眼花缭乱的所有同步表演给我的震动更大。抑或是在2009年卡内基音乐厅上——才华横溢、光彩夺目的中国年轻作曲家林安淇正以东方风格演绎古典音乐，令我如痴如醉？我想，或许正是从21世纪最初10年即告终结之时，我才真正理解了这个世纪最初10年所蕴涵的意义：西方主宰世界的500年已接近尾声。

在我看来，本书所探讨的主要问题已日益成为现代史学家可能提出的最有趣的问题之一。从大约1500年开始，欧亚大陆西部少数几个国家逐渐支配了全球其他地区，其中包括欧亚大陆东方那些人口规模更大、在很多方面都更完善的社会。这究竟是为什么？我的次要问题是：如果我们能就西方昔日具有的支配地位给出合理的解释，那么我们能否预测它的将来？现在真是西方世界的末日、东方新时代降临之时吗？换一种方式说：继文艺复兴和宗教改革后，文明（在科学革命和启蒙运动的推动下，文明跨越大西洋，抵达澳大利亚和新西兰，并最终在革命、工业和帝国时代传播到地球的最远方）在西欧崛起，全球绝大多数的人口或多或少都臣服于这种文明之后，现在，我们正见证着这个文明时代的衰落吗？

我希望提出这些问题，这个事实本身可以反映有关21世纪最初10年的某些情形。我在苏格兰出生、长大，在格拉斯哥学院和牛津大学接受教育，在20~30多岁时，我估计自己会进入学术职业生涯，要么在牛津，要么在剑桥。我首次想移居美国，是因为纽约大学思恩特商学院一位知名的捐助人、华尔街资深人士亨利·考夫曼曾这样问我：对货币和权力史感兴趣的人为什么不到货币和权力的重地来住？除了曼哈顿市中心，还能是哪个地方呢？在新千年逐渐来临之际，不用说，纽约证券交易所是全球巨大的经济网络中心所在，这个网络是美国人所设计的，从很大程度上说其所有权也属于美国人。互联网泡沫逐渐减少，不可否认的是，让人心烦的小规模经济衰退却导致了这样的后果：正在民主党人还清国债的承诺听起来几乎比较靠谱的时候，他们失去了白宫。但是，仅在乔治·W·布什成为总统的8个月内，它便遭遇了一次大事件，一场突出强调曼哈顿在西方主导的世界中的中心地位的大事。基地恐怖主义分子摧毁了世界贸易中心，这不啻是以一种骇人听闻的方式向纽约“致敬”。对于有意挑战西方支配权的任何人而言，这个城市可是头等目标。

随后发生的事件让美国人飘然自得。阿富汗的塔利班政府被推翻了。被冠以“邪恶轴心”的国家进行“政权更迭”的时机已经成熟。伊拉克的萨达姆·侯赛因被赶下了台。“有毒的得克萨斯人”[①]的选票行情高涨，有望连任。得益于减税政策，美国经济又开始反弹。“古老的欧洲”发怒了，自由主义美国也不例外，但都无济于事。我为这些事件而着迷，不知不觉发现自己阅读、撰写的有关帝国的东西越积越多，尤其是英国给美国所带来的启示，结果成就了一本书的问世：《帝国》（*Empire: How Britain Made the Modern World*，2003年）。在对美帝国的崛起、称霸世界及可能出现的衰落展开思考的过程中，我十分清楚地看到，美国霸权核心存在三个致命不足：人力资源不足（阿富汗和伊拉克战场的兵力不够），关注度不足（公众对长期占领战败国的热情不够），最为重要的是财力不足（相对于投资而言，储蓄不足；相对于公共开支而言，税收不够）。

在《巨像：美帝国的兴衰》（*Colossus: The Rise and Fall of America's Empire*，2004年）中，我曾提出警告，美国没有意识到自己正逐渐依赖东亚资本以稳定其失衡的经常账户和财政账户。因此，美国不言自明的帝国地位的式微和衰落，其原因或许并不是已潜入城内的恐怖主义分子，或许也不在于为之撑腰的流氓政府，而正好在于帝国自身中心所埋伏的金融危机。2006年年末，我与莫里茨·舒拉里克共同创造了“中美国”一词——一语双关，暗指这是狮头羊身蛇尾的结合体，用以描述勤俭节约的中国与恣意挥霍的美国之间不可持续的危险关系，这也是我们所认为的那场即将来袭的全球金融危机的关键原因之一。如果没有充裕的中国劳动力和廉价的中国资本为美国消费者提供商品，那么2002~2007年经济泡沫的膨胀也不会来得如此严重。

在乔治·W·布什总统任期内，美国“超级霸权”的幻象破灭了不是一次，而是两次。首先是在萨德尔城的后街和赫尔曼德战场遭受损失，这不

① “有毒的得克萨斯人”指小布什。——译者注

仅暴露出美国军事力量不足，更为重要的是，它也暴露出在大中东推行新保守主义民主运动的幼稚。随着2007年次贷危机的升级，逐渐演变为2008年的信贷紧缩，最后引发2009年的“大萧条”，美国再一次遭受惩罚。雷曼兄弟公司破产后，“华盛顿共识”和“大稳健”——在中央银行家眼中相当于“历史终结”——的虚假事实彻底被人遗忘了。一度有人认为，又一次大萧条似乎极有可能发生。哪里出错了？从2006年中期开始，我便开始撰写大量文章并发表演讲，并于2008年12月出版集大成之作《货币崛起》①，这时也是金融危机最严重之际。我在文章、演说及著书中认为，银行资产负债表上过度的短期债务，定价不当、事实上是估价过高的抵押支持债券和其他结构性的金融产品，美联储所执行的过度宽松的货币政策，从政治角度设计的房产泡沫，还有最后一点，为无可知晓的不确定未来——而非可量化的风险——提供假冒保护而毫无限制地销售假保险单（被称为衍生产品），上述所有因素灾难性地削弱了国际金融系统的所有构成要件。发源于西方的金融体制的全球化，据称是为了引领旨在减少金融震荡的新时代。要预测传统的流动性危机可能会如何将靠传统的金融举债维持的整个大厦倾覆，是需要历史知识的。

2009年夏天过后，发生第二次经济萧条的险情才开始化解，虽然那时的衰退迹象还没有完全消失。但不论怎么说，世界为之改变了。由于为进出口贸易提供融资的信贷资金突然干涸，金融危机给全球贸易所带来的令人毛骨悚然的崩盘，本来是可能摧毁亚洲地区大经济体的，因为该经济体据称全仗对西方的出口。然而，得益于以大规模信贷资金扩张为基础的高效政府刺激计划，中国经济只是放缓了增长的步伐。这种令人惊叹的业绩几乎没有什么

① 《货币崛起》已由中信出版社于2009年出版。——编者注

专家预测到。采用新加坡模式发展人口规模达13亿的大陆经济，其难度显而易见，而截至写作本书（2010年12月）时，其前景仍然被看好：中国将继续在工业革命进程中稳步前进，而且，在10年内，其国内生产总值将赶超美国，正如过去（1963年）日本赶超英国那样。

毫无疑问，在此前500年中，西方一直真实而持续地保持着对其他世界的优势地位。从17世纪以来，西方人和中国人的收入差距就开始逐级拉大，至少直到最近的20世纪70年代，差距仍在持续扩大。但此后，收入差距开始以惊人的速度缩小。本次金融危机进一步明确了我想要提出的下一个历史问题：西方具有的那些优势现在消失了吗？只有弄清西方优势到底包括哪些内容后，我们才有可能给出答案。

接下来的内容涉及历史方法论；没有耐心的读者可以直接跳过我为本书写作的前言，因为我有一种强烈的印象：当前活着的人，对死去的人的关注度是不够的。在见证我的三个孩子成长的过程中，我有这样一种不安的感觉：他们所学的历史比同龄时期的我学的少，这并非因为他们的老师差劲，而是因为他们的历史教科书差劲，历史考试就更不用说了。在见证金融危机逐渐升级之际，我意识到，绝不只有他们如此，因为在西方世界银行和财政部中，似乎只有极少数人对上次的大萧条略微具备那么一点最肤浅的知识。大致30年来，西方中学和大学中的年轻学生所接受的都是通才教育，缺乏实质性的历史知识。他们接受的是彼此孤立的"模块"，不是叙事史，更谈不上编年史。接受的训练是按固定的模式对文献选节进行分析，而不是培养广泛、快速阅读的关键技能。学校教育鼓励他们同情想象中的罗马百夫长和大屠杀中的牺牲品，而不是培养他们就其困境的由来和过程撰写论文。在《历史男孩》（*The History Boys*）中，剧作家艾伦·班尼特提出了"三难选择"：历史应该作为反面立论来教，还是在与昔日的真理和美的交流中学习，或仅仅是“罗列一件又一件的事件”？以上种种方法中，没有一种是针对当今六年级的学生的，显然，他没有意识到这一点，六年级的学生充其量只是被灌输了少量“几个事件”，而且毫无特定顺序。

我担任教职的大学的上任校长曾坦承，他在麻省理工学院念本科时，他的母亲曾恳求他至少修一门历史课。这位天资聪颖的年轻经济学家傲慢地回答说，较之于过去，他更对未来感兴趣。现在，他知道那时的偏爱是虚幻的。事实上，世界上本没有所谓单数形式的“未来”，有的只是复数形式的“未来”。历史可以有多种阐释方式，当然，没有哪一种解释是绝对确定的，但是，我们的过去只有一种。虽然历史已离我们远去，但它对于认识我们当今的经历和我们明天及之后将面临的情形是不可或缺的，其原因有二。首先，世界当前的人口在曾来到这个世界的所有人口中的占比，大约为7%。死去的人比活着的人多；换句话说，死人和活人的比例为14：1；无视如此规模的人口所积累的经验会让我们陷入危险境地。其次，要认识一闪而过的今天及预知我们未来面临的多种可能性（但只有一种可能会变为现实），过去确实是我们唯一的知识来源。历史不仅在于我们如何研究过去，更在于我们如何研究时间本身。

让我们首先承认这个主题的局限性。史学家不是科学家。他们无法（也不应该尝试）以可靠的预测能力建立普遍适用的社会或政治“物理学”。为什么呢？对于那构成过去的长达数千年的实验，我们是绝对无法重复的。人类历史的样本只有一个。此外，这样一个规模宏大的实验中的“粒子”是有意识的，其意识活动因为各类认知偏差而互不相同。这意味着，他们的行为比没有意识、没有思想、不旋转的粒子更难以预测。在人类的很多特殊倾向中，有一种是人类在演进过程中，几乎本能地学会了从其过往的经历中汲取经验教训。所以，他们的行为具有适应性，其行为倾向逐渐在变化。我们并不是随意地漫游，而是在道路上行走，而且，当前方的道路分叉（常常会发生这样的情况）时，我们以前的经验就决定了我们会选择的方向。

那么，史学家能干点什么呢？首先，以量化数据为基础模仿社会科学家，史学家可以设计“涵括法则”，根据卡尔·亨佩尔逻辑，对历史的归纳陈述可概括大多数事例，举个例子，当独裁者而不是民主领袖掌权时，该国打仗的可能性就增大。史学家可以发挥想象力，按照伟大的牛津哲学家科林伍德在其1939年出版的自传中所描述的方法，与已亡故的事物展开交流。模仿和概括这两种历史探究方法让我们有机会将过去残存的遗迹还原成历史原貌，使之成为一整套知识和阐释，让我们在事后揭开其困境迷局，并找出应对方法。有关我们未来可能经历的情形，任何严肃的预测陈述都是直接或间接地以一种或两种历史探究法为基础的。如果不是，那么这就与新闻报刊中的占星栏属于同一个范畴了。

对“一战”后兴起的自然科学和心理学大失所望后，科林伍德的远大志向在于，抛弃他所不屑的“剪贴式历史”——历史作者仅在以不同的序列和不同的编修风格重复他们前辈的说法——将历史带入现代。他的思维过程自身就值得梳理：

1.“史学家研究的过去并不是已死的过去，而是在某种意义上仍然”以残存至今的痕迹（文献和人工制品）形式“活在现在的过去”。

2.“所有历史都是推理史”——这是说如果一件历史证物有意表达的目的无法被推测出来，那它将毫无意义。

3.这种推理过程要求史学家发挥能跨越时间的飞跃性想象力：“历史知识是史学家所研究的推理史在其头脑中的再次演绎。”

4.历史的真正含义来源于过去和现在的并置、比较：“历史知识是从当今思维的角度去演绎过去，同时从过去的角度对思维进行调整。”

5. 因此，史学家与历史外行人士相比，正如训练有素的伐木工与无知的旅行者。“除了树和草，这里什么都没有。”那位旅行者这么想着，随后继续前进。“看，”伐木工说，“那草丛中有一只老虎。”换言之，科林伍德认为，历史给我们带来的是“与（科学）法则完全不同”的东西，也即洞察力。

6. 洞察历史的真正作用在于，它不仅告知人们过去，也告知人们现在，它显见的课题就是将历史套用于现在，对其进行剖析，使其本质显现于世人面前。

7. 至于我们选择用于历史探究的主题，科林伍德则十分明确地指出，与他同在剑桥的同龄人赫伯特·巴特菲尔德斥为“现时意识”（present-mindedness）的内容没什么不对：“真正的历史问题从实际问题中产生。我们研究历史，是为了将局势看得更清楚，进而响应召唤应对挑战。所以，从根本上说，最终产生的问题都是‘现实’生活中的问题，而他们在寻求解决方法时所参考的就是历史。”

科林伍德博学多才，精通哲学和考古，是坚定的绥靖政策反对者，也是早期讨厌《每日邮报》①的人。多年来，他一直是我的导师，在我写作这本书时，他更是不可或缺。探讨文明衰落的原因如此重要，因此不能将它留给那些剪贴式历史的传播者。这的确是我们当代的一个实际问题，因而本书意在发挥伐木工式的引路作用，因为这片草丛中隐藏着一只以上的老虎。

① 科林伍德将《每日邮报》称为“第一家其单词失去其原有意义而获得新意的英文新闻报刊：‘新闻’的原义是‘真相’，这点是读者应该了解的……其获得的新义为‘事实’或‘虚构故事’，正是这个新意使读者有兴趣去阅读（新闻报刊）”。

在尽职尽责地重构过去的推理过程中，我总是努力记住关于过去的一个简单的事实：容易疏忽过去的人并不长寿。过去的大多数人即使没有英年早逝，寿命也不长，而那些没有英年早逝的人则一直承受着丧失他们所爱的人英年早逝的痛苦。以我最喜欢的诗人詹姆士一世时代的大师约翰·多恩为例。他活到 59 岁，也即比撰写本书时的我大 13 岁。他是律师、议员，并在放弃罗马天主教信仰后成为盎格鲁神甫，后为了真爱而结婚，结果为此丢掉了给他的新娘的叔叔——掌玺大臣托马斯·埃格顿爵士——担任秘书的工作。[①]在长达 16 年一贫如洗的岁月中，安娜·多恩为她的丈夫生育了 12 个孩子。其中有 3 个孩子——弗朗西斯、尼古拉斯和玛丽夭折时还不到 10 岁。安娜·多恩的第 12 个孩子出生时便已死了。约翰·多恩最疼爱的女儿露西死后，他自己也几乎随她进了坟墓，此后他写下了《丧钟为谁而鸣》（原名《紧急时刻的祷告》，1624），在诗中写下了劝勉人们应对死者抱以同情的最伟大的诗句："每个人的死亡都是我的哀伤，因为我与人类息息相关。所以，不要问丧钟为谁而鸣，它为你，也为我。"3 年后，他的挚友之死又给了他灵感，于是他写下了《圣露西节之夜，最短的白日》（*A Nocturnal upon St Lucy's Day, Being the Shortest Day*）：

将我细细端详吧，爱人们
来年春天，我们就将生死永隔
我已寂灭，意欲归去
爱神却来将我点化
他果然法术神通

① 在约翰·多恩由于反抗她的父亲而被短暂逮捕之后，她机智风趣地说：约翰·多恩与安娜·多恩不会就此罢休（John Donne-Anne Donne-Un-done）。毫不奇怪，他是爱她的。

于我的清贫惨淡中，于我的茫然虚妄中
于空空渺渺之中，他炼出精魄
使我脱胎换骨，涅槃重生
先前的颓然黑暗，不复存在

对于希望更好地理解人类预期寿命只有如今一半长的时期的人类状况的任何人，他们都应该读读这些诗词。

使人们英年早逝的死亡，其无与伦比的威力不仅使生活险恶不安，而且使之充满悲伤。这也意味着，打造昔日文明的大多数人，在为社会作贡献时都还很年轻。伟大的荷兰、犹太混血哲学家斯宾诺莎曾提出，只存在一个实体的、具有确定因果关系的物质世界，“主”便是这个世界的自然秩序，因为我们只是模糊地感知它的存在，此外一无所知。他死于1677年，当时54岁，很有可能是白天作为镜片打磨工匠时吸入了玻璃的微粒所致。布莱士·帕斯卡是概率论和液体动力学的先驱和《思想录》（*Pensées*）的作者，基督教的最伟大辩护人，只活了39岁；如果之前唤醒其信仰的交通事故是致命的，那么他死得就更早了。如果能活到伟大的人文主义者伊拉兹马斯（69岁）和蒙田（59岁）的年龄，谁知道这些天才还能创造出其他什么伟大的作品呢？创作了最完美歌剧《唐璜》的莫扎特，死时年仅35岁。谱写了庄严的C大调弦乐五重奏的弗朗兹·舒伯特极有可能是死于梅毒，年仅31岁。尽管可谓多产的作曲家，但假如他们能有幸活到慢性子的约翰内斯·勃拉姆斯活到的63岁，或者魁硕的安东·布鲁克纳活到的72岁，又会怎样呢？苏格兰诗人罗伯特·彭斯写下表达平均主义的诗篇《无论何时都要保持尊严》，他死于1796年，年仅37岁。而这样一位藐视官爵世袭制度的诗人（曾写下“官位不过是金币上的图案/人才是真金/不管那一切”）竟比极力推崇这种思想的诗人短寿得多，这是多么不公平。丁尼生在他 83 岁高龄享受种种荣誉后才去世。帕尔格雷夫编著的《英诗金库》，如果能多收录些彭斯的作品而减少丁尼生的作品，将会更出色。假如维梅尔和毕加索两人命运互换——辛勤创作的维梅尔活到 91 岁，而多产的毕加索在 39 岁时便英年早逝，当今世界的艺廊又有什么样的不同呢？

与哲学、歌剧、诗歌或绘画同属于我们文明内容的政治，也是艺术。但是，美国历史上最大的政治艺术家亚伯拉罕 · 林肯，在白宫只担任了一个任期的总统，便在第二任总统就职演说仅 6 个星期后，成为了心怀怨恨的行刺者的受害者，那时他 56 岁。这位出生于小木屋，起草了辉煌的葛底斯堡演说——将美国重新描述为“以自由理念为基础，旨在实现民有、民治、民享政府和致力于实现人人生而平等主张的国家”，自我成才的伟人，如果与患有脊髓灰质炎、又玩马球的伟大的富兰克林 · 德拉诺 · 罗斯福活的年岁一样高（借助医学科技的帮助，罗斯福活得够长，死于 63 岁之前几乎整整担任了 4 个任期的总统），美国重建时代又会有什么不同呢？

因为我们的生活与过去大多数人的生活是如此不同（其中相当重要的原因，不仅在于他们的预期寿命更短，更在于我们享有更好的物质舒适度），所以我们必须充分发挥想象力，才能了解过去时代的男男女女。在早于科林伍德的自传一个半世纪的《道德情操论》（*Theory of Moral Sentiments*）中，伟大的经济学家和社会理论家亚当 · 斯密详细阐释了为什么一个文明的社会并不是一场一切对抗一切的战争的原因，因为文明社会是建立在怜悯心之上的：

> 由于我们无法直接体验其他人的感受，所以我们不知道他们是如何受到影响的，唯有设身处地地想象我们自己可能会有的感受。虽然我们

的兄弟背负巨大压力，但如果我们自己内心安逸，我们的感官将无法给我们传达他所遭遇的痛苦。他们从没有，也永远无法使我们受到超过我们亲历的情感的感染，而只有通过想象，我们才能形成关于他的实际感受的认知。即使通过这种认知方式，也只有我们设身处地去想象他们可能会有的感受时，才能帮助我们具有怜悯心。这种怜悯心仅仅是我们感官的印象，不是我们的想象力复制的他的印象。通过想象力，我们设身处地，就像感同身受。

毫无疑问，这恰好便是科林伍德所说的史学家应该干的，而这也是我希望读者在这些页中遭遇逝者复活的思维时所要做的。本书的关键宗旨在于，了解是什么因素推动他们的文明在财富、影响力和实力方面的扩张如此辉煌。但是，如果没有通过想象力使我们设身处地去感同身受，我们将无法弄清其原因。当我们逐渐再现其他文明——西方征服或至少使之从属西方文明——的居民的思维时，发挥想象力的难度就更大了。因为他们是戏剧阵容中同样重要的演员。本书不是一部西方史，而是世界史，其中西方的统治地位是我们要阐释的现象。

在法国史学家布罗代尔于1959年撰写的百科全书条目中，他是如此定义文明的：

它首先是个空间概念，一个“文化领地”……一个地域。有了这块地域……你必须想象出种类极其繁多的“产品”和文化特征，从住房形式、建房材料、屋顶材料，到诸如制造羽毛箭支的技能，方言或一组方言，烹调品味，特定的科技，信仰体系，示爱方式，甚至罗盘、纸张和印刷机。当这个领地形成某些特质，比如该地域的文化特征已经遍布整个地域，并且它的文化特征在可预见的未来将一直延续下去的时候，我就可以把它称为文明。

然而，较之对变化的阐释，布罗代尔更擅长于描述结构。如今，我们常听到的是，史学家应该讲故事，因此，本书为读者呈现大历史——对一个文明摆脱曾限制此前所有文明发展的羁绊而兴起背后的原因展开大篇幅的叙述时，也一并将为数众多的小故事或其中的微观历史予以呈现。然而，栩栩如生的描述还不够。“西方为什么会逐渐统治全球其他地域？”针对这个问题，仅仅用故事来回答是不够的。此外还需要分析，需要旁证，要通过反事实的方法予以证明：如果我在此发现至关重要的革新并不存在，那么西方是因为某种我漏掉或强调不足的其他原因统治了其他地域吗？或者这个世界后来会有截然不同的发展结局——中国或某种其他文明占支配地位？我们不能欺骗自己，认为我们的历史故事，如通常所设计、编排的那样，仅仅是历史故事的花样翻新而已。我们应该看到，对当代人而言，西方主导世界的事实似乎并不是他们自己当初所设想的最有可能出现的未来情形；在历史演员的头脑中，毁灭性惨败的危机感比现代读者所期待的美好结局来得强烈。在作为实际经验的历史事实中，在很大程度上说，历史更像一局国际象棋，而不是小说；更像足球比赛，而不是一出戏剧。

历史并不只是呈现积极的一面。没有任何严肃的作家会声称，西方文明的统治没有污点记录。但有人却坚持认为，历史没有任何积极的一面。这种立场是荒唐可笑的。与所有伟大的文明一样，西方文明也具有两面性：有其崇高的一面，也有其卑鄙的一面。或许，更好的方式是将文明喻为詹姆斯·霍格笔下《一个清白罪人的私人回忆录与自白书》（*Private Memoirs and Confessions of a Justified Sinner*，1824 年），或罗伯特·路易斯·斯蒂文森创作的《杜里世家》（*Master of Ballantrae*，1889 年）中长期不和的两兄弟。竞争和垄断，科学和迷信，自由和奴隶制，关爱和杀戮，辛勤劳作和懒惰，在所提的种种情形中，西方是善之源，也是恶之始。如霍格或斯蒂文森小说中所描述的，两位兄弟中的强者最后终于出人头地了。我们也必须抵制诱惑，避免对历史失败者的故事予以美化。而那些遭受西方列强蹂躏的，或者西方国家以较为和平的方式通过借贷或强制手段对其进行改造的国家，也并非十全十美，最能清楚地说明这一点的是，他们无法持续改善其居民的物质生活质量。一大难点在于，我们无法总是重构这些非西方民族过去的思维，因为不是所有民族的文明都留有思想的记载。归根结底，历史首先研究的对象是文明，因为没有书面记录，史学家就只能依赖矛头和瓷罐瓷片展开研究，而他们通过这些能推测的东西就少多了。

法国史学家、政治家弗朗索瓦·基佐说过，文明史“覆盖面最广……涵盖了所有其他内容”。学术派总喜欢在经济、社会、文化、知识、政治、军事和国际史间作专业化区分，由此建立多学科种类的界限，而文明史必须超越这种专业化区分的界限。文明史必须覆盖恢弘的时空，因为文明史不是三言两语就能说清楚的，也不是转瞬即逝的现象。但是，诸如本书这样探讨文明史的著作也不可能写成百科全书。对于那些因被省略的内容而抱怨的读者而言，我唯有抬出那位特立独行的爵士演奏家蒙克塞隆尼斯·孟克，引用他的话：“不要什么都演奏（或者每次都演）；有些东西，不用去管……你没演奏的内容可能比你演奏的内容更重要。”我认同。因此，以下章节中，很多音符和和弦被省略了。但是，省略它们可不是没有原因的。文明史素材的选择是否反映了中年苏格兰人——西方主导世界的最大受益人——的偏见呢？很有可能。我真心地希望，我选择的素材不会遭到维护当今西方价值观的大多数热情、雄辩的捍卫者的谴责，因为我所选择的文明，其人种起源与我们的起源是截然不同的。

旨在论述600年世界史的著作，必定是通力合作才能完成的，本书能够问世，我要感谢很多人。我要感谢在以下档案室、图书馆和机构工作的员工：AGI档案室、阿尔伯特·卡恩博物馆，布里奇曼艺术图书馆、大英图书馆、查尔斯顿图书馆学会、北京的中国国家图书馆、考比斯网站（Corbis）、达喀尔巴斯德研究所、柏林的德国历史博物馆、柏林–达勒姆普鲁士国家机密档案馆、格蒂图片社、格林尼治天文台、维也纳军事史博物馆、爱尔兰国家图书馆、国会图书馆、密苏里历史博物馆、仕女路博物馆，利马的德奥罗博物馆，伦敦国家档案馆、国家海事博物馆、伊斯坦布尔的奥斯曼档案馆、PA相片社、哈佛的皮博迪考古和民族学博物馆、达喀尔的塞内加尔国家档案馆、南卡罗来纳历史学会、东方和非洲研究院、苏雷曼尼亚手稿博物馆，当然还有哈佛无与伦比的怀德纳图书馆。如果不额外对谷歌表示感谢，那也是不公平的，因为谷歌对于加速历史研究提供了无与伦比的资源，还要感谢在线图书馆和维基百科，这两种资源也使史学家的研究比以前更方便了。

在研究过程中，除了从丹尼尔·兰斯伯格–罗德里格斯、曼尼·吕康–克鲁兹、贾森·罗基特和杰克·孙那里获得了价值极大的协助外，萨拉·沃林顿的支持也同样不可或缺。

与往常一样，本书是集合大西洋两岸企鹅出版社的编辑——伦敦的西蒙·温德和纽约的安·高道夫，他们拥有娴熟的编辑技能和饱满的激情——的优势顺利出版的。彼得·詹姆斯出类拔萃，所做的不仅仅限于编辑工作。同样也要感谢理查德·杜吉德、罗茜·格莱舍、斯特凡·麦格拉思、约翰·梅金森、潘·福尔格及其他太多难以一一提及的人。

与我以前写的5本书一样，《文明》在最初不仅是一本书，还是一个电视系列片。在第四频道的拉尔夫·李和西门·伯松的协助下，使难以理解或无法理解的本系列变得浅显、明白。如果没有“中美国”媒体所组织的卓越团队，无论电视系列片还是书籍都不可能完成。这个团队包括：电影拍摄圈的明星人物德瓦尔德·阿克马，影片第二部和第五部的制作助理詹姆斯·埃文斯，我们的文献研究员艾莉森·麦克艾伦，制作苏珊娜·普莱斯，执导影片第二部和第四部的詹姆斯·朗西，我们的制作经理薇薇安·斯迪尔，影片第三部和第四部的制作助理夏洛特·威尔金斯。在节目的早期制作中，乔安娜·波茨发挥了关键作用。克里斯·奥彭肖、麦克斯·哈格·威廉姆斯、格兰特·罗森和哈力克·莫里，圆满完成了节目在英国和法国的拍摄。我的“中美国”媒体的伙伴梅兰妮·福尔、阿德里安·佩南对我怀着极大的耐心和宽容，我们的三位一体很好地推动了宣传。还要提及的是，我的朋友克里斯·威尔森确保我没有误过一次飞机。

在协助我们拍摄影片的众多人中，还有大量的维修工作人员参与到了本书所涉及的研究工作中。感谢你们：曼弗雷德·安德森、卡迪迪亚图·巴、莉莲·陈、特雷萨·霍尔斯卡、佩耶·扬达、沃尔夫冈·克内普夫勒、德博拉·麦克劳克兰、马蒂亚斯·萨莫雷拉、黛西·牛顿–邓恩、何塞库托·诺格拉、勒·乌兹泰金和恩斯特·福格尔。

在我们周游世界时，我采访过很多人，所以我也想向他们表达感激之情，尤其要感谢的是：贡萨洛·阿利亚加、尼哈尔·本吉苏·卡瑞克、牧师约翰·林戴尔、米克·罗森、瑞安·斯奎布、伊万·托斯卡、斯特凡·沃利、张韩平，最后，绝对不能忘了感谢达格南的罗伯特·克拉克学校的小学生们。

我非常有幸能得到安德鲁·卫理这样一位经纪人，他是世界上最棒的文学界经纪人，同样要感激的是我的英国电视经纪人苏·艾顿。另外也要向卫理经纪公司在伦敦和纽约办公室的斯科特·莫耶、詹姆斯·普伦以及其他所有员工送上我的谢意。

除了我以前和现在的学生及众多的朋友外，大量知名史学家也慷慨地抽时间读了本书全部或部分手稿，他们包括：拉维·阿卜杜勒、阿里·阿扬、布莱恩·阿费尔布赫、皮耶尔保罗·巴比、杰里米·卡托、J·C·D·克拉克、詹姆斯·埃斯代尔、坎贝尔·弗格森、马丁·雅克、哈罗德·詹姆士、玛雅·叶索诺夫、乔安娜·刘易斯、查尔斯·梅尔、哈桑·马利克、诺埃尔·毛雷尔、伊恩·莫里斯、查尔斯·默里、阿尔·穆萨基奥、格伦–奥哈拉、斯蒂芬·品克、肯·罗格夫、艾玛·罗斯柴尔德、亚历克斯·沃森、阿恩·维斯塔、约翰·王和杰里米·耶伦。也要感谢菲利普·霍夫曼、安德鲁·罗伯茨和罗伯特·威尔金森。本书仍有错误，本人负全部责任。

我想感谢牛津大学耶稣学院的校长和同事，及他们在奥丽尔学院和牛津大学图书馆的同事。感谢胡佛研究所和斯坦福的院长约翰·赖希安及其员工。本书完成于伦敦经济学院的线上经济学文件服务中心（London School of Economics IDEAS centre），在那里，作为2010~2011学年的菲利普·罗曼教授，我受到了很好的关照。然而，我最要感谢的，是我在哈佛的同事。要分别感谢哈佛历史系的每位同事会花很长时间，因此，请容许我来个集体感谢：没有你们这些同事的支持、鼓励和智力上的激发，我是不可能写成本书的。同样，请容许我对哈佛商学院来个集体致谢，尤其是欧洲研究中心的全体教师和员工以及国际经济单位商业与政府部门的同事，也要感谢国际事务韦瑟中心，科学和国际事务贝尔弗中心，在经济史研讨会和洛厄尔楼的朋友们。还有查尔斯河两岸我所有的学生，尤其是选修我的通才教育课“世界十九大社会”（Societies of the World 19）的那些学生。本书的写作在你们的课堂上启动，从你们的论文和反馈中得到了极大的帮助。

最后，我向我的家人表达由衷的感激之情，尤其感激我的父母和经常被我忽略的孩子们（费利克斯、芙蕾雅和拉克兰），从很多方面看，我是为你们写作了本书，我的孩子们。也不能忘了感谢孩子的妈妈苏珊及我们众多的亲戚。

最后，我要将本书献给一个人——对于西方文明的真正意义及其仍然给世界的启发，他比我认识的任何其他人都理解得更透彻。

2010 年 12 月

伦敦

序言

他不会将civilization（文明），而只会将civility（礼仪）这个词收入他编写的第四版词典。我对他充满敬意，但我认为，civilization是由civilize派生而来的，从与野蛮这个词的相对意义上说，它比civility更好。

詹姆士·博斯韦尔

文明的所有定义……结合了多种意义："我是文明人，你属于某种文化，他是野蛮人。"

菲利普·费尔南德斯–阿莫斯图

拉塞勒斯的疑问

当肯尼斯·克拉克在他以"文明"命名的电视系列片中定义文明时，他向观众确实地表明了：他所说的文明指西方文明，其中又以从中世纪到19世纪的西欧艺术和建筑为主。在他给英国广播公司（BBC）拍摄的13部影片中，第一部以礼貌但又毫不含糊的姿态藐视拜占庭帝国的拉文纳、凯尔特人生活的赫布里底群岛、海盗挪威，甚至查理曼大帝出生的亚琛。以克拉克对文明这个词的定义看，从罗马帝国崩溃到12世纪文艺复兴之间的黑暗时代，根本就不符合文明时代的标准。文明从沙特尔大教堂的兴建（未完全竣工便于1260年举行了落成典礼）而重焕生机，到他自己生活的曼哈顿摩天大楼直冲云霄的时代，又渐渐有了衰退的迹象。

克拉克这部极为成功的电视系列片首次在英国播放时，我才5岁，这个节目为英语世界的一代人定义了何为文明。那是卢瓦尔河城堡，是佛罗伦萨的宫殿，是西斯廷教堂，也是凡尔赛。从荷兰共和国崇尚的庄严肃穆的建筑内部，到巴洛克热情洋溢的建筑外观，克拉克以一名艺术史学家的身份娓娓道来，将其才智发挥得淋漓尽致。音乐和文学不时穿插进来，政治甚至经济素材也偶尔被援引。但很明显，克拉克所言的文明本质是高度的视觉文化。他的主人翁是米开朗琪罗、达·芬奇、杜勒、特纳和德拉克洛瓦。

基于均衡的原则，电视台在该系列片的名称中添加了“个人观点”这样的子标题。他没有意识到他的观点的言外之意——在某种程度上说，基督教以前的时代和东方是不开化的——即便从1969年看，这样的看法也值得怀疑。然而，此后40年又过去了，社会越发难以认同克拉克的观点，无论那是否为个人观点（而他略带优越感的令人讨厌的态度，就更没人接受了）。在本书中，我将提出更有相对性的、更宽泛的看法，我的目标是抛开那趾高气扬的架势，以务实的态度展开探索。我所谓的文明不仅涉及建筑飞拱，还体现在排水管道上（不要认为后者没有前者重要），因为没有高效的公共排水管道，河流和水井就会成为霍乱弧菌的温床，城市也会因之变成死亡陷阱。无须辩护的是，我对艺术作品的文化价值与对艺术作品的价格一样感兴趣。在我看来，文明不仅涵盖少数一流艺廊中的作品，还包括比这多得多的内容。文明是高度成熟的人类组织。文明所涵盖的绘画、雕塑、建筑领域的成就，固然吸引眼球，引人注目，但是，如果我们对创造文明、发展发明、资助推动文明——及保留文明供我们顶礼膜拜的经济、社会和政治体制缺乏一定程度的了解，我们也难以理解文明的含义。

“civilization”（文明）是个法语词，1752年法国经济学家安·罗伯特·雅克·杜尔哥首次使用，4年后，法国大革命之父维克多·里凯特米拉波侯爵首次在出版物中使用该词。正如本节前面所述，塞缪尔·约翰逊倾向于“civility”，而不会接受“civilization”这个派生新词。对约翰逊而言，如果“野蛮”有反义词，那么他在伦敦如此惬意地享受的城市生活（虽然有时也缺乏教养）便是了。一种文明，正如该词词源所表明的，是以城市为中心的，所以从很多方面看，城市正是本书的主人翁。但是城市的法律（民事或其他）与其城墙一样重要，城市的体系和惯例——其居民的生活方式（民间或其他）——与其宫殿一样重要。文明涉及艺术家的顶楼，更关乎科学家的实验室。文明涉及风景画，更离不开土地所有制形式。文明的高低不仅仅是以美学成就来衡量的，而且，毫无疑问更为重要的是，还以其居民预期寿命和生活质量来判断。生活质量问题涉及诸多方面，不是所有方面都可以容易地加以量化。我们或许可以推测15世纪时全球各地居民的人均收入，或推测出他们出生时的预期寿命。但他们的舒适度又如何呢？清洁度、幸福度呢？他们拥有多少衣服？他们每天得工作多少小时？他们用工资能买回什么样的食物？艺术品本身可以为我们提供相关线索，但无法就此类问题给出答案。

然而，很明显，一个城市不足以成就人类文明。文明是唯一的、最大的人类组织，虽然没有帝国的组织程度高，但比一个帝国版图更大。从某种程度上说，文明是人类作为一个群体，在应对获取食宿、抵御外敌时所作出的行为反应，但它也包含了文化习俗的特征，该文化特征常常但不一定表现为宗教形式，常常但又并不一定为共同语言。文明为数不多，但并非相隔千山万水。卡罗尔·奎格利列举过10 000年来的几十种文明。在现代世界之前，阿达·博兹曼只发现了5种文明：西方文明、印度文明、中国文明、拜占庭文明和伊斯兰文明。马图·梅尔克总共列举了12种文明，其中有7种已消失（美索不达米亚文明、埃及文明、克里特文明、古希腊罗马文明、拜占庭文明、中美洲文明和安第斯文明），其中5种延续至今（中国文明、日本文明、印度文明、伊斯兰文明和西方文明）。什穆埃尔·埃森施塔特列举了

6种文明，包括犹太文明。这几种文明像它们各自与其周边环境相互影响一样互动演进，构成了推动历史变革的最重要原因。它们之间相互影响时最引人关注的是，尽管外部因素繁多，但真正的文明似乎可以长时期保持自我的本色。正如费尔南·布罗代尔所言："事实上，文明是所有历史中最为悠久的……一种文明……可以历经经济或社会的频繁变化而持久不衰。"

如果身处1411年，你可以环游全球，那么你极有可能为东方文明的生活方式而感叹。当时，明朝的紫禁城正在施工建设，同时，重新开启和改善大运河的项目已经启动；在近东地区，奥斯曼正在对康斯坦丁堡实施合围，并最终于1453年攻克了这个城市。拜占庭帝国正在苟延残喘。1405年，枭雄帖木儿（跛子帖木儿）已清除了来自中亚的嗜杀游牧民族经常性的威胁——这是文明的对立面。对于中国明朝的永乐皇帝和奥斯曼苏丹穆拉德二世而言，未来是光明的。

相比较而言，1411年的西欧可能会让你惊讶：难以忍受的落后状态，正从猖獗的黑死病瘟疫中逐渐恢复。1347~1351年，黑死病一路向东泛滥，导致了人口规模的减半。而且，西欧仍然饱受恶劣的卫生条件之害，战争似乎永无停息之日。在英国，麻风病国王亨利四世谋杀时运不佳的理查二世得手，推翻了他的统治，成功地坐上了国王宝座。法国陷于内战，勃艮第公爵的追随者和被谋杀的奥尔良公爵的追随者相互大开杀戒。英法百年大战正要重启战火。西欧其他不得消停的王国，如阿拉贡、卡斯提尔、纳瓦拉、葡萄牙、苏格兰，情形似乎也好不到哪里去。穆斯林仍然统治着格拉纳达。苏格兰国王詹姆士一世在被英国海盗劫持后，还被关押在英格兰的监狱里。事实上，当时欧洲最繁荣的地区是意大利北部的城邦：佛罗伦萨、热那亚、比萨、锡耶纳和威尼斯。至于15世纪的北美洲，倘若与中美和南美的阿兹特克、玛雅和印加文明——神殿高耸，道路向天际延伸——相比，那完全是混乱无序的蛮荒时代。在结束你的环球之旅后，如果此前你还认为西方可能会在接下来长达500年中主导世界，那么在此刻，这种观念会被逐渐抛弃——那完全是不着边际的幻想罢了。

然而，幻想成了现实。

基于某种原因，从15世纪末期开始，西欧的那些小城市在从拉丁语（还有一点希腊语）借来那些不纯的语言，以拿撒勒居住的犹太人的教义发展了他们自己的宗教，并从东方数学、天文学和科技中汲取知识后，催生了一种文明，而这种文明不仅能征服伟大的东方帝国，使非洲、美洲和澳大拉西亚[①]屈服，而且能使遍及全球的民族接受西方的生活方式——这种转变的成功，与其说是通过血与剑，不如说是语言发挥了更大的作用。

也有人对上述观点持有异议，他们认为，所有文明在某种意义上说是平等的，西方不能自认为自己占支配地位，比如具有欧亚大陆东部所没有的优势。但是，我们可以论证，这种相对主义观点是荒唐可笑的。此前没有文明曾取得过犹如西方主导世界这样的统治地位。1500年，欧洲未来的帝国列强占据的世界陆地面积不足5%，人口至多只占全球人口规模的16%。到1913年时，11个欧洲帝国[②]控制的版图及其人口规模接近所有陆地面积及总人口的3/5，而且其经济总产值在全球经济总产值的占比接近3/4（达到令人惊叹的74%）。英国人的平均预期寿命接近印度人的两倍。西方更高的生活水准即体现在更好的食物上，农业劳动者的情形也一样；也反映在更高的身材上，即使普通士兵和罪犯也不例外。我们已经看到，文明是以城市为中心

---

① 澳大拉西亚指大洋洲的一个地区，包括澳大利亚、新西兰、新几内亚岛，以及太平洋附近群岛。——译者注

② 这11个帝国分别是奥地利、比利时、法国、德国、意大利、荷兰、葡萄牙、西班牙、俄国、英国和美国。其中，仅法国、葡萄牙和西班牙在1500年的情形与其在20世纪早期的形式相近。对于俄国认为自己属于西方的观点，见后面的内容。

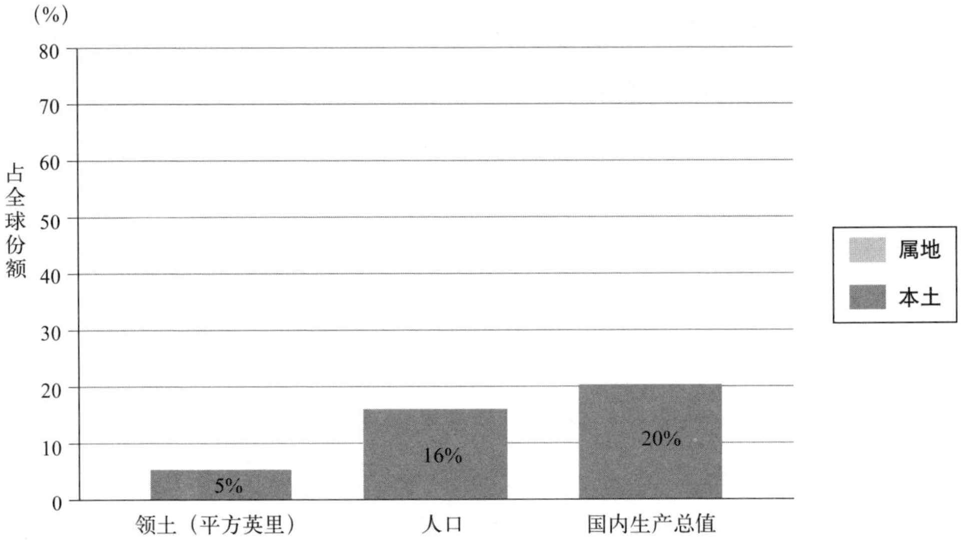

西方未来帝国，1500 年

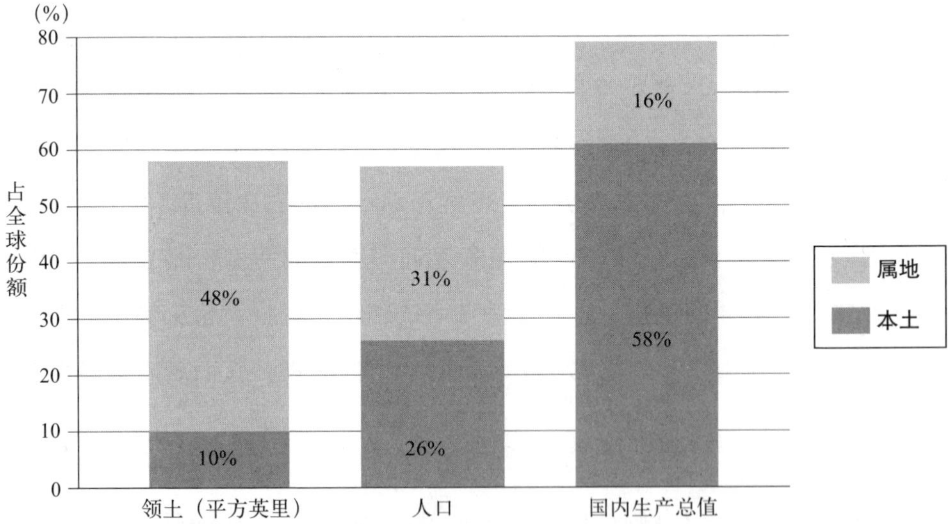

西方帝国，1913 年

的。以这个标准衡量，西方文明占主导地位。1500 年，就我们能得出的最佳结论看，全球最大的城市是北京，人口规模达 60 万~70 万。当时全球最大的 10 个城市中，只有一个（巴黎）是欧洲城市，其人口规模少于 20 万。伦敦或许有 5 万居民。北非和南美的城市化率也比欧洲高。然而，到 1900 年，情形发生了惊人的大逆转。那时全球最大的 10 大城市中，只有一个城市在亚洲，那就是东京。伦敦当时的人口规模为 650 万，是全球超级大城市。西方主导世界的情形也没有以逐渐衰落及欧洲帝国的崩溃而收场。美国的崛起见证了东西方差距的进一步拉大。到 1990 年时，普通美国人比普通中国人富裕 73 倍。

此外，日益明显的事实是，在 20 世纪下半叶，东方社会要想缩小不断扩大的收入差距，唯一的方式便是效仿日本，部分采用（虽然不是全盘照搬）西方的体制和运作模式。结果，西方文明便逐渐成为一种模版，世界其他地方都渴望以其方式实施组织管理。可以肯定，在 1945 年前，全球存在多种发展模式——如果利用计算机知识打个比方，即操作系统——可供非西方社会采用。但是最有吸引力的模式都起源于西方：自由资本主义，国家资本主义，苏维埃共产主义。

毫无疑问，紧跟全球金融危机之后，很多人也探讨过以亚洲经济模式应对危机的办法。但是，就连最热心的文化相对论者也未建议，我们该回到中国明朝时代的体制。当前自由市场和政府干预的倡导者之间的争论，说到底，是可识别的西方思想派别之间的争论：亚当·斯密的追随者和约翰·梅纳德·凯恩斯的信徒，还有少数仍然坚持追随卡尔·马克思的忠诚死硬派之间的争论。这 3 个人的出生地——克科底、牛津和特里尔，不言自明地说明了问题。在实践中，世界大部分地区现在都已融入西方经济体系。在这种体系中，如斯密所提出的，市场确定大多数的价格，决定货物的流动和劳动分工，但政府扮演了一种接近于凯恩斯所设想的角色：出手干预市场，试图平缓商业周期、减少收入不平等。

对于非经济体制而言，则没有值得争论的。在全球各地，大学机制都在向西方标准靠拢。医疗科学组织管理方式一样，从秘密研发直到第一线的健康护理莫不如此。如今大多数人都接受了牛顿、达尔文和爱因斯坦所揭示的伟大科学真理，即使不认同这些真理，他们在发现流感或支气管炎的症状时，也会急切地寻求西药的治疗。只有少数几个社会在持续抵制西方营销和消费模式的侵入及西方生活方式本身。越来越多的人吃的是西方食物，穿的是西式服装，住的西方风格的居所。就连西方所特有的工作方式——每周工作五到六天，朝九晚五，每年享受两到三个星期的假期——也渐渐成为通行的模式。同时，西方传教士竭尽全力向世界其他地方输出的信仰，已为 1/3 的全球人口所接受，并在全球人口规模最大的几个国家中产生了可观的效果。甚至连西方所开创的无神论思想，也取得了惊人的发展。

每过一年，就有更多的人像我们这样购物、学习，像我们这样保持（或不顾）健康、祈祷（或不祈祷）。汉堡、本生灯、邦迪、棒球帽和《圣经》：不论你走到哪里，你都无法轻而易举地避开这些。只有政治体制领域才存在巨大的全球差异。

所以说，提出西方文明的崛起是耶稣之后第二个千年的下半叶唯一最重要的历史现象的，既不是“欧洲中心论”，也不是（与之对立的）“东方中心论”。这是不言自明的观点，而此中的难题在于这是如何发生的。在 15 世纪后，西欧文明实力超过了从外面看来更具优势的东方帝国，此中的原因究竟是什么？很明显，仅靠西斯廷大教堂之美是没法给予充分解释的。

这个问题表象的回答是（如果不叫赘述的话），西方以其帝国主义扩张性统治了全球。如今，对于很多人而言，提到欧洲帝国列强所犯下的罪行，他们仍然情绪激动，义愤填膺，怒不可遏。论及罪行，这显然是事实，而且，本书也并没有剔除这些内容。同样明显的是，不同的殖民形式——通过殖民地还是强取豪夺，导致的长期后果是截然不同的。但是，从历史角度看，帝国并不能就西方统治世界给出充分的解释。在被马列主义所谴责的帝国主义出现很久以前，世界上就存在过很多帝国。事实上，16 世纪见证了大量的亚洲帝国崛起，实力显著提升，版图大面积扩张。同时，查理五世所构想的版图从西班牙直到低地国家的大哈布斯堡帝国的扩张事业失败后，欧洲支离破碎，四分五裂。宗教改革引发了一个多世纪的围绕宗教开展的战争。

对于 16 世纪的旅行者而言，他们几乎无法忽略其所见证的与西欧截然不同的情形。除了安娜卡利亚[①]、埃及、阿老伯半岛、美索不达米亚和也门，苏莱曼大帝（1520~1566 年）统治下的奥斯曼帝国版图范围延伸至巴尔干半岛和匈牙利，并于 1529 年兵临维也纳城门。更靠近东方的地区，阿拔斯一世统治下的萨法维帝国（1587~1629 年）将版图从伊斯法罕和大不里士一路扩张，直到坎大哈；而从德里到孟加拉的印度北部则在伟大的莫卧尔皇帝阿克巴（1556~1620 年）的统治之下。中国明朝有了长城的保护，似乎格外安全、平静。在万历皇帝（1572~1620 年）宫殿觐见的西方来访者，几乎没人会预见到，在万历皇帝死后不到 30 年，这个王朝就倾覆了。弗兰德[②]外交使节——将郁金香从土耳其移植到荷兰的那个人——在自己撰写的从 16 世纪 50 年代的伊斯坦布尔开始记叙的传记中，曾忐忑不安地将西方四分五裂的状态与奥斯曼帝国“巨大的财富”作了一番比较。

不错，16 世纪时，西方在海外的活动紧张而繁忙。但是，对于伟大的

---

① 安娜卡利亚即小亚细亚。——译者注

② 弗兰德指欧洲西北部一块历史上有名的地区，包括法国北部的部分地区、比利时西部地区和北海沿岸荷兰西南部的部分地带。——译者注

东方帝国而言，葡萄牙和荷兰船员的所作所为似乎恰好是文明承载者的对立面；如果说得难听些，那么他们纯粹是威胁着“中部王国”[①]的最新出现的野蛮人，而且可以肯定的是，他们比倭寇散发的味道更恶臭。然而，除了印度纺织品和中国陶瓷品的上乘质量外，亚洲还有什么让西方人着迷呢？

直到 1683 年，奥斯曼麾下的一支军队兵临维也纳——当时是哈布斯堡帝国的首府——城下，并坚持要求该城的人投降且皈依伊斯兰教。仅在围攻解除之后，基督教世界才开始通过朝向博斯普鲁斯海峡的巴尔干半岛，慢慢地削弱奥斯曼在中欧和东欧的势力，而且，所有欧洲帝国都是在很多年后才能与东方帝国主义所取得的成就相提并论的。东西方之间的“大分流”局面在其他地方形成的时间甚至更晚。南北美洲之间的物质差距，直到 19 世纪才牢固地建立，而非洲大多数地区，除了少数几条海岸线外，也是直到 20 世纪早期才被欧洲人所征服。

如果西方主导世界的现象没法用这种滥用的老提法来解释，那么，这纯粹是——如某些学者所认为的——好运使然吗？导致东西大分流发生的，是欧亚大陆西方板块的地理或气候吗？西方人难道得到了命运的眷顾，因而能跌跌撞撞地穿过最适合栽种富含热量的蔗糖的加勒比群岛？难道说“新世界”为欧洲提供了中国所没有的“鬼地”？难道仅仅是墨菲法则在发生作用，使中国的煤炭储藏比欧洲的难以挖掘和运输？抑或从某种意义上说，中国是其自身成功的牺牲品：掉进“高度平衡陷阱”，难以自拔，认为耕作者有能力为规模巨大的人口提供生存所需的足够粮食？还有人认为，英国之所以成为第一个工业化国家，这主要是因为其恶劣的卫生条件和疾病导致大多数英国人的寿命很短，结果富裕群体和有进取心的少数便具备了传播其基因的更

① “中部王国”指中国。——译者注

好机遇，果真如此吗？

不朽的英国词典编纂者塞缪尔·约翰逊对西方主导世界的所有可能的解释都持反对观点。在于1759年出版的《拉塞勒斯王子的故事》中，他笔下的拉塞勒斯王子如此问道：

> 欧洲人……为何能如此强大？他们为什么能如此轻易地踏足于亚洲和非洲，进行贸易或征服？亚洲人和非洲人为什么不能入侵他们的海岸线，在他们的港口设立殖民地，将法令加诸他们的王室？让他们回家的风同样可以将我们带向哪里。①

哲学家埃米莱科是如此回答的：

> 先生，他们比我们更强大，因为他们更博学；知识将永远驾驭无知，如人类支配其他动物一样。但是，对于他们的知识为什么多于我们的问题，除了无以解释的上帝意志赐予外，我不知道能给出什么其他原因。

如果知识能给人们提供航行船舰、挖掘矿藏、发射枪炮和治疗疾病的更佳方式，那么知识的确就是力量。但在事实上，这是西方人比其他人博学的原因吗？或许，1759年之前，情形确实如此；1650年后大约持续了两个半世纪的科技革新几乎全起源于西方。那么1500年时呢？我们已经了解到，中国科技、印度数学和阿拉伯天文学数世纪来一直遥遥领先于世界。

那么，难道是更模糊的文化差异为西方人提供了必要素质，使之跳跃前进，将其对手抛在身后？这是德国社会学家马克斯·韦伯所提出的论点。这

---

① 事实上，在18世纪西方帝国之外，这个问题被提了出来。1713年，奥斯曼作家易卜拉欣问道："过去与穆斯林国家相比实力如此微不足道的基督教国家，为什么在现代逐渐统治了如此之广的地域，甚至还打败了曾经常胜的奥斯曼军队？"

种论点有多种变体，如中世纪英国人的个人主义、人文主义和新教伦理，从英国农民的遗嘱，到地中海商人的账簿，再到皇宫礼仪准则，凡此种种都成了史学家寻求证据的来源。戴维·兰德斯在所著的《国富国穷》(*The Wealth and Poverty of Nations*) 中提出了文化方面的原因。他认为，西欧在推动独立探究知识、发展科学验证方法、展开理性研究并加以传播方面处于世界前列。然而，他也承认，要使这种模式兴盛繁荣，我们还需要更多的东西：金融中介及良好的政府。情形越发明显：其关键在于机制。

毫无疑问，从某种意义上说，机制也是文化的产物。但是，因为机制固定了一套标准，机制通常使文化保持自我本色，决定着文化有助于形成良好的行为，而非相反。

在1500年，欧亚大陆东西两边几乎不存在真正深刻的差异，对此，当今很多史学家都会认同。两地都较早地采用了农业、市场交换和以城市为中心的国家体制，但他们之间存在一个关键的机制差异。在中国，统一的大帝国根基一直在加强，而欧洲的政治却始终处于分裂割据状态。在《枪炮、病菌与钢铁》(*Guns, Germs and Steel*) 一书中，贾德·戴蒙阐释了欧亚大陆始终领先于世界其他地区的原因。但是，直到他撰写论文《如何致富》(1999年)，才给出了欧亚大陆一边领先于另一边这个问题的原因。他的答案是，在欧亚大陆平原上，统一的东方帝国妨碍了创新，而在河流遍布、多山的欧亚大陆西部，多个君主和城邦则进行着富有创意的竞争和沟通。

这个答案值得注意。不过，还不充分。只要看看标题为“战争的苦难”的铜版画就有大致概念了。这是洛林地区艺术家雅克·卡洛于17世纪30年代所出版的铜版画，似乎是在提醒世界其他地区宗教冲突的危险所在。17世纪上半叶，欧洲小国内部及之间的竞争是灾难性的，不仅使中欧大片地区的人口剧烈减少，还将不列颠群岛拖入了长期的、消耗实力的冲突中，持续了一个多世纪。政治分裂通常就具有这种效应。如果对此持怀疑态度，问问前南斯拉夫的居民就知道了。毫无疑问，竞争肯定是西方统治世界的历史中所不能不提到的，但竞争不是全部内容。

在本书中，我想阐释的是，致使西方与东方地位截然相反的因素——全球霸权的主要原因——在于6种可确认的结合了体制及相关理念和行为的全新结合体。基于简明阐释的考虑，我在以下6个标题中予以概括：

1. 竞争
2. 科学
3. 财产权
4. 医学
5. 消费社会
6. 工作伦理

以当今计算机化语言来讲，在欧亚大陆的西方，少部分人口之所以能在500年中的大多数时间中统治全球，是因为有6种杀手级应用程序在运转。

现在，在你愤怒提笔写信驳斥我，认为我忽略了西方主导全球原因的某些至关重要的因素——比如资本主义或民主（或就此而论，枪炮、微生物和钢铁）——之前，请阅读以下给出的简明扼要的定义：

1. 竞争——政治和经济生活的分散，既给主权国家又给资本主义制度搭建了发射台。

2. 科学——研究、理解并最终改造自然世界的方法（此外还有其他原因），使西方具备了优于世界其他地区的重大军事优势。

3. 财产权——以法治作为保护私人业主，并和平解决他们之间的争端的方式，为最为稳定的代议制政府提供了基础。

4. 医学——有了科学的这种分支，使西方社会（之后又使其殖民地）在医疗卫生和人口预期寿命方面有了重大提升。

5. 消费社会——在这种物质生活模式中，生产、购买服装和其他消费品发挥着至关重要的作用，没有这种模式，工业革命将无法持续开展。

6. 工作伦理——从基督新教（还有其他来源）发展而来的活动模式和道德框架，为程序 1 至程序 5 所创建的存在潜在不稳的动态社会提供了黏合剂。

请别误解，这不是又一个能自圆其说的“西方胜利论”。我想阐释的是，西方之所以征服、殖民如此广阔的世界其他地区，不仅仅是因为西方具有的优势，西方劲敌偶然的劣势也是一大原因。比如，17 世纪 40 年代，中国明朝治下，财政和货币发生危机，气候变化，传染病大肆传播，民不聊生，农民揭竿而起，明朝到了最危急的关头。这一切与西方无关。同样，奥斯曼帝国政治和军力上的式微更多是因为内部问题，而不是外部因素造成的。在南美情形逐渐恶化之际，北美的政治体制却在蓬勃发展；但是，西蒙·玻利瓦尔没能在拉丁美洲创建美利坚合众国却不是那些外国佬（gringo）[①]的错误。

关键问题在于，东西方之间的差异是体制性的。西方赶超了中国，从某种程度上说，是因为不论在政治还是在经济领域，西欧都存在更强的竞争力。澳大利亚、普鲁士甚至还有俄国，政府管理和军事效率日益上升，因为催生科学革命的网络是在基督教世界中出现的，而不是在伊斯兰世界中。北美洲以前的殖民地比南美洲的殖民地干得好多了，其原因在于，英国殖民者在北美建立了一整套与南美的西班牙和葡萄牙建立的截然不同的财产权和政治代议体

① 拉丁美洲人对外国人尤其是美国人或英国人的蔑称。——译者注

系。(北方实施的是“开放的秩序”,而不是以满足追逐租金的极少数精英利益的封闭式秩序。)欧洲帝国之所以能渗透非洲,不仅是因为他们拥有马克沁机枪,还因为他们研制出非洲人也难以抵抗的热带疾病的疫苗。

同样,西方更早进行的工业化反映了其体制上的优势:早在蒸汽动力或工厂体系到来并传播之前,不列颠群岛就有发展为大众消费社会的可能性。即便当工业技术几乎可为全球国家所采用之后,东西方之间的差异仍然存在;事实上,其差距还进一步拉大了。欧洲人或北美人配备了全标准化的棉纺和织布机,因而也就能以更高的生产效率工作,他们的资本家雇主也能更迅速地积累财富,这是其东方对手所无法企及的。对公共卫生和公众教育的投资发挥了很大的作用;而在缺乏此类投资的地方,人们仍然过着贫穷的生活。本书的主旨便是探讨这些差异:为什么存在,又为什么如此重要?

截至目前,我或多或少都是在随意地使用“西方”和“东方”这样的词。问题是,我所说的“西方文明”究竟指什么,或到底在哪里呢?战后的盎格鲁·撒克逊人的白种新教徒男性,在某种意义上本能地将西方(也称为“自由世界”)的范围限制于相对狭窄的走廊——(毫无疑问)起始于伦敦,经来克星敦、马萨诸塞,又(可能)从斯特拉斯堡到旧金山。1945 年,从战场上开始,西方的第一语言便是英语,其次是结结巴巴咳出来的法语。20 世纪 50 年代和 60 年代,欧洲融合成功完成后,西方俱乐部的规模日益扩大。低地国家[①]、法国、德国、意大利、葡萄牙、斯堪的纳维亚和西班牙都属于西方,而由于我们持续地享受着古希腊哲学带给我们的恩泽,再加上近期希腊从欧盟欠下的更多的债务,希腊当然也属于西方的一员,尽管希腊后来才皈依东正教。

---

① 指荷兰、比利时和卢森堡。——译者注

如果西方不仅覆盖伯罗奔尼撒半岛北部，而且包括北非和安纳托利亚的地中海南部和北部，又是什么情形呢？如果还包括人类首个文明发源地埃及和美索不达米亚呢？与北美一样同被欧洲人所殖民，又在地理上与之同属一个半球的南美，也是西方的一部分吗？那俄国呢？生活在欧洲部分的俄国人是西方人，而乌拉尔山之东在某种意义上属于东方吗？在整个“冷战”期间，苏联及其卫星国被称为“东方集团”。可以肯定，说苏联与美利坚合众国一样同属西方文明的产物，是有其理由的。苏联的核心意识形态与国家主义、反奴隶制和妇女投票权思想，大致上同样起源于维多利亚时代，是在大英图书馆的圆形阅览室中诞生并发展起来的。而且，从其地理范围上看，苏联也正好与美洲殖民地一样，同是欧洲扩张和殖民主义的产物。中亚的情形与南美一样，欧洲人统治着非欧洲人。从这个意义上说，1991 年发生的事件，不过是最后一个欧洲帝国的解体罢了。然而，塞缪尔·亨廷顿就西方文明给出的最新、最有影响力的定义，不仅将俄国排除在外，保留东正教的宗教传统的所有国家也都被通通排除。亨廷顿言及的西方，仅包括西欧和中欧（不包括信奉东正教的东欧）、北美（不包括墨西哥）、澳大拉西亚。希腊、以色列、罗马尼亚和乌克兰不包括在内，加勒比群岛也被排除，尽管事实上有很多岛的生活与佛罗里达一样西化。

那么，“西方”的含义就远远不是一个地理范畴了。它是一套标准、行为和机制，彼此的界限极为模糊。此中的含义是值得深思的。如果亚洲社会效仿日本明治时期的做法，或效仿如今亚洲其他各国似乎都在实践的做法，热情地接受西方穿着和从商的规范，那么亚洲社会事实上也有可能属于西方俱乐部吗？曾经很时髦的一种观点坚持认为，资本主义“世界体系”在西方核心和外围之间强加了一种永久存在的劳动分工。但是，如果整个世界最终以西化收场，至少在表面和生活方式方面如此，情形又如何呢？抑或，正如亨廷顿提出的著名观点那样，其他的文明或许更有活力，尤其是华夏文明（指大中华）[①]和伊斯兰文明？他们采用西方运营模式，其西化程度究竟怎样我接下来探讨。

关于西方文明的另一个困惑是，四分五裂似乎是其一个与众不同的特征。2000 年来临之初，很多美国评论人因为“逐渐变宽的大西洋”——“冷战”时期将美国和西欧同盟团结在一起的共同价值观正日益破裂——而牢骚满腹。在亨利·基辛格担任美国国务卿时，当美国政治家希望与欧洲对话时，他该给谁打电话的问题如果比以前更明确了的话，那么，如今谁代表西方文明拿起话筒沟通的问题则更难回答了。然而，美国和“老欧洲“之间目前的裂痕，与过去它们在宗教、意识形态，甚至在文明本身的意义上的鸿沟相比，其程度还较轻，关系还算和睦。在第一次世界大战期间，德国声称自己是为更高层次的文化而战，是为了抗击俗气的、强调物质主义的英法文明（文化与文明的区分是由包括托马斯·曼和西格蒙德·弗洛伊德在内的学者所作出的）。但是，德国在战争第一阶段焚烧鲁汶大学图书馆并即刻处死比利时平民的做法，是难以调和这两种文明的。而英国宣传者反过来将德国人贬为为文明社会所不容的“野蛮人”，并将这场战争称为获取自由奖章的“捍卫文明的大战”。如今，我们对“西方”整体文明的探讨，比在 1918 年时探讨来得更有意义吗？

最后，值得我们记住的是，西方文明此前已式微并没落过一次。欧洲、北美和近东地区各处所留存的罗马遗迹，就能充分地说明这一点。西方的第一个版本——西方文明 1.0——在所谓的“新月沃地”（从尼罗河峡谷一直延伸到幼发拉底河和底格里斯河的交汇处）诞生，在雅典民主政治和罗马帝

① 世界最古老的文明之一的名称，竟然是除了政治理论家外没任何人曾听说过的，这确实很特别。在亨廷顿撰写的 1993 年论文中，他用的是“儒家”。

国时达到鼎盛。我们当今文明的关键要素——不仅涉及民主政体，还包括体育竞技、算术、民法、几何学、古典建筑风格，以及现代英语中比例极大的单词——都起源于古老的西方。在其鼎盛时期，罗马帝国体制的完善程度之高，令人称奇。谷物、制造品和钱币在从英国北方直到尼罗河上游地区的经济范围内流通，学术研究欣欣向荣，有颁布的法律，有医学，甚至还有如同罗马图拉真广场的购物商场。但是，这个版本的西方文明逐渐衰落，并在公元5世纪时因为蛮族的入侵和内部的分裂，以不可思议的速度衰亡了。在一个世纪的时间内，庞大的帝国大都市罗马塌毁没落了，引水渠道已破败不堪，五光十色的市场被遗弃。如果没有拜占庭图书馆的支撑，没有爱尔兰的僧侣，没有罗马天主教堂的主教和神甫——也不应忘记阿拔斯 · 哈里发所起的作用，古典西方学识将会丧失殆尽；如果没有他们的维护和指引，西方文明将不会在推动文艺复兴的意大利重新焕发生机。

西方文明2.0即将面临的命运是式微和衰亡吗？从人口学的角度看，西方社会的人口长期来都只占世界总人口的少部分，如今，其人口规模显然在减少。美国和欧洲经济体曾经傲视全球，现在，它们真的面临着被中国在20年甚至10年内超越的风险，而巴西和印度与中国的距离也不会太远。在从伊拉克到阿富汗的大中东地区，西方“硬实力”似乎在苦苦地勉强支撑，情形正如就自由市场经济政策达成的“华盛顿共识”逐渐瓦解一般。始于2007年的金融危机也似乎表明，强调实施以债务拉动零售的疗法的消费社会，其核心思想存在着根本缺陷。曾经似乎是西方事业关键的以勤俭节约为特色的新教伦理，全都消失了。同时，面对新世纪即将到来的环境大灾难，西方精英陷入了深深的恐惧之中。

而且，西方文明似乎也对自身失去了信心。从1963年斯坦福大学开始，不断有知名大学停止为大学在校生开设经典的“西方文明”历史课程。中学也一样，西方崛起的宏大历史也逐渐遭遇冷落。“得益于”教育学者以“新历史”之名提升“历史技能”而非灌输知识的狂热，再加上教学大纲改革流程所造成的预期之外的后果，太多的英国中学生中学毕业时，竟然只知道一些毫无关联的西方历史片段：亨利八世和希特勒，还了解一点儿有关小马丁·路德金的历史。针对一所知名英国大学历史系一年级学生展开的调查表明，只有34%的学生知道（西班牙）无敌舰队进攻英国时，英国君主是谁；只有31%的人知道布尔战争的地点；只有16%的人知道指挥滑铁卢战役的英军指挥官是谁（认为是尼尔森而非威灵顿的人数比例比知道的多一倍）；而且，只有11%的人能说出19世纪的任何一个英国首相的名字。在对11~18岁的英国少年所进行的类似调查中，17%的人认为克伦威尔参加了黑斯廷斯战役，有25%的人把第一次世界大战发生于哪个世纪搞错了。此外，在说英语的世界，认为他们该学习的是其他而非自己的文化的人大有人在。1977年随航海家宇宙飞行器被送往外太空的音乐样本，特别录制了27支音乐，其中仅10首出自西方作曲家之手，其中，不仅包括巴赫、莫扎特和贝多芬，还有路易斯·阿姆斯特朗、查克·贝里和盲人威利·约翰逊。大英博物馆馆长于2010年主持了“从100件物品中”看世界历史的节目，那100件物品中仅有30多件是西方文明的产物。

然而，自1500年以后，世界其他地方都在逐渐为西方所征服是不争的事实，如果有哪种版本的世界文明史对此轻描淡写，那就是偏离靶心了，因为这部分内容是最需要阐释的。直截了当地说，在基督降临后的第二个千年的后半叶，西方的崛起是极为突出的历史现象。这是构成现代历史核心的历史。或许，这是史学家得着手解决的最为复杂的难题。而且，我们不仅仅是为了满足好奇心才去解决这个难题。因为唯有找到西方主导全球背后的真实原因，我们才有可能较为准确地预测我们所面临的日益迫近的式微和衰亡的危险。

CIVILIZATION

第一章

竞争

中国似乎长期处于静止状态，其财富也许在许久以前已完全达到该国法律制度所允许有的限度，但若变为其他法制，那么该国土壤、气候和位置所允许的限度，可能比上述限度大得多。一个忽视或鄙视国外贸易、只允许外国船舶驶入一两个港口的国家，不能经营在不同法制下所能经营的那么多交易……更广大的国外贸易，必能大大增加中国制造品，大大改进其制造业的生产力。通过更广泛的航行，中国人自会学得外国所用的各种机械的使用术与建造术，以及世界其他各国技术上、产业上的各种改良。

亚当·斯密

今日之广运万里地球中第一大国而受制于小夷……有待于夷者，独船坚炮利一事耳。

冯桂芬

两条河

紫禁城建造于北京中心，动用了100多万民工，建材来自中国各地。接近1 000栋悉心布置、建造及装潢的建筑物，彰显着明朝的强大国力。紫禁城不仅是世界上曾经最伟大文明的历史遗迹，而且还告诉世人，没有任何文明能永远持续。直到1776年，亚当·斯密仍然将中国称为“全球最富裕、最有文化、最勤劳和人口最稠密的国家之一……比欧洲任何地区都富多了”。然而，斯密也认为中国“长期处于静止状态”或者说“停滞不前”。他的这种看法显然是正确的。紫禁城的建造从1406年持续到1420年，在这不到一个世纪的建造期间内，东方（相对西方）的衰败可以说已经开始了。战火不断、实力衰竭的西欧小公国，自此踏上了长达500年左右的、几乎无可阻挡的扩张之路。与此同时，东方的那些强大帝国却止步不前，后来便屈居于欧洲主导地位之下了。

为什么中国那时磕磕绊绊、徘徊不前，而欧洲却稳步前进呢？斯密给出的主要原因是，中国没有“鼓励对外商业活动，因此失去了比较优势和国际劳动分工所带来的优势。但是，也可能有其他原因。孟德斯鸠男爵在18世纪40年代写作的著作中，曾将之归咎为“既定的专制模式”，并将其根源归结为中国庞大的人口规模，而这又是东亚的气候所造就的：

> 我是这么推断的：亚洲缺少温带气候，一个极冷的地方往往与一个极热的地方毗邻，比如土耳其、波斯、印度、中国、朝鲜和日本。在欧洲，情形截然相反，温带气候覆盖面很广……所以，一个国家与其邻国的气候相似，这些国家之间因而也不存在重大差异……结果呢，在亚洲，强国与弱国并存；尚武、英勇而勤劳上进的民族与那些懒惰、柔弱、怯懦的民族紧紧毗邻；所以，必定有一方会赢，而另一方也必然被征服。欧洲的情形恰好相反，强国与强国并存，彼此相邻的民族具有同样的勇气。这是亚洲实力弱、欧洲强大的最大原因，是欧洲诞生民主、亚洲产生奴隶制的最大原因，这是一个我记得此前我从未听闻的原因。

后来，欧洲历史编修者认为，是西方科技使西方战胜了东方，尤其是持续推动工业革命的科技。1793年马戛尔尼伯爵出使中国，他显然对这次清帝国宫廷之行相当失望，毫无疑问，情形似乎正是如此。在20世纪流行的另一种观点认为，儒家哲学妨碍了创新。然而，对东方成就不足的这些当代解释都是错误的。前述6种西方具备而东方缺乏的显著的杀手级应用程序中，第一个与商业无关，也不是气候、技术和哲学方面的原因。如斯密所洞悉的，最重要的是体制方面的原因。

如果你在1420年沿着两条河（泰晤士河和长江）分别进行一次旅行，沿途所见的反差之大，会令人格外震惊。

长江是一个宏大的水路系统的不可或缺的部分，该系统从南京与北方800多公里外的北京贯通，又与南边的杭州相连。这个系统的核心是京杭大运河，在鼎盛时期超过1 600公里。大运河的建设最早可追溯至公元前7世纪，早在公元10世纪时便已应用船闸系统及诸如多拱宝带桥这样匠心独运的桥梁，在明朝永乐（1402~1424）年间，大运河重建、大修，得到进一步改善。当其水利专家白英完成筑坝和黄河引水工程时，接近12 000艘运粮驳船沿运河南北航行已经成为可能。雇来维护该运河的人力接近50 000人。毫无疑问，西方最宏大的运河系统非威尼斯的水运系统莫属。当坚忍不拔的威尼斯旅行者马可·波罗于13世纪70年代到达中国后，连他也为长江上的交通运输量所叹服：

> 覆盖这条伟大河流的船只如此之多，对于读到或听闻这种描述的任何人来说都不会相信。经由此河南北运送的货物如此之多，这是任何人都不敢想象的。事实上，其交通之繁荣，以至于看来这根本就不像河，而是大海。

中国的大运河不仅发挥着国内贸易大动脉的作用。它还使帝国政府通过五大粮仓，以丰收后购进粮食、物价过高时售出粮食为手段，起到平抑粮食价格的作用。

1420年，南京十之八九是全球最大的城市，人口规模在50万~100万。数世纪来，南京一直是繁荣的丝绸和棉纺业中心。在永乐皇帝治下，南京还成了学识中心。“永乐”的意思是“永远快乐”；或许，“永远的运动”本可能是更佳的解释。这位最伟大的明朝皇帝做事从不半途而废。他启动的中国学问编修工程集合了2 000多位学者之力，编纂完成了11 000多册[①]。作为全球最大规模的百科全书，此后几乎整整600年后，才于2007年被维基百科所超越。

但永乐皇帝对南京不满意。在他登基不久后，他决意要在北边建造更加壮观的新首都：北京。1420年紫禁城完工时，明朝便无可争议地宣称是全球最为发达的文明之地。

与长江相比，15世纪早期的泰晤士河所经之处，是名副其实的穷乡僻壤。不错，伦敦是英国与欧洲大陆展开贸易的重要中心，港口业务繁忙。伦敦最知名的市长理查德·惠廷顿是一位重要的布匹商人，他是靠英国不断增加的羊毛出口业务而发家致富的。英国首都的造船工业因为英国与法国不断爆发的战争带动了运输人力和物资的需要而得到推动。在沙德维尔和拉特克利夫，船只可以被拖上软泥泊位进行装配。此外可以肯定的是，伦敦塔比（禁止入内的）紫禁城更可怕。

但是，若有中国旅行者来此，所有这一切几乎都不会让他叹服。与紫禁城的层层厅堂相比，伦敦塔本身就是一个很粗糙的建筑工程。与中国的玉带桥相比，伦敦大桥不过是用支柱撑起的难看的杂货店罢了。而且，原始的航行技术将英国水手限制在狭窄的小水域中，即泰晤士河和英吉利海峡，熟悉的河岸和海岸线举目可见。而想从伦敦驶抵长江，不论对于英国人还是中国人而言，都是难以想象的。

与南京相比，那时的伦敦几乎还不能叫做一个城镇。当时，亨利八世对法战争取得胜利（在阿金库特进行的最知名战役）后于1421年返回伦敦。伦敦补补修修的老城墙，长约3英里，而这和南京城墙不可同日而语。明朝

① 即《永乐大典》，编撰于明永乐年间，初名《文献大成》，是中国的百科全书式的文献集，全书目录60卷，正文22 877卷，装成11 095册，约3.7亿字。——译者注

的开国皇帝花了 20 多年时间，围绕其首都建造了城墙，延绵数英里，城门异常雄伟，每个藏兵洞都能驻 3 000 士兵。而且，城墙是基于长期使用而建造的。所以，城墙主体至今犹存，而伦敦中世纪的城墙几乎没有一处留存至今。

以 15 世纪的标准看，在中国明朝生活相对比较惬意。明朝之初，严格的封建等级制度因为国内贸易的萌发而开始松动。今天去苏州游玩的人，仍然可以从荫凉的运河，从古城雅致的步行街中，见证那时繁荣的建筑成果。而英国的城市生活却截然不同。虱子传播的鼠疫耶尔森氏菌引发的腹股沟腺炎瘟疫，即黑死病，于 1349 年传播至英国，致使英国人口的数量减少到约 40 000 人，不到当时南京人口的 1/10。除了黑死病瘟疫外，斑疹伤寒、痢疾和天花也肆虐流行。而且，即使没有了流行病，恶劣的卫生条件也使英国沦为死亡陷阱。没有任何形式的排水系统，伦敦各街道散发着无可忍受的恶臭，而在当时的中国城市，人类排泄物都会被有计划地收集，作为肥料铺撒在稻田上。在迪克 · 惠廷顿担任市长大人的时期（从 1397 年到他 1426 年离世 4 次担任市长），铺满伦敦街道的，全然不是什么黄金。

中小学过去常给学生教的是，与昏庸之君理查二世相反，亨利八世被视为英雄人物。说来悲哀的是，他们的王国远非莎士比亚在《理查二世》中的“君权之岛”，而更像是化粪池岛。这部喜剧亲昵地称之为“另外一个伊甸园，半个天堂，这个大自然本身所建造的堡垒，抵御一切污染”。但 1540~1800 年，英国人在出生时的平均预期寿命仅 37 岁，寿命低得可怜；伦敦人出生时的平均预期寿命是二十几岁。大约有 20% 的英国孩子在出生后的头一年便夭折了；在伦敦，每三个孩子中几乎就有一个夭折。亨利八世自己在 26 岁成为国王，在 35 岁时死于痢疾——这也提醒我们，直到相对最近的时期，大多数历史都是非常年轻而又短寿的人所谱写的。

暴力在这个地区泛滥。英国与法国几乎永远处于战争状态。没有与法国作战时，英国人又与威尔士、苏格兰和爱尔兰人打仗。没有与凯尔特人打仗时，他们彼此又因为觊觎、争夺王位控制权，接二连三地打起了内战。亨利八世之父是通过暴力手段登上王位的，而亨利八世又因为玫瑰战争的爆发，以类似的方式失去了王位。玫瑰战争期间，先后有4位国王失去了王位，死于战争或者死于断头台的成年贵族多达40人。1330~1479年，英国贵族3/4的死亡都是暴力致死。而且，普通杀人致死更是司空见惯。14世纪的相关数据显示，牛津居民所面临的年杀人致死率高于0.1%。伦敦稍微安全点，其杀人致死率大约为0.05%。当今全球谋杀率最高的地区在南非（0.069%）、哥伦比亚（0.053%）、牙买加（0.034%）。在底特律情形最糟糕的20世纪80年代，其谋杀率也只有0.045%。

那个时期英国人的生活，正如政治理论家托马斯·霍布斯后来在论及的（他所言称的“自然状态”，确实是“孤立的、贫穷的、残暴的、短寿的”）。即便对于诸如帕斯顿这样富裕的诺福克家族，也几乎没有什么安全可言。约翰·帕斯顿的妻子玛格丽特，在设法捍卫其合法继承的格雷沙姆庄园的产权时，被驱逐出庄园。凯斯特城堡此前是约翰·法斯托尔夫爵士遗留给帕斯顿家族的，但在约翰·帕斯顿死后不久便遭到诺福克公爵的围攻，并占据长达17年之久。要提及的是，英格兰是当时欧洲更为富裕、暴力更少的国家。法国人的生活甚至更为险恶、更残暴，寿命也更短——越是向欧洲东方行进，其情形也就更为恶劣。即使是在18世纪早期，普通法国人的平均日热量摄入也仅为1 660卡，这只是勉强维持人类生命所需的最低热量标准，大约只有当今西方国家平均标准的一半。革命前法国人的平均身高只有164厘米。此外，在中世纪有数据可查询的所有欧洲大陆国家中，其杀人致死率都比英国高，而以艺术家和刺客闻名的意大利，情形一直最为糟糕。

有人认为，正是西欧的危急情形，反而具备了某种不为人知的优势。因为高死亡率在穷人群体尤为常见，或许从某种程度上说，死去的人帮助富人更富了。可以肯定的是，黑死病造成的一个后果是，提高了欧洲人的人均收入；那些逃过此劫的人可能会挣更高的工资，因为劳工是如此稀缺。还有一点也是确实的：英格兰富人的孩子比穷人孩子长大成年的概率要高很多。然而，以欧洲人口规模遭遇的突发状况来解释东西方大分流，似乎是不太靠谱的。在当今世界的有些地方，生活几乎同中世纪的英国一样悲惨：瘟疫、饥饿、战争和谋杀导致其人均预期寿命低得令人扼腕，只有富人能够活得长久。阿富汗、海地和索马里亚的情形表明，它们没有因为这些非常状况而获益。我们即将看到，尽管欧洲在人口锐减之后疾速前进，走向繁荣，积聚了雄厚实力，但其原因却并不是人口的减少。

需要提请现代学者和读者注意的是，死亡在过去是什么情形。佛兰德艺术家老彼得·勃鲁盖尔（约1525~1569年）富有想象力的杰作《死亡的胜利》虽然不是现实主义作品，但可以肯定的是，勃鲁盖尔也不必全靠想象，来为我们刻画一个胃绞痛般痛苦的死亡和毁灭场面。在一片由大批骷髅统治的土地上，一个国王躺在那里，慢慢地死去，他的财宝帮不上一点忙，同时，一只狗在不断撕咬着旁边的尸体。在远方，我们看见绞刑架上有两个被绞死的人，车轮上有四个身形扭曲的人，另一个人即将被砍头。军队正战斗，房屋被烧，战舰沉海。在前景中，男人和女人，老人和孩子，军队和平民，都被混乱地驱赶进一条狭小的长方形坑道中，无一幸免。即使是那个给他的情妇唱情歌的抒情诗人，无疑也将难逃此劫。这位艺术家在其40岁之初便离开人世，比本书作者年轻。

一个世纪后，意大利艺术家萨尔瓦多·罗萨的一幅名为“人之脆弱”的画，或许是表现死亡的最感人的作品。这幅画是在1655年那场瘟疫肆虐其在那不勒斯的故乡，夺走了他尚在襁褓中的儿子罗萨瓦，他的兄弟，他的姐姐、姐夫及他们的5个孩子后，受到启发所创作的。死亡天使丑陋地咧着嘴，还在罗萨开始试图写点什么的时候，从他妻子背后的暗处逼近，来取他们儿子的性命。这位心碎的艺术家的痛苦，仅从这幅画布上所写下的字便完全概括，令世人过目难忘。

“结合是罪，出生是痛，生活是苦，死亡是必然归宿。”在那个时期的欧洲，还能想出什么更为简洁的描述来反映其时的状况呢？

太监和“麒麟”

我们怎样理解东方的卓越成就呢？首先，亚洲农业比欧洲农业的生产力高很多。在东亚，一英亩土地足以养活一家人，这便是水稻栽种的生产效率；而在英国，每家所需的土地平均接近20英亩。这有助于我们解释东亚的人口为什么多于西欧人口。东方水稻栽培体系更为发达，因而也能养活更多的人口。确实，明朝诗人周是修以一种乐观的态度去看待乡村，他描绘的是农村居民自得其乐的情形：

> 衡门逼幽蹊，曲巷通极浦。十家两三姓，世世相托处。举目皆累姻，出入无龃龉。男为东舍郎，女作西邻妇。寒风及秋社，豚酒酬田祖。老巫烧纸钱，稚子喧铜鼓。漠漠柘园烟，纷纷芋田雨。归来肆筵席，半醉相尔汝……

但是，这种田园牧歌式的和谐情景只反映了部分现实。后来几代的西方人倾向于认为，中华帝国是缺乏变化、害怕变革的社会。在《儒教和道教》（*Confucianism and Taoism*，1915年）中，德国社会学家马克斯·韦伯将儒教理性主义定义为“理性地适应世界”。这种观点很大程度上在中国哲学家冯友兰的《中国哲学史》(1934 年) 中得到了印证，同样也得到剑桥学者李约瑟在其多卷本《中国科学技术史》(*Science and Civilization in China*) 中的观点的佐证。但此类文化方面的解释，与历史事实是不符的，因为在明朝很久以前，中华文明一直不曾放弃过利用技术创新来领先世界的事业。

我们无从确切地弄清是谁发明了第一个滴水计时工具（水钟)。可能是埃及人、巴比伦人或中国人。但在 1086 年，苏颂装入擒纵齿轮装置，创制了世界上第一个机械时钟。这是一个高达 40 英尺的精密仪器，不仅有计时功能，还能据此记录太阳、月亮和行星的运动。1272 年，一个钟塔建造完工，此后不久，马可 · 波罗便到访中国北方的大都，见证了这种机械运行的钟塔。直到一个世纪后，诺维奇、圣奥尔本斯和索尔兹伯里大教堂的首批天文时钟被建好使用之前，英国根本就不具备准确率哪怕稍微接近的钟表技术。

长期以来，活字印刷技术的发明都被视为是 15 世纪德国人的贡献。事实上，这种技术发明于 11 世纪的中国。纸张也是在传入西方很早以前就在中国使用了。纸币、墙纸和卫生纸也是如此。

常常有人宣称，是英国的农业开创者杰恩罗 · 塔尔于 1701 年发明了谷物条播机。事实上，早在他生活时代的 2 000 年前，中国就发明了谷物条播机。那种带拱形铁模板的罗瑟拉姆犁（Rotherham plough)，也就是 18 世纪英国农业革命的关键工具，是先由中国人发明的另一种创新工具。王祯在 1313 年写成的《农书》介绍的工具都是西方所未闻的。工业化革命也是更早地在中国出现萌芽。融化铁矿的第一架鼓风炉也不是于 1709 年在科尔布鲁戴尔建成，而是在公元前 200 年的中国。全球最古老的铁链吊桥不在英国，而在中国，其建造时间最早可追溯至公元 65 年，其遗迹在云南省仍然可见。

即使到了 1788 年，英国的炼铁水平仍然低于中国 1078 年的水平。利用创新的并于 13 世纪出口至意大利的手纺车和摇纱机，中国人首次使纺织生产有了革命性进步。而中国人将他们最为著名的发明火药仅用于鞭炮的说法，绝对是失实的。由焦玉、刘基于 14 世纪晚期出版的《火龙经》，描述了地雷和水雷、火箭和可装填炸药的空心大炮炮弹。

中国的其他创新包括化学杀虫剂、钓鱼竿、火柴、罗盘、扑克、牙刷和手推车。大家都知道高尔夫球是在苏格兰发明的。然而，宋朝（960~1279 年）流传下来的《东轩录》描述了一种被称为“捶丸”的运动。这种运动是用 10 根球杆来玩的，包括撺棒、朴棒和杓棒，大致与我们如今的一号木、二号木和三号木杆相同。球杆中镶入玉和金，这表明，高尔夫球过去和现在一样，都是有闲阶层玩的一种运动。

发明创造到此还未结束。1400 年迎来了新的世纪，中国作好了准备，将取得又一轮的技术突破，这轮技术创新不仅使永乐皇帝成为中国之主，还有可能使之成为全球的主人——从字面上说，便是“普天之下”一切的主人。

今天，你可以在南京见到与郑和——中国历史上最著名的航海家——驾驶的同样大小的宝船仿作。这艘船长 120 多米，几乎是哥伦布于 1492 年穿越大西洋所乘的圣玛利亚号大小的 5 倍。而这仅为当时 300 多艘巨大的跨洋帆船组成的舰队的一艘。这些船装备了多个桅杆和各自隔开的浮力舱，万一在吃水线下有进水裂缝时可以防止船只下沉，这些船只的规模远远超过了 15 世纪欧洲正在建造的任何东西。郑和舰队额定总船员为 28 000 人，其规模之大，是“一战”爆发前欧洲的任何舰队所不及的。

这只舰队的指挥官是一个非凡的人。11 岁时，他在战场上被明朝的缔造者朱元璋所俘虏。按照惯例，俘虏是要被阉割的。随后，他被派去侍奉明朝创建者的第四个儿子朱棣，也就是那个后来抓住机会登基的永乐皇帝。因为郑和对其忠心耿耿，永乐皇帝委任他执行一项探索世界大洋的艰巨任务。

在1405年至1424年连续进行的6次伟大航行中，郑和舰队的行程之远、之广，令人惊叹。①郑和驶达暹罗、苏门答腊岛、爪哇及曾经的大港口卡利卡特（今天喀拉拉邦的科泽科德），抵达淡马锡（后来的新加坡）、马六甲和锡兰，到了奥里萨邦的克塔克，也到了霍尔木兹海峡和亚丁，又沿红海北上抵达吉达。据说，这些航行的目的是寻找神秘失踪的前皇帝，以及随其一块消失的传国玉玺。（永乐皇帝试图为篡位而赎罪，还是想掩盖他篡位的事实呢？）不过，去寻找失踪的皇帝并不是他的真实动机。

在最后一次远航之前，郑和受命“执行帝国使命，率领各类不同大小、总计61艘船只，前往霍尔木兹和其他国家……带去彩色的丝织品……并买回麻织品”。他的下属也被授意“购买瓷器、铁制大锅炉、礼物和军火、纸、油、石蜡等”。这似乎表明了一种理性的商业态度——可以肯定，中国的某些货物正是印度洋商人所艳羡的（瓷器、丝织品和麝香），而有些货物也正好是中国希望运回的（胡椒粉、珍珠、宝石、象牙，还有据说能入药的犀牛角）。然而，事实上，这个皇帝最关心的并不是如亚当·斯密后来所理解的贸易。用当代语言来说，这只舰队是“要出使那些（野蛮人的）国家，给它们赠送礼物，通过展现我们的实力改造它们”。永乐皇帝送“礼”所希望获得的回报是，使那些外国统治者像中国周边的亚洲国家那样，向他朝贡，并因此承认他的至高无上的地位。面对拥有如此强大舰队的皇帝，谁会拒绝叩头行礼呢？

郑和舰队的7次航行中，有3次抵达了非洲的东海岸。他们在那里没停

① 1430~1433年，郑和舰队进行了第七次航行。孟席斯一直宣称，中国的舰队绕过了好望角后，继续沿非洲西海岸向北航行，抵达佛得角群岛，后穿越大西洋，继续远航，达到火地岛和澳大利亚海岸；郑和所乘的那艘旗舰可能抵达了格陵兰岛，最后沿西伯利亚海岸，途经白令海峡返回中国。支持这种说法的证据，乐观点说是推断性的，说得糟糕点便是不存在。

留多久。有 30 多位非洲统治者的特使被邀请上船，承认明朝皇帝的世界统治地位。摩加迪沙（位于今日的肯尼亚）的苏丹，派出一个代表团，携带有异国风情的礼物，其中包括一只长颈鹿，永乐皇帝亲自在南京宫城的大门口迎候这只动物。这只长颈鹿被盛赞为传说中的麒麟——是完美节操、完美政府及帝国和宇宙和谐的象征。

但在 1424 年，这种和谐被打破了。永乐皇帝驾崩，中国的海外野心也随之而去。郑和的航海事业被立即叫停，只在 1432~1433 年执行印度洋之行的任务时航海事业短暂复兴。海禁法令确定无疑地禁止远洋航行。从 1500 年起，在中国，不论何人，只要被发现建造超过两个桅杆的船只，就要被判处死刑，而在 1551 年，就连乘坐这种船只出海都是犯罪行为。郑和远航的记载全部被销毁。郑和也死了，几乎可以肯定的是，他葬于大海。

在这个重大的决策背后有什么玄机呢？是因为赤字问题和帝国宫廷中的政治角力导致的吗？是因为在安南（今越南）打仗的成本之高，超出预期了吗？抑或纯粹是因为儒家学者对郑和带回来的“古怪东西”（尤其是长颈鹿）疑心重重呢？我们可能永远无从知晓。但是，中国由此固守国内的后果却似乎是确定无疑的。

与阿波罗登月计划一样，郑和的远洋航行也极大程度地展示了财富和高科技水准。在 1416 年将一个中国太监送到东非海岸，在很多方面堪比将美国宇航员于 1969 年送往月球的伟大壮举。但是，由于永乐皇帝的继承人突然取消了远洋探索事业，所以，伴随郑和所取得的伟大成就而来的经济益处也就微不足道了。

在欧亚大陆的另一头，另一个来自欧洲极小王国的截然不同的航海家，他即将执行的远洋航行，却是另一番情形。

香料竞赛

在大风席卷的里斯本港口山巅上的卡斯特洛-圣乔治，新加冕的葡萄牙国王授权达伽马指挥4条船组成的船队，执行一项重要的使命。所有4艘船或许都可以轻松地装入郑和宝船舱内。他们此行的总船员仅有170人。但是他们的使命，即“展开探索之旅并寻求香料”，却有可能使整个世界向西方倾斜。

他们所寻找的香料即桂皮、丁香、肉豆蔻衣和肉豆蔻种子，这些香料欧洲人没法自己栽种，但他们又想借此为其食物提味。数世纪来，香料之路都起源于印度洋，然后北上红海，或者走陆路经由阿拉伯半岛和安纳托利亚。在15世纪中期，香料通往欧洲的有利可图的最后一段航路（陆路），牢牢地控制在土耳其和威尼斯人手中。葡萄牙人意识到，如果他们能发现另一条香料之路，即沿非洲西海岸南下，绕过好望角，抵达印度洋，那么这个贸易就属于他们了。另外一位葡萄牙人迪亚斯，已于1488年绕过好望角，但随后因为船员哗变，强迫他返回。9年后，轮到达伽马执行远航使命了。

有关西方文明向海外扩张的方式，曼努埃尔国王的命令给我们传递了至关重要的信息。我们看到，西方对东方的优势不止一个。但是，真正开始使西方超越东方的一个优势肯定是推动探索时代来临的激烈竞争。对于欧洲人而言，远航绕过非洲，并不是为了国内自大的统治者寻求象征性的贡品，而是为了超越其竞争对手——不论在经济上还是在政治领域。如果达伽马获得成功，那么里斯本就战胜了威尼斯。远洋探索，简而言之，就是15世纪版的“欧洲太空竞赛”。或者更确切地说，便是其香料竞赛。

1497年7月8日，达伽马扬帆出海了。4个月后，当他和他的葡萄牙水手绕过非洲最南端的好望角时，他们并没有问自己，返回时应该为国王带回些什么异族动物。他们希望知道的是，他们是否终于在其他人失败的地方——找到新的香料之路——取得了成功。他们要的是商贸，而不是贡品。

1498 年 4 月，在郑和登陆非洲摩加迪沙整整 82 年后，达伽马也到了那里。中国人在此几乎没留下任何足迹，瓷器和脱氧核糖核酸（DNA）倒还有一些遗迹可循：据说有船在帕泰岛附近遭遇海难，20 个中国水手侥幸游上岸，娶了非洲妻子，将中国风格的编篮和丝织品生产介绍给当地人，在当地住了下来。与此对照的是，葡萄牙人立即发现了摩加迪沙作为贸易前哨的潜力。达伽马因在那里碰到印度商人而显得格外激动，几乎可以肯定的是，正是因为他们其中之一提供了帮助，达伽马才能趁着季风向卡利卡特进发。

葡萄牙人对于商贸活动的渴望，绝非他们与中国人的唯一差别。来自里斯本的那些人都有些残忍，更确切地说，是彻底的野蛮，而这是郑和极少所展出来的。当卡利卡特国王对这些葡萄牙人从里斯本所带来的货物表示轻蔑时，达伽马便扣押了一个渔民作为人质。在第二次航行至印度时，他的旗舰一马当先，带领 15 艘舰船炮击卡利卡特，将所俘船只上的船员野蛮致残。还有一次，据说他将乘船前往麦加的旅客抓起来，然后点火烧死了他们。

葡萄牙之所以带头诉诸暴力，这是因为他们知道，绕过好望角开启新的香料之路时必将遭遇阻力。显然，他们相信先下手为强的哲学。葡属印度的第二任总督阿丰索 · 阿尔布克，曾在 1513 年骄傲地向他的王室主人如此汇报："只要听说我们即将到来，（当地的）船只便都消失了，就连在附近水域点水的鸟类也不见了。"可以肯定，在与敌人作战时，大炮和短刀是没有多大用处的。达伽马首次远航出发的船员，有一半死在途中，其中相当重要的原因是，他们的船长试图逆着季风返回非洲。最初出发的四艘船，只有两艘成功返回里斯本。1524 年第一次远航印度时，达伽马自己也死于痢疾，他的遗体被运回欧洲，葬于里斯本哲洛尼莫斯修道院（现为圣玛丽亚–贝伦教堂）

的精美坟墓中。但是，其他的葡萄牙人继续进行远航探索，经过印度，一路直达中国。曾经，中国实力雄厚，对来自遥远欧洲的蛮夷十分冷淡，说蔑视也不为过。但如今，香料竞赛把这些蛮夷带到了中国的大门口。我们不能忘记，虽然葡萄牙几乎没有什么中国希望得到的珍品货物，但他们带来了白银（而明朝政府正好需要大量的白银），作为金属货币取代作为主要支付手段的纸币和劳役。

1577 年，澳门割让给葡萄牙，这是珠江三角洲的一个半岛。抵达之后，他们首先做的事情便是竖起了大门——关闸总站，上面写着："畏惧我们的伟大，尊重我们的美德。"到 1586 年时，澳门已发展为极为重要的商贸前哨，因而被确认为一个城市，市名源自中国的妈祖。这是欧洲在华的众多通商领地中的第一个。反映葡萄牙海洋扩张的伟大史诗《卢济塔尼亚人之歌》（*The Lusiads*）的作者卡蒙斯，因为暴力攻击被驱逐出里斯本后，曾一度在澳门生活。使他惊讶的是，规模如此小的葡萄牙王室，其人口不足中国的 1%，怎么会企图统治亚洲人口规模庞大得多的诸多帝国的商贸活动呢？更令人惊叹的是，他的国人还在继续远航探索，进而建立一张神奇的贸易前哨网，像一根围在全球脖子上的项链，从里斯本起始，经由非洲、阿拉伯半岛和印度，穿过马六甲海峡，进抵香料群岛目的地，随后又继续前行，甚至还将澳门抛到了后面。"如果还有更多的世界有待发现，"卡蒙斯这样描述他的同胞，"他们也必将找到！"

葡萄牙的欧洲对手，也没有放弃从海外扩张活动中获取利益的机会。除了葡萄牙外，西班牙首先发起海外扩张的攻势，在"新世界"中夺得了主动权，也在菲律宾建立了其亚洲前哨点，所以西班牙人可以从这里将巨量的墨西哥白银运往中国。数十年来，在《托尔德西拉斯条约》将世界分成两部分后，伊比利亚的这两大强国便可以异常自信地看待他们帝国所取得的成就了。

之后，西班牙统治下的桀骜不驯、商业技能娴熟的荷兰人，也逐渐意识到了这条新香料之路的潜力所在，严格地说，到 17 世纪中期时，以绕过好望角的船只数量和吨位论，他们已超越了葡萄牙人。法国人也加入了这场争夺战。

那么英国人又如何呢？过去，他们的领土扩张野心从来与法国不相上下，他们在中世纪的新经济理念一直是向佛兰德人销售羊毛。不时有消息说，他们的最大敌人西班牙人和法国人正在海外发大财，这时他们怎么可能置身事外，什么也不干呢？确实如此，不久后，英国便加入这场商贸竞赛中来。1496 年，约翰 · 卡博特首次尝试从布里斯托尔出发，穿越大西洋。1533 年，休 · 威洛比和理查德 · 查斯勒从德特福德出发，设法寻求通往印度的“东北通路”。威洛比在这次探险中被冻死，但查斯勒竟然驶达了阿尔汉格尔，并在那里经由陆路到达莫斯科伊凡大帝的宫廷。一回到伦敦，查斯勒便立即着手设立英格兰王国莫斯科公司，开展与俄国的贸易活动。在皇室的大力支持下，类似的探索活动急剧增多，不仅是穿越大西洋，而且也沿着香料之路进发。到 17 世纪中期，英国的贸易迅速增长，从贝尔法斯特到波士顿，从孟加拉到巴哈马，到处可见繁荣的英国商贸活动。

在他们疯狂而残酷的竞争中，全世界在不断被瓜分。但是那个问题仍然存在：为什么欧洲人对商业的狂热似乎要比中国人大很多呢？达伽马为什么如此确定无疑地追求金钱——如此贪婪并因此而丧命呢？

看看中世纪欧洲的地图，你就可以找到答案。这张地图上事实上为我们呈现了数百个彼此竞争的公国，从西欧沿海的诸多王国，到位于波罗的海和亚得里亚海之间的众多城邦，从吕贝克到威尼斯，等等。14 世纪的欧洲大约有 1 000 个政体，200 年后，西欧仍然大约有 500 个独立的政治单元。为什么会这样呢？最简单的回答是地理所致。中国有 3 条大河，即长江、黄河和珠江，无一例外都是自西向东的流向。欧洲有多条河流，流向互不相同，还有为数众多的山脉，比如阿尔卑斯和比利牛斯山脉，至于德国和波兰稠密的森林沼泽就更不用提了。或许，马背上的蒙古部落要想随意进入欧洲没那么容易，因而欧洲人对团结一致的需求就更小了。我们无从肯定，在帖木儿时代之后，欧洲面临的来自中亚的威胁究竟为什么减弱了。或许，仅仅是因为俄国的防卫工作做得更出色了，或许是因为蒙古人更喜欢（西伯利亚）大草原的牧草。

不错，我们已经见证，欧洲的冲突可能会造成毁灭性灾难，只要想想17世纪中期德国“三十年战争”所造成的大混乱局面就知道了。1550~1650年，大致上有2/3的时间，大约10个较大的欧洲公国都处于战争状态，所以，在边境上生活的居民遭遇着巨大的不幸。从1500年到1799年的所有年份中，西班牙有81%的时间在与外国敌人作战，英国则为53%，法国为52%。但是，这些持续的战事带来了3个意料之外的益处。首先，战争推动了军事技术的革新。在陆地上，要塞必须更加坚固，因为大炮的威力和机动性都在日益提高。在德国南部塞海姆的坦嫩贝格上“强盗贵族”所营造的城堡，其毁灭性的命运起到了警示的作用：1399年，这是被炸药所摧毁的第一个欧洲城堡。

同时，在海上，船只体积仍然很小，这是有正当理由的。地中海式巨型舰的设计从罗马时代以来就几乎没有什么变化，与之相比，15世纪晚期的葡萄牙轻型多桅战船，采用横帆和两个桅杆，在速度和火力取得了完美的平衡。较之郑和的巨型平底船，轻型快船转向容易多了，而且攻击时火力更猛。1501年，法国了在船上增添了新装备，在轮船两边特殊设计的舱中架起了几排大炮，于是，欧洲的“兵船”发展成了移动堡垒。如果郑和和达伽马之间因为什么在海上发生冲突，那么，葡萄牙人可能会把动作迟缓的中国大船击沉，正如他们在印度洋上，不费吹灰之力便干掉体形更小、更灵活的阿拉伯独桅三角帆船一样——尽管1512年，明朝舰队在玉夫（Tamao）确实击沉过一艘葡萄牙轻型多桅战船。

欧洲几乎从未间歇的战事带来的第二个益处是，竞争公国在增加收入以维持其战争开支方面做得更好了。在1520年至1630年整个期间，以人均上缴白银克数计算，英、法统治者所能征收的税收比其中国对手要高得多。从13世纪的意大利开始，欧洲人也开始尝试前所未见的政府借款方式，这就种下了现代债券市场的种子。公共债务是一种明朝完全未知的机制，19世纪晚期在欧洲的影响下，这种机制才被引入中国。另一个具有改变世界的非凡意义的财政创新是荷兰人提出的一种思想：将贸易垄断权授予合股公司，享受合股公司相应的利润份额作为回报，且彼此达成谅解，合股公司将作为海军的子承包商，共同对付竞争敌国。创建于1602年的荷兰东印度公司及其同时期的英国效仿公司，是首批真正的资本主义企业，其股权被分为可交易的股票，由公司董事自行决定现金股利支付。在东方，没有任何体制与这些令人惊异的积极机制相似。虽然他们增加了王室收入，但凭借在现代初期的国家中创设长期存在的、新的利益相关者，如银行家、债券持有人和公司董事，也减少了王室的特权。

最为重要的是，世代延续的两败俱伤的冲突导致的必然后果是，没有哪一个欧洲君主的实力足够强大，所以也不能颁布进行海外探索的禁令。即使在土耳其人进抵东欧时，如同他们在16世纪和17世纪屡次干的那样，全欧洲也没有任何统一的皇帝发布命令，让葡萄牙暂停其远洋探索事业，大家联合起来对抗来自东方的敌人。情形完全相反，欧洲君主都在鼓励商贸、征服和殖民活动，这成了他们相互之间开展竞争的一部分。

在路德宗教改革席卷德国后的一个多世纪中，宗教战争成为欧洲人死亡的祸根。但是，新教和罗马天主教之间的血腥战争，以及周期性和地区性的犹太人迫害，同样也产生了有利的结果。1492 年，犹太人作为宗教异端被驱逐出卡斯提尔和阿拉贡。起初，这些犹太人前往奥斯曼帝国寻求庇护，但在 1509 年后，威尼斯建成了一个犹太人社区。1566 年，随着荷兰人反抗西班牙统治的起义，并将联合省建成新教共和国，阿姆斯特丹成了又一个包容异端的天堂。当新教胡格诺教派于 1685 年被法国驱除时，他们便在英国、荷兰和瑞士安居了。而且，可以肯定，宗教狂热使海外扩张具有了另一种动机。葡萄牙王子、航海家恩里克鼓励他的船员去探索非洲海岸，从某种程度上说是希望他们可以发现消失的基督圣人祭司王约翰所统治的神秘王国，到时这位圣人便能支援欧洲对付土耳其人。除了坚持印度豁免其海关税，达伽马还厚颜无耻地要求卡利卡特国王，将所有的穆斯林信徒从他的王国中驱除出去，并专门针对驶往麦加的穆斯林船只实施抢劫。

简言之，具有欧洲典型特点的政治割据局面与中国情形截然不同，所以欧洲从一开始便不可能形成哪怕与中华帝国有那么一点相似的帝国。其政治特点也推动着欧洲人在遥远的地方不断寻求机遇，不论是在经济、地理还是在宗教方面。你可以说这是一种分而治之的情形，不过十分荒谬的是，正是因为欧洲人自我的分裂，所以欧洲人便能统治世界。在欧洲，小即是美，因为这意味竞争，而这种竞争不仅存于国家之间，还体现在国内。

从名义上说，亨利八世是英格兰、威尔士（严格地说，还包括他宣称拥有的法国）的国王。但在英格兰的农村地区，真正的权力掌握在大贵族、要求约翰国王实施大宪章的贵族的后代，以及成千上万的乡绅土地业主及无数的公司实体、神职及非神职人员手中。城镇通常是自治性质的。而且至关重要的是，该国最重要的商业中心几乎完全是自治性质的。欧洲不仅是由公国组成的，也是由不同的社会阶层构成的，包括贵族、神职人员和城镇居民。

伦敦金融城政府的起源和结构可追溯至 12 世纪。换种方式说，值得注意的是，大市长、郡长、市议员、议事厅、同业公会会员和自由市民已存在800多年的时间了。金融城是自治商业机构的最早范例之一，从某种角度上说，它是我们如今所熟悉的公司的先驱，从另一种角度上说，又是民主体制本身的先驱。

早在13世纪30年代，亨利一世就赋予伦敦一定权利：从他们自己中意的人中选择自己的郡长和法官；有权管理他们自己的司法和财务事项，国王或其他机构不得干涉。1191年，在理查一世东征进入圣地之际，选择市长的权力也给了公民，这一权利在1215年得到了约翰国王的批准。结果，伦敦市再也不惧怕国王了。1263~1265年，在该城公民的支持下，托马斯·菲茨·托马斯市长也声援蒙特福特反抗亨利三世的起义。1319年，轮到爱德华二世发难代表着绸缎商利益的伦敦市，因为后者企图减少外国商人的特权。当爱德华拒绝时，“伦敦暴民”便支持罗杰·莫蒂默废黜该国王的行动。在爱德华三世统治时，局势又开始对伦敦不利。意大利人和汉萨同盟在伦敦站稳了脚跟，其中最重要的原因就是他们以优厚的条款为国王提供了借款，这种做法一直持续到理查二世未成年时期。但是，伦敦市民持续在挑战王室权威，不论在1381年农民起义还是在理查受到上院上诉时，伦敦市民均几乎毫无兴趣支持国王一方。1392年，国王理查取消了伦敦的特权和自由权，但在5年后，由惠廷顿市长磋商后送出的10 000英镑的优厚“礼物”又成功使伦敦居民恢复了其特权。给国王的借款多少和礼品价值成为了一个城市能否享有自治权的关键。城市发展得越富有，城市也就越享有自治权的资本。惠廷顿给亨利四世的借款额至少是24 000英镑，给他的儿子亨利五世的借款大约为7 500英镑。

该城不仅在权力方面与国王竞争。在城市内部同样也存在竞争。同业公会的起源可以追溯至中世纪时期：织布工公会最早可追溯至1130年，面包师公会可追溯至 1155 年，鱼贩公会可追溯至 1272 年，金匠公会、兼售衣料的裁缝店公会和皮革商公会可追溯至 1327 年，布匹商公会可追溯至 1364 年，绸缎商公会可追溯至 1384 年，杂货商公会可追溯至 1428 年。这些同业公会或行会在各自所属的经济领域中发挥着极为重要的影响力，而且他们还拥有政治权力。爱德华三世声明自己是亚麻军械士公会（后来叫“兼售衣料的裁缝店公会”）的“会员”，这算是承认了其政治权力。到 1607 年，兼售衣料的裁缝店公会吸纳了很多过去或现在的名誉会员，包括 7 个国王和 1 个王后，17 个王子和公爵，9 个伯爵夫人（女伯爵）、公爵夫人（女公爵）和男爵夫人（女男爵），200 多个伯爵、勋爵和其他乡绅以及 1 个大主教。那“十二大同业公会，按级别高低排列，即绸缎商公会、杂货商公会、布匹商公会、鱼贩公会、金匠公会、皮革商公会、兼售衣料的裁缝店公会、零星服饰用品商公会、烟贩公会、五金商公会、酒类批发商公会和布工公会，可以提醒我们伦敦工匠和商人曾具有的影响力，即使他们现今的角色很大程度上都是仪式性的。在他们竞争激烈的时期，他们相互之间可能爆发战斗，也可能共赴酒宴。

除了其他因素，在公国之间、国内甚至国内的城市之内，存在的多层级的竞争情形，有助于解释欧洲机械钟表的技术发展和快速传播。1330 年，沃林福德的理查德就已经在圣奥尔本斯修道院的十字教堂下方的墙上安装了一个技术极为先进的机械钟，可以显示潮汐、月亮和某些天体的运动状况。在 15 世纪时，发条驱动、具有报时的独特功能的时钟淘汰了原来的钟表，这种时钟不仅比中国的水钟计时更为准确，而且它们被广泛传播使用，而不是被欧洲的天文学家所垄断。因此，如果一个城镇在其教堂之巅安装了一架精美的新针盘，用不了多久，其最近的对手就会觉得有必要效仿跟进。如果新教的钟表制造者在 1685 年的法国不受欢迎，那么瑞士就会高兴地接纳他们。

而且，与军事科技一样，竞争会孵化技术的进步，因为工匠在修理摆弄的过程中，对产品的精确度和美观所作的改进虽小，却在不断积累和改进。在耶稣会员传教士利玛窦将欧洲的钟表于 16 世纪晚期带到中国时，这些钟表的技术和质量比东方钟表高很多，这让东方人在接纳时也颇有些丧气。1602 年，在万历皇帝的要求下，利玛窦在米纸上绘出了一幅美观的世界地图，将中国定位于地球的中心位置。然而，他一定知道，以技术衡量，中国如今正在向全球边缘漂移。

因为钟表在计时和装置工作的协调方面所获得的更大精确度，钟表及后来便携钟表的兴起便与欧洲及西方文明的崛起相伴而行（可以这么说）。随着计时器逐渐进步，东方的优势时代也在逐渐走向终点。

与欧洲那张修修补补、五颜六色的“被子”相比，从政治上看，东亚至少是一张巨大的、单色的“毯子”。当时中国中原地区王朝的主要竞争对手是北方彪悍的蒙古人和东方的倭寇。自秦始皇——通常被称为中国的“始皇帝”（前 221~前 210 年在位）——时代以来，来自北方的威胁一直更大，需要投入巨资构筑我们今天所知的“长城”来抵御威胁。在欧洲，从哈德良时期直到埃里希 · 昂纳克时代，一直没有建造任何与长城有一点可比性的工程。在规模上堪比长城的是灌溉中国可耕土地的运河和沟渠系统。马克思主义者、汉学家卡尔 · 魏特夫将其视为“水利官僚政治”式的、东方专制下的、最重要的产物。

北京的紫禁城是统一的中国封建政权的又一个贡献。为了大致了解其巨大的规模和独特的风格，来访者应沿着太和门步行前往太和殿，经过皇帝的休息处中和殿，然后到达举行殿试的保和殿。看来十分明显，“和”与帝国政府永不分裂的思想是密切联系在一起的。

与长城一样，在 15 世纪的西方，根本没有任何建筑可与紫禁城媲美，伦敦更不用说，因为伦敦权力分散，分别掌握在国王、世俗和宗教贵族以及国会下院手中，此外，伦敦金融城和同业公会也集中了部分权力。掌权人（机构）都有其宫殿和大厅，但以东方标准论，规模都很小。同样，中世纪的王国是土地业主继承人和神职人员共同管理的，他们基于国王的宠爱而被选为管理人（往往可以被无情地抛弃），而中国则是从上至下由儒家官员来管理，这些官员是从最为苛刻的考试体系中选拔出来的。那些渴望以效力帝国为职业的人，必须在专设的考试中心接受让人身心疲惫的三个阶段的考试，那种考试中心如今在南京仍然可以看到：有墙壁、相互连接的大型建筑，里面是成千上万个狭小的独立空间，比火车上的卫生间大不了多少。

这些由砖头砌成的狭小隔间（一位欧洲旅行者这样写道）大约长 1.1 米，宽 1 米，高 1.7 米。里面有一个石头桌子，一个石头凳子。在长达两天的考试中，考生都处于驻守在瞭望塔上的卫兵的监视中……考试期间唯一可以活动的是服务人员，他们可来回穿行，为考生补充饮水和食物或清除人体排泄物。如果考生疲倦不堪，他可以展开床具，在这样压抑的环境中略作休息。但是，如果他旁边的隔间灯火通明，这十之八九会迫使他再次握起毛笔……在这种压力环境下，有些考生彻底疯了。

毫无疑问，在鞋盒式隔间中经过三天两夜的奋战后，最有能力——而且可以肯定，动机最强——的考生过关斩将，通过了考试。由于考试内容侧重于儒家的四书五经，要记住多达 431 286 个让人糊涂的汉字，再加上要写出极为僵化的八股文（1487 年后采用），所以这种考试的选拔的品质便是顺从和谨慎。毋庸置疑，考试竞争异常激烈，但这不是那种推动创新的竞争，因而也就谈不上什么变革需求了。占据中华文明关键地位的书写语言，其创设初衷在于催生操守派精英，还将大众排除在他们的活动之外。与欧洲相互竞争的语言对比一下便知道，其反差已极大了。意大利语、法语和卡斯提尔语[①]及葡萄牙语和英语不仅是精英文学所使用的语言，对于那些只接受过简单初级教育的更广泛的大众而言，也同样适用。

如孔子自己所言：君子中庸，小人反中庸。君子之中庸者也，君子而时中。小人之中庸者也，小人而无忌惮也。明朝的中国，遵循中庸者甚广，而创新之人却极为鲜见。

中庸之国

文明是复杂的。文明可以在数世纪中持续存在，处于权力和财富的巅峰。但反过来，其根基又可能突然坍塌，陷入大混乱中。

中国的明朝于1368年诞生，好战的朱元璋年号“洪武”，意指“强盛的军力”。我们已经看到，在随后长达3个世纪的大多数时间中，不论以何种标准看，明朝都拥有全球最为发达的文明。但随后，在17世纪中期，前进的车轮脱落了。这么叙述并不是为了夸大明朝早期的稳定。在经历一个时期的内战并废黜了明朝的合法继承人后，永乐继承了他父亲洪武的皇位。但是，毫无疑问，17世纪中期的明朝危机确实是比较严重的。白银的购买力不断下降，税收收入的实际价值不断被削弱，明朝面临着财政危机，所以政治上的分裂不断恶化。天灾人祸，饥荒频发，流行病肆虐，于是明朝内忧外患——内有农民揭竿而起，外有外敌入侵。1644年，北京被起义领袖李自成攻破。明朝最后的皇帝无地自容，上吊而死。从儒教的和谐平衡到政治混乱这一极为剧烈的变化，前后不过10年的时间。

明朝覆亡的结果是毁灭性的。1580~1650年，战事和瘟疫使中国的人口

① 即西班牙语。——译者注

减少了 35%~40%。出了什么问题呢？答案是，向内转化是致命的，而对于有如中国一般的人口稠密的复杂社会而言，情形尤其如此。明朝体制曾形成高度的平衡——对外威严，对内温和。乡村可以养活规模可观的人口，但这只有在彻底静态、事实上停止革新步伐的社会秩序基础上才行。这是一种陷阱。当最不可能发生的小事情出错时，那个陷阱之门就“啪”的一声打开了，没有外部的资源可以利用。不错，不少学者都在设法论证，明朝是一个富裕的社会，国内贸易量很大，奢侈品市场活跃。然而，最近的中国研究表明，明朝时期的人均收入未见增长，资产总额事实上在下降。

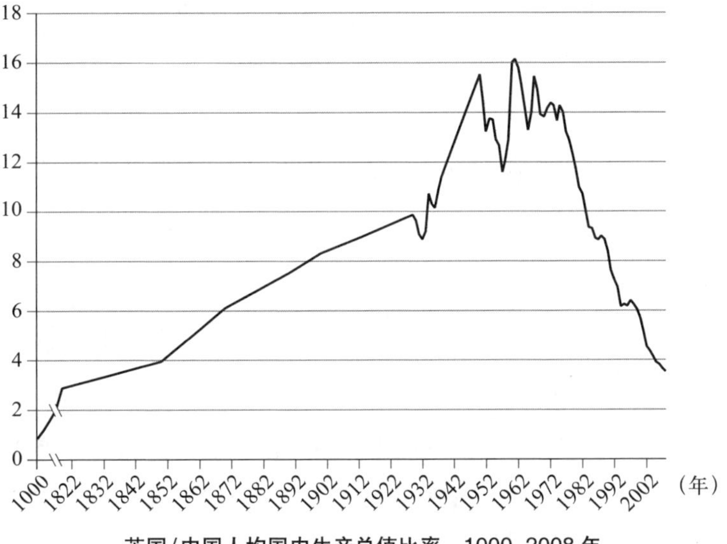

英国/中国人均国内生产总值比率，1000~2008 年

与此相对的是，随着 17 世纪晚期英国人口规模的不断扩大，海外扩张在帮助英国跳出马尔萨斯所指出的陷阱上发挥了至关重要的作用。跨大西洋的贸易为英国输入了诸如土豆和蔗糖这样的营养食物以及大量的鳕鱼和鲱鱼。值得注意的是，1 英亩的甘蔗所产出的能量相当于 12 英亩小麦产出的能量。殖民活动使剩余人口的移民成为可能。渐渐地，相应的效应便是提高了生产效率、收入，增加了营养甚至人们的身高。

我们来看看另一个岛国居民的命运吧。它与英国情形很相似，都位于欧亚大陆近海的群岛上。英国人积极向外转化，打下了完全可以称得上是“全球英国化”的根基；而日本人正处于德川幕府时代，1640 年后执行的是严格的闭关锁国政策。所有形式的对外交流活动都被禁止，结果完全错失了急速发展的全球贸易和移民所可能带来的益处。到 18 世纪晚期，英国农民的食物包括肉类产品，同时代的日本人却主要靠单一的食物摄入，95%都是谷物，其中又以大米为主。这种食物上的差异就说明了 1600 年后期显著的身高差距。18 世纪英国罪犯的平均身高为 170 厘米。同时期日本士兵的平均身高只有 159 厘米。那个时候，当东方人遇到西方人时，他们之间再也没法相互直视对方了。

换言之，早在工业革命之前，因为商贸和殖民所带来的物质优势，小小的英国便已超越了伟大的东方文明了。中国和日本选择的道路——避开对外贸易、加强水稻种植——意味着，随着人口的增长，收入开始减少，食物、身高和生产效率也相应地降低了。当农业歉收或农业种植中断时，其后果便是灾难性的。在麻醉品方面，英国人也更幸运些：经历了长期的酒瘾之后，17 世纪北美的烟草、阿拉伯的咖啡和中国的茶将他们从酒精麻痹中唤醒。在既是小餐厅又能谈股票并可以惬意聊天的咖啡馆中，他们变得振奋起来；可同时期的一些中国人手中却把着烟枪，里面填满了英国东印度公司输入的鸦片，最终，他们整日昏昏欲睡。

并非所有的欧洲评论人都认同亚当 · 斯密的看法：中国一潭死水，毫无变化。1697 年，德国哲学家、数学家莱布尼茨宣称：我得在我的门上贴一个告示，标上“中国学识咨询局”。在他的著作《中国近事》（*The Latest News from China*）中，他提出：“应派中国宣传者来这里，给我们教授自然神学的目的和实践，就如同我们派出传教士教他们天主教一样。”1764年法国哲学家伏尔泰称：“即便不痴迷于中国人的伦理，但你也能认识到……他们的帝国确实是迄今全球最好的。”两年后，重农主义者弗朗索瓦·魁奈出版了《中国的专制主义》（*The Despotism of China*），赞扬了农业生产在中国经济政策中的首要地位。

然而，位于海峡①另一边的人更关心的是商贸和实业，因此也不倾向于将中国理想化，而是含糊其辞地批评他们自己的政府，事实上，他们对中国停滞不前的现实看得很清楚。1793年，马戛尔尼伯爵首先率领一支远征队拜访乾隆皇帝，设法说服中国人打开国门，展开对外贸易，但毫无结果。虽然马戛尔尼极不愿意下跪叩头，但他备足了丰厚的贡品：德国造的天象仪，“可能是迄今造得最大、最完美的玻璃透镜”，还有望远镜、经纬仪、气泵、电动机器及“有助于说明、演示科学原理的范围广泛的设备”。然而，这位古董皇帝（已年逾80）及其臣子对西方文明的这些奇特发明并无多大兴趣：

> 没过多久，英国人发现，那些中国人（对科学）的兴趣，如果确实存在过的话，现在已完全耗尽了……所有这些东西……都被那些无知的中国人所错失、抛弃……大使刚离去，据说中国人便立即（原文如此）将这些贡品堆在圆明园的杂物堆放室。代表英国产品之精华的各类精美礼品和艺术品，也没有得到更好的待遇。朝臣们在观赏这些物品时，流露出的似乎只是嫉妒……这种（令人匪夷所思的）行为十之八九要归咎为某种国家政策，它是妨碍新事物的引进……

① 指英吉利海峡。——译者注

随后，那位皇帝对乔治三世宣布了一个蔑视性的通告：天朝物产丰盈，无所不有，原不藉外夷货物以通有无。

马戛尔尼劝说中国打开国门通商的计划流产，这个事实象征着自1500年便已发生全球权力的由东向西的转变。曾经是新发明的故土的中国，逐渐沦为顽固地敌视其他民族的创新的“中庸之国”。那个设计精巧的中国发明——钟表，已回到故土了，但已经过欧洲的改良、改进，而由发条和齿轮组成机械装置，运转起来也更准确了。在今天的紫禁城中，有个地方是用来储藏帝国收藏的全部计时设备的。与蔑视西方科学的乾隆不同的是，他的前任统治者却对收集钟表十分狂热。他收集的所有钟表几乎都是在欧洲制造的，或者是在中国生活的欧洲工匠所制造的。

1842年6月，英国皇家海军炮艇沿长江北上，直抵大运河，强迫中国必须支付2 100万两白银的赔款，对英国开放5个通商口岸，并割让香港岛。第一个不平等条约在南京的静海寺签订——起初修建静海寺是为了纪念郑和和妈祖（4个多世纪前，是她保佑着郑和及其船队）——虽颇有讽刺性。

多年后，中国又建造船只，这次是那种可以全球航行的巨型货轮，它装着成箱的中国产品离港，又满载着原料回来，以满足该国飞速增长的工业经济的需求。2010年6月，我参观了上海了最大的造船厂，其在建货轮规模之庞大，令我十分震惊。我的所见使我童年记忆中的格拉斯哥码头显得如此渺小。在温州的工厂中，工人高效生产的服装以数万计，生产的塑料笔以百万计。而在长江中，无数的平底驳船，满载着煤、水泥和铁矿，所过处江水翻滚。竞争、企业、市场和贸易，这些是中国曾经所轻视、回避的。现在也会了。如今，长久以来被人遗忘的、中国对外扩张的象征人物郑和，是人们眼中的英雄。以中国最伟大的经济改革家邓小平的话说：

今天渴望发展的任何国家都不能闭关锁国。我们已经尝过闭关锁国的苦果，我们的祖先也尝过。在永乐治下的明朝早期，郑和远航过西方大洋，我们的国家那时是开放的。永乐皇帝死后，明朝逐渐衰败。中国遭遇入侵。从明朝中期算起，直到鸦片战争爆发，中国闭关自守300多年，中国穷了，日益愚昧和无知，逐渐落后了。除了打开国门外，没有其他选择。

这段历史是有说服力的（也与亚当 · 斯密的观点极为接近）。

30年前，如果你预测，不出半个世纪，中国必将成为全球最大的经济体，那么你会被视为一个空想家。同样，如果早在1420年，你预测终有一天，西欧的经济产量会超过亚洲总量，而且不出500年，普通英国人必将比普通中国人富9倍，那么没人认为你的预测是严肃、现实的。这便是西欧竞争的动态效应，这便是东亚政治垄断的滞后效应。

CIVILIZATION

第二章

科学

我假装对科学有极大的兴趣，随后因为假装的兴趣，不久我真的离不开它了。我不再做一个关心世俗事务的人……我决意离开我的故乡，而我从宫廷辞职为我提供了一个有说服力的借口。我为国王效力；我强调指出，我渴望着自己熟悉西方科学，并暗示在游历他国时甚至也可能为之效劳。

孟德斯鸠

勃兰登堡这个沙丘之地具有如此大的影响力，以至于各国都联合反对它，其力度之大，超过路易十四所遭到的联合攻击。

伏尔泰

围攻

自从 7 世纪后阿拉伯沙漠的伊斯兰教的崛起，东西方之间的冲突便不曾中断过。穆罕穆德的追随者与耶稣信徒打起了圣战，而基督教也以牙还牙，开始了对圣地的东征行动，在 1095~1272 年一共进行了 9 次东征，并再次征服了西班牙和葡萄牙。过去 300 年的大多数时间中，除去一些零星的、暂时性的挫折，西方在这两种文明冲突中一直是赢家。此中的主要原因在于，西方科技占优势地位。然而，这种优势并不是历来都存在。

宗教的狂热成就了先知穆罕默德的事业，使其创建的哈里发王朝在 8 世纪中期扩展到西班牙，正好横跨北非，越过其阿拉伯中心地带，北经叙利亚，突进高加索地区，随后又向东穿越波斯湾，深入阿富汗，从托莱多一直延伸至喀布尔。阿拔斯哈里发王朝居于科技领先地位。9 世纪时，哈里发哈伦 · 拉希德在巴格达创建了智慧宫，亚里士多德和其他学者的希腊读本被翻译成阿拉伯文。伊斯兰帝国也出现了某些人认为的第一所真正意义上的医院，比如 707 年由哈里发瓦利德（阿卜杜勒马利克之子）在大马士革所创设的旨在治疗而非仅仅收容病人的机构。有人认为，859年在非斯创立的Al-Karaounine大学是第一所真正意义上的高等教育机构。在希腊尤其是印度科学的基础上，穆斯林数学家创设了与算术和几何学截然不同的代数学（英语“algebra”源于阿拉伯语“al-jabr”，是“还原”、“恢复”的意思）学科。第一本代数学课本大约成于820年，是波斯学者穆罕默德·伊本·穆萨·花拉子密用阿拉伯语写成的，叫做《积分和方程计算法》。第一位真正意义上的实验科学家是穆斯林海什木（965~约1039年），其写成的七卷本《光学书》（*Book of Optics*）推翻了古代极多的错误观念，尤其是指出了我们能看见物体是因为眼睛能发光的错误观念。也是海什木最早弄清抛射物更容易穿透墙体（如果击发角度合适）的原因，是他最早意识到天体并非都是固体，是他最早发明了暗箱——如今仍在使用的针孔照相机帮助学生了解光学知识。在他之后，13世纪晚期研究彩虹的波斯学者卡马尔继承、发扬了前辈的研究。因为中世界的伊斯兰世界坚守着古典智慧，并在除了数学和光学之外的地图学、医学、哲学领域积累、发展了新知识，所以西方受益无穷。英国思想家罗杰·培根曾认同过这一点：“哲学吸收了穆斯林的思想。”

那么，伊斯兰世界在科技领域又是如何逐渐落后于西方的呢？科学革命又是如何推动西方文明既在学术又在军事领域里傲视全球的呢？要回答这些问题，我们必须退后三个多世纪的时间，回到伊斯兰帝国最后一次严重威胁西方安全之时。

那是1683年，正如1529年发生的大事一样，奥斯曼帝国又一次进逼维也纳城门，其统帅是卡拉·穆斯塔法·科普律鲁，即苏丹穆罕默德四世的大维齐尔[①]。

① 维齐尔，即伊斯兰国家首相、大宰相。——译者注

在拜占庭帝国的废墟上建立起来的安纳托利亚王朝奥斯曼帝国，自从1453年征服康士坦丁堡后，便一直是伊斯兰教的标准传播使者。他们的帝国没有向阿拔斯哈里发王朝那样一路大步东进，不过奥斯曼却成功地将伊斯兰疆域扩展到迄今的基督教领土，这不仅包括过去拜占庭在黑海海峡两岸的疆域，还包括保加利亚、塞尔维亚和匈牙利。贝尔格莱德在1521年被奥斯曼攻破，布达在1541年沦陷。奥斯曼海军也使罗德岛就范（1522年）。维也纳侥幸存活下来，但是，奥斯曼的统治同样从巴格达延伸到巴士拉，从高加索的凡湖到红海入口的亚丁，沿着巴巴里海岸的阿尔及尔直达的黎波里，苏莱曼大帝（1520~1566年）完全有理由宣称："我是苏丹的苏丹，帝王的帝王，是赐予全球君王王冠的授予者，是上帝在地球上的影子……"伊斯坦布尔清真寺上铭刻着他的名字，可以永久证明他自己宣称的伟大成就。较广为人知的一个事实是，苏莱曼也创建了一所医学院。既是立法人，又天资过人的诗人苏莱曼，集宗教、政治和经济大权（包括设定价格）于一身。在他看来，强大的神圣罗马皇帝查理五世不过相当于"维也纳国王"罢了，而葡萄牙的商业冒险家也比海盗强不了多少。有苏莱曼大帝掌权，奥斯曼帝国敢于在印度洋上与葡萄牙人叫板并击溃他们，就显得十分自然了。

在16世纪晚期的奥地利驻伊斯坦布尔大使比斯贝克看来，哈布斯堡和奥斯曼帝国之间的差别之大，确实令人震惊：

> 一想到这两种不同的体系一定会造成的后果，我就不寒而栗；我们中的一个必将获胜，另一个必将被摧毁，至少我们两者没法和平共处。在他们那一边，帝国财力充盈，资源强大，军队实战经验丰富，士兵身经百战，连续打了一系列胜仗，随时准备忍受困苦，团结一致，服从命令，勤俭节约，警惕性高。在我们这边，国库亏空，生活习惯奢靡，资

源耗竭，士气不振，士兵缺乏经验，难以驯服，好斗，毫无组织纪律可言，行为放纵毫无约束，酗酒，纵情声色，而最糟糕的是，他们的敌人往往战无不胜，而我们却总是打败仗。两军相遇其结局如何，我们还用怀疑吗?

17 世纪，奥斯曼帝国势力更加强大：1669 年攻陷克里特岛。苏丹的势力范围扩展至西方的乌克兰地区。作为海军强国，奥斯曼也始终令对手畏惧。所以，1683 年的大事早就令西方惊恐了。神圣罗马皇帝利奥波德一世坚持遵守 1664 年在瓦斯瓦所签订的条约是徒劳的。他自言自语地说路易十四是他面临的更为严重的威胁，也是自欺欺人的。1682 年夏，苏莱曼开始采取行动，首先承认匈牙利叛军伊姆尔 · 托科利为匈牙利的国王，作为回报则获得了匈牙利的宗主国（领主）地位。在随后的那个冬天，苏莱曼在阿德里安堡集结了一支强大的军队，后又部署在贝尔格莱德。1683 年 6 月，土耳其人已挺进哈布斯堡所属领土。到 7 月初，他们攻陷了久尔。与此同时，维也纳的利奥德波惊魂未定，不知所措。此前不久，维也纳的卫戍部队刚刚遭遇了瘟疫，人员大批死亡，因此，该城的卫戍部队力量严重匮乏。洛林的查尔斯统帅下的脆弱的哈布斯堡军队似乎难以阻止奥斯曼的攻击。而驻伊斯坦布尔的特使告诉利奥德波说，土耳其军队“不过如此”，这为他注入了不切实际的希望，起到了安慰的作用。

1683 年 7 月 13 日，由 6 万多奥斯曼禁卫步兵和西帕希骑兵，外加 8 万巴尔干援军和令人闻之色变的鞑靼骑兵构成的，被认为“不过如此”的这支军队，兵临维也纳城下。总指挥为大维齐尔卡拉 · 穆斯塔法 · 科普律鲁，绰号“黑人”——不仅描述了其肤色，也反映了其个性。在 1674 年攻占波兰城后，命令活剥战俘的皮的人就是他。在离维也纳城 450 步处，军队安营扎寨，穆斯塔法给守城部队提供了选择：接受伊斯兰教，在苏丹的统治下和平生活！或交出要塞，以基督徒在苏丹的统治下生活；如果有人选择离开，则可以带上他的东西安全离开！但是，如果拒不投降，坚持抵抗，那么所有人面临的将是死亡、被掠夺或被奴役的命运。

当征服了拜占庭的穆斯林人与罗马的基督教继承人遭遇时，整个中欧处于告急状态，各国纷纷号召忠实信徒向上帝祈祷，希望能化解危机。圣斯蒂芬教堂墙壁上涂满的反奥斯曼的标语，反映了当时维也纳的这种危机气氛。然而，利奥德波对抗奥斯曼的策略也就限于这些手段了。尽管逃跑的想法侮辱了他的“尊严”，别人还是劝说他溜之大吉，保命要紧。

奥斯曼就地扎营本身就是一种自信的体现。穆斯塔法在他自己宫殿般的帐篷前面还开垦了一处花园。这传达的信号是明确的：如有必要，土耳其有的是时间，可使维也纳城弹尽粮绝，打出白旗。在奥斯曼人击打其硕大的科斯鼓时，那怪异而又令人毛骨悚然的音乐从扎营地穿城而去。这种噪声也淹没了铁锹的声音，因为土耳其人正在挖地道。7 月 25 日，一个巨型地雷被引爆，成功地炸开了城市周围的加固栅栏，也就是该城的第一道防线。接着又是一声巨大的爆炸，于是通往奥地利驻防的半月形堡垒阵地的障碍被扫除了。9 月 24 日，土耳其军队攻克了维也纳的关键要塞。

但随后，穆斯塔法致命性地犹豫了。此时秋风瑟瑟，他与奥斯曼领土之间的交通线太长了。他的士兵供应物资逐渐匮乏。而且，即使他真的成功攻陷维也纳城，他也不能肯定接下来该实施什么行动。土耳其人的犹豫不决给了利奥德波赢得了至关重要的时间，因而能集结一支救援部队。奥斯曼入侵维也纳之前，利奥德波曾与波兰国王签署了一纸共同防御条约，所以，新就任的波兰国王约翰三世索比爱斯基率领 6 万多波兰—德国联军开赴维也纳。索比爱斯基已过壮年时期，但决意要干出一番惊天动地的大事业。事实上，他统帅的是一支杂牌军：除了哈布斯堡军队外，还有波兰人、巴伐利亚人、法兰克人、撒克逊人。而且，他们向维也纳进展的速度十分缓慢，其中最重要的原因是，其统帅对奥地利的地貌知识十分有限。在 1683 年 9 月 12 日的凌晨，随着一阵猛烈的火箭发射，反击战终于打响了。奥斯曼军队被分割，有些士兵仍然在全力设法突入城内，其他军队则面对紧逼的波兰步兵殿后。穆斯塔法此前几乎没有作敌人进攻的防御准备。下午 5 时，索比爱斯基发出命令，他的骑兵从俯视维也纳的卡伦堡山上，向奥斯曼的扎营地发起了规模庞大的猛烈进攻。一位土耳其目击者曾描述过当时的情形：波兰的轻骑兵像“从大山上铺天盖地涌来的黑色沥青，要将沿途一切毁灭殆尽一般”。最后阶段的战斗极为惨烈，但结局立见分晓。索比爱斯基进入穆斯塔法的帐篷，发现空无一人。维也纳之围结束了。

索比爱斯基赢得了保卫战的胜利，被捧为维也纳的大救星，他自己也喜不自胜，把恺撒的名言作了个修改：“我们来了，我们看见了，上帝赢了。”被缴获的奥斯曼大炮被融化，为圣斯蒂芬教堂浇铸了一个以 6 颗土耳其人头浮雕装饰的大钟。败退的穆斯塔法最终为他的失败付出了代价。土耳其人在艾斯特根遭遇到了如此严重的打击，结果苏莱曼大帝下令立即处死穆斯塔法。他被以奥斯曼古老的传统方式处以极刑：用丝带绞索勒死。

维也纳得救之后，各种传闻随之出现：有人说土耳其旗帜上的月形标志催生了羊角面包的诞生[①]；有人说奥斯曼人所抛弃的咖啡成为后来维也纳人开设的第一家咖啡馆的原料，并据此首次煮成了卡布基诺咖啡；也有人说，从土耳其人手中缴获的打击乐器（钹、三角铁和低音鼓）则被奥地利为数众

① 这种说法可能源自第一版《拉鲁斯美食百科全书》（1938 年）的作者阿尔弗雷德 · 高乔克。起初，他认为羊角面包与 1686 年布达佩斯之围有关，据说当时有位面包师提醒政府注意土耳其挖地道的声音。在后来的版本中，他把相关背景改为 1683 年的维也纳。

多的军乐队所采用。这次胜利真正的历史意义要比上述大得多。对于奥斯曼帝国而言，夺取维也纳的又一次失败标志着奥斯曼帝国开始走向衰亡，给这个版图过大的帝国带来了长期性的灾难性影响。在一次又一次的战役后，直到萨瓦公国王子尤金最终于1697年在津塔取得决定性胜利时，奥斯曼帝国几乎从苏莱曼大帝所征服的全部欧洲领土上败退。根据《卡洛维茨和约》，奥斯曼帝国苏丹宣布放弃对匈牙利和特兰西瓦尼亚的领土主张，这是奥斯曼帝国的耻辱。

维也纳之围的解除不仅是基督教和伊斯兰教之间长达数世纪的战争中的转折点，也是西方崛起的关键时刻。在战场上，双方于1683年遭遇时几乎是势均力敌，难分伯仲，这是事实。严格地说，从很多方面看，几乎没法在这两者间选出强者的一方。鞑靼士兵双方都有。来自土耳其控制下的摩尔达维亚[①]和瓦拉几亚[②]的基督徒士兵，被迫为奥斯曼帝国效力。很多描述这场战役的绘画和浮雕清楚地说明了一个事实：两支军队之间的差异与其说是科技或战术，不如说只是所着军装不同。不过，维也纳之围发生的时间却具有重大的意义，因为17世纪晚期是欧洲在两大关键领域——自然哲学（这是“科学”当时的叫法）和政治理论出现疾速变革的时期。1683年之后的数年中，西方人对自然和政府的看法发生了极为深刻的变化。1687年，艾萨克·牛顿出版了《自然哲学的数学原理》。3年后，他的朋友约翰·洛克出版了《政府论》(*Second Treatise of Government*)。如果说有什么因素导致了

---

① 东罗马尼亚特兰西瓦尼亚东部的一个历史地域。起初属于罗马大契亚省，于14世纪时成为公国，1504年并入奥斯曼帝国版图，尽管也经常受到其他众多国家的入侵，并受到其实际控制。1859年，摩尔达维亚与瓦拉几亚联合，成为现代罗马尼亚的领土。——译者注

② 罗马尼亚东南一历史地域，位于特兰西瓦尼亚山脉和多瑙河之间。于1290年作为一公国君主的领地建立，自1387年起处于土耳其统治之下，直至它与摩尔达维亚联合组成罗马尼亚（1861年）。——译者注

西方和东方之间的差别的话，那就是此类深奥的新知识被系统研习和应用的差别。

奥斯曼帝国在1683年的长期败退并不是经济原因所导致的。与欧洲相邻的城市比较，伊斯坦布尔城并不穷。奥斯曼帝国积极支持全球贸易及后来进行工业化的步伐也并不比欧洲的很多地区慢。前面所述的有关中华帝国衰落的原因在此并不适用，因为在奥斯曼帝国统治下的领土上，经济竞争和诸如行业工会的自治实体并不缺乏。此外，在奥斯曼帝国、萨法维帝国和蒙古帝国之间还存在极强的相互较量。奥斯曼帝国的式微也不能仅仅被认为是西方军事优势逐渐上升所导致的。如果更仔细地分析，我们会发现，军事优势本身是建构在将科技应用于战争、将理性赋予政府基础之上的。15世纪时，正如我们在前文读到的，政治和经济竞争赋予了西方相对中国的优势。到18世纪时，西方相对东方的优势，既是因为军事优势，也是人力的缘故。

显微术

欧洲的科学革命和启蒙运动之路不是一帆风顺的，而是费尽曲折的漫长之旅，它发端于基督教政教应分开的信条。“那么，把恺撒的东西给恺撒，把上帝的东西给上帝。”(《马太福音》22:2I)。这种信条与《古兰经》中的指令是截然不同的，因为后者坚持真主的法令与先知所得的启示不可分割，任何权力结构都与伊斯兰教结合在一起。圣·奥古斯丁在《上帝之城》(与罗马帝国“地上之城”相对)概述了世俗和信仰之间的差别，正是这种区分使欧洲的统治者接二连三地抵制罗马教皇的政治统治资格；确切地说，在格雷戈里七世重新宣布由教皇神甫授职（任命权）前，使罗马教宗面临着成为傀儡威胁的，正是世俗政府。

1500年前欧洲是个伤心谷，但并不是无知、愚昧不堪的。很多古典智慧都在文艺复兴时被发现，往往是得益于与伊斯兰世界的交流。当时也有许多重要的创新活动。12世纪，复调音乐已产生，这是西方音乐史上具有革命性意义的突破。13世纪时，罗伯特·格罗斯泰斯特首次提出实验方式至关重要，罗杰·培根随后也支持这种方法。大约在1413年，菲利波·布鲁内莱斯基在绘画中发明了直线透视法。第一部真正的小说是佚名作者的《托美思河的小拉撒路》（1500年）。而比文艺复兴更具决定性意义的成就在于，1517年的宗教改革及西方基督教随后的四分五裂。从很大程度上说，这要归功于印刷机所发挥的革命性作用，可以肯定，印刷机是工业革命前意义最重大的一项技术创新。我们已经了解，中国发明了活字印刷的方法。但是，古登堡所发明的可移动的金属活字比中国人的发明更灵活、更易调整。他曾说过："凸模和活字之间那种不可思议的协调、匀称与和谐"，使我们极快地印出宣传册和书籍成为可能。这种技术的功能太强大了，所以没有谁能垄断得了（古登堡或许希望可以垄断这项技术）。在他首先于美因茨发明这种技术后，不出几年的时间，该技术仿造者就创设了印刷厂，其中以英国做得最为成功。其他创设印刷厂的地方分别为：科隆（1464年），巴塞尔（1466年），罗马（1467年），威尼斯（1469年），纽伦堡、乌德勒支和巴黎（1470年），弗洛伦撒、米兰和那不勒斯（1471年），奥格斯堡（1472年），布达佩斯、里昂和瓦伦西亚（1473年），克拉科夫和布鲁日（1475年），伦敦（1480年），安特卫普和莱比锡（1481年），欧登塞（1482年）和斯德哥尔摩（1483年）。截至1500年，仅在德国就有200多家印刷厂。1518年，在德国出版的作品总数为150部，1519年升至260部，1520年升至570部，到1524年已达990部。

因为出版业务之火暴而受益最大的人，非马丁·路德莫属，其中最重要的原因是，他发现了用本土语言而非拉丁语写作所具有的潜力。起初他较为谨慎地为相关版本的《日耳曼神学》(*Theologia Deutsch*）和《七首忏悔诗篇》(*Seven Penitential Psalms*）撰写了序言，随后不久，他与维腾堡的印刷人约翰·格鲁嫩贝格一道印发了批评罗马天主教堂某些做法的宗教宣传册，其数量之多，充斥整个德国市场。路德最为知名的抨击（即向罗马天主教堂销售赎罪符开火的《九十五条宣言》）起初并不是以出版物的形式，而是张贴在维腾堡城堡教堂的门上。但没过多久，这些宣言的多种手稿便作为印刷物出现了。路德传达的要点是“只是信，不是行为，才使人称义，使人自由，使人得救”；所有人都“永远是牧师……都应出现在上帝前，为他们祈祷，并与其他牧师互相教授有关上帝的事务”。这种所有信徒均是自修的神甫的观念本身是很极端的。但正是印刷机赋予其生命力，与早先扬·胡斯挑战罗马教皇权力，因而与其他所有异端被无情地镇压的情形是不同的。没过几年时间，路德的宣传册散布于德国全境，尽管1521年的沃木斯会议命令烧毁所有宣传册。在1517年3月至1520年夏天，路德写了30部布道书和其他书籍，其印刷版次高达370次。如果一个版次的平均印数为1 000册，那么从最后一个版次的时期计算，发行流通的总册数则超过30万。在1521年至1545年间，仅路德一人执笔的印刷物就占了所有支持宗教改革的出版物的一半。

因为强调个人阅读经典著作并“相互宣讲”，所以这种新的媒介确实担负着宣传宗教改革的使命。然而，与导致西方支配地位的其他众多因素相同的是，商业竞争也扮演了相应的角色。路德自己曾为此抱怨，他的出版人是“唯利是图的商人”，在“公众群体和利润之间，更关心的是后者”。事实上，印刷机所带来的经济益处影响着整个社会。在16世纪的发展中，相比那些没有印刷设备的城镇，利用印刷技术的城镇发展要快得多。

极为重要的一点是，借印刷设备传播的不只是路德教义。1526 年，丁道尔所翻译的《新约》首次在英国印刷出版，这就使识字的非宗教人士也可以自己阅读《圣经》了。宗教保守人士可能会谴责那“堕落之源”——印刷机，并深切地怀念“所有知识均以手稿形式存在，而且由很少一些官员……保管着图书馆钥匙的美好时代”。但这种时代已一去不返了。亨利八世的大法官托马斯 · 莫尔迅速认识到，即使曾经反对宗教改革的那些人也无计可施，唯有加入印刷领域的竞争。限制加尔文教徒的《日内瓦圣经》在全苏格兰和英格兰传播的唯一手段是，国王詹姆士六世和一世着手启动另一个“钦定”版，这是《圣经》正式英文版的第三次也是最为成功的尝试。[①]同样被印刷机解禁并传播的则是古代哲学家的作品，尤其是亚里士多德的作品，他写的《论灵魂》的现代翻译本于 1509 年出版，此外还包括那些支持宗教改革的人文主义者，如尼古拉斯 · 马沙尔克和乔治 · 希巴特斯。在 1500 年前，已有 1 000 多本科技和数学论著的印刷本出现，其中包括于 1417 年再版的《物理性》，色勒俗编著的《医学百科全书》，这是一本罗马人汇编的希腊医学全书，还有拉丁文版的阿基米德作品。诸如《特雷维索算术》（1478 年）和卢卡 · 帕乔利所著的《算术、几何、比和比例概要》（1494 年）这类出版物相继出现，所以说，意大利印刷人在传播推动商业发展的代数学和会计方法领域扮演了尤为重要的角色。

或许最值得关注的是，在与反教皇传单和反土耳其传单一样铺天盖地的德国所处的时期，《古兰经》被译成了拉丁文，并由印刷人约翰内斯 · 奥普林内斯在巴塞尔出版了。1542 年，巴塞尔市议会禁止了该翻译版，并没收了

① 钦定本（1611 年国王詹姆士之后《圣经》的称呼）在英国文学最伟大的作品中，可与威廉 · 莎士比亚的剧作相媲美。皇家印刷人仅有一次让主持这个项目的 47 位学者团队感到失望。1631 年的钦定本，也就是大家所知的“邪恶圣经”，在十戒条文之一“不可奸淫”中将“不”字漏掉了。

所有可得的拉丁文翻译本，此时，路德站在奥普林内斯这边。

1543 年，《古兰经》的三个版本又适时出版了，7 年后又出来了一个版本。紧随宗教改革之后，欧洲人的思想放开了，没有什么比这更能说明这一点。

毫无疑问，并不是所有出版物都扩充了人类的知识。16、17 世纪的出版物，很多都是极具摧毁性的，比如 1487~1669 年出现的 29 个版本的《女巫之槌》，使处死女巫的行为合法化——这个波及整个欧洲的狂热，导致了 12 000~45 000 人（尤其是女性）的死亡。1592 年克里斯托弗 · 马洛创作的《浮士德》（*Doctor Faustus*）上演了，对于观看了这出戏剧的观众而言，德国学者将灵魂卖给魔鬼，作为回报，在此后的 24 年中，魔鬼将满足他无穷无尽的求知和享乐欲望的这种想法是完全可信的：

> 有他在我身旁，我就是全世界的主宰，
> 我要造一座大桥穿过长空，
> 同一伙人跨过海洋；
> 我要连接起环绕非洲海岸的群山，
> 使非洲和西班牙连成一片，
> 并使它们都拜倒在我的王座前。
> 德意志的大帝和任何国家的君主，
> 不经我许可就坐不稳江山。

7 年后，罗伯特 · 胡克出版了《显微术》（*Micrographia*，1665 年），这可以说是科学实证主义取胜的庆功会：

> 通过望远镜，无论对象距离我们有多么遥远，我们都能尽收眼底；借助显微镜，无论所观测的目标多么渺小，都无法逃脱我们探究的眼

> 睛。所以，我们的认识中便有了一个最新发现的可见世界。以这种方式看待世界，宇宙豁然洞开了，在这里面，我们看到难以计数的新行星、新运动和新形成的天体，这些是所有古代天文学家所完全陌生的。借助这种观测方式，地球本身，即近在我们脚下的地球，为我们呈现了全新的模样……我们可能无法彻底弄清自然界所有不为我们所知的运行机制。如果不能因此展开彻底的探究，我们又能如何指望自然造福于我们呢？而一旦利用这种方式，观点的探讨和辩论不久就会产生实际的成果；人类因为乐趣而形成的所有最美妙的梦幻和无处不在的神秘自然，将会迅速化为乌有，取而代之的则是实实在在的历史、实验和论著。与以前一样，人类因为偷尝了智慧树的禁果而堕落，而我们——他们的子孙，也可能以同样的方式在一定程度上重归纯洁，这不仅是因为注视、凝视，也在于尝试这些永远无从禁止我们去尝试的博物学知识的果实。由此，世界或许可以因为各种各样的发明而更精彩，有利于科学发展的新事物会被利用，而落后的方法会被改进，斑斑锈迹则会被清除干净……

洛克以“细胞”来称呼有机物的微观单元，它令人惊讶地与时间和空间认知革命一起，形成为数众多的、彻底重新定义人类认识自然世界的重大认知事件。

可以说，科学革命的发端几乎与行星运动和血液循环研究在同步前进。洛克所发明的显微镜将截至那时我们无法看见的微小物质呈现在我们的眼前，进而将科学的发展扩展到了新的领域。《显微术》是新兴实证主义的宣言，这与《浮士德》中的巫术相差十万八千里。然而，这门新的科学要做的可不仅仅是精确的观测。从伽利略开始，这门科学便是一种系统的实验法，一种数学关系的识别法。相应地，艾萨克·牛顿和戈特弗里德·莱布尼兹分别提出微积分和微分学。最后，鉴于勒内·笛卡儿和斯宾诺莎推翻了关于认知和理性的传统理论，所以这场科学革命也是一场哲学革命。毫不夸张地说，正是这一系列的知识创新催生了现代解剖学、天文学和物理学。下面列出的 1553 年至 1789 年所产生的至关重要的成就一览表，就能最好地说明其扮演的角色。①

1530 年，帕拉塞尔苏斯首次将化学应用于生理学和病理学。

1543 年，哥白尼在所著的《天体运行论》中提出了太阳中心说；安德烈 · 维萨斯在所著的《人体的构造》取代了伽林的解剖学著作。

1546 年，阿格里科拉在所著的《论化石的性质》中对矿物质进行了分类，并首次使用了“化石”的说法。

1572 年，第谷 · 布拉赫首次记录了欧洲人进行超行星观测结果。

1589 年，伽利略开展的自由落体实验（在《运动论》中述及）彻底革新了实验方法。

1600 年，威廉 · 吉尔伯特在所著的《磁石论》中描述了地球和电的磁性。

1604 年，伽利略发现，自由落体下落的距离与时间的平方成正比。

1608 年，汉斯 · 利帕席和查卡里亚斯 · 詹森分别独立地发明了望远镜。

1609 年，伽利略首次利用望远镜观测夜空。

1610 年，伽利略发现了木星的 4 个卫星，并据此推测，地球并非宇

① 全球最重要的科技成就，即几乎在所有有关科技史的参考著作中提及的 369 个重大成就中，在宗教改革之初到法国大革命初期之间发生的大事占比之高（38%），令人吃惊。思想的自由，不论是宗教思想还是政治思想，在查里斯 · 莫瑞所著的非同寻常但常被忽略的人类成就理论中是一个关键的因素。莫瑞也肯定了城市化（及军事冲突——或许很荒谬）在人类成就中作出的积极贡献。战争与科技进步之间的关系确实很密切，这一点在后面我们会读到。

宙的中心。

1614年，约翰·龙比亚在所撰的《奇妙的对数表描述》中首次提出了对数概念。

1628年，威廉·哈维写出了《动物心血运动解剖论》，准确地描述了血液的流动。

1637年，勒内·笛卡儿出版了《几何学》，即他所著的《方法论》的附录，进而创立了解析几何学。

1638年，伽利略所著的《论两种新科学》开创了现代机械学。

1640年，皮耶·德·费玛创建了数论。

1654年，费玛和布莱士·帕斯卡创立了概率论。

1661年，罗伯特·玻意耳所著的《怀疑的化学家》详细介绍了元素和化学分析。

1662年，玻意耳提出玻意耳定律：在密闭容器中的定量气体，在恒温下，气体的压力和体积成反比关系。

1669年，艾萨克·牛顿所著的《运用无穷多方程的分析学》首次系统介绍了由戈特弗里德·莱布尼兹所独立创立的微分学。

1687年，安东尼·范·列文虎克发现了微生物。

1687年，牛顿在所著的《自然哲学的数学原理》中提出了万有引力和运动定律。

1735年，卡罗勒斯·林奈在所著的《自然系统》中首次对生物的种、属进行分类。

1738年，丹尼尔·伯努利在所著的《水动力学》中提出了伯努利定律，开创了对流体的数学研究，并创立了气体动力学理论。

1746年，盖塔尔绘制了第一张真正意义上的地图。

1775 年，约瑟夫 · 布莱克发现了二氧化碳。

1755 年，拉瓦锡精确地描述了燃烧现象。

1785 年，詹姆士 · 赫登在所著的《关于地球系统》中提出了关于地球发展的均变论观点。

1789 年，拉瓦锡在所著的《化学基础》中提出了质量守恒定律。

截至 17 世纪中期，这类科学知识传播的速度与一个世纪前新教改革派信仰传播的速度一样快。印刷机和日益可靠的邮政服务一起，为我们创建了不可思议的网络。虽然该网络以现代标准衡量规模很小，但是，这比此前学界所取得的任何成就都来得强大。毫无疑问，科学发展也遭遇了学界极大的阻力，当范式（即认知架构自身）发生变化时，情形历来如此。严格地说，有些阻力来自内部。牛顿自己后来去鼓捣冶金术，胡克差点因为吃自己发明的治疗消化不良的药物而死亡。对于这些人而言，要使新出现的科学符合基督教信条可绝非易事，因为极少有基督教徒会愿意放弃其信仰。但无可否认的是，这是一场知识的革命，其所发挥的改造作用比此前出现并进而推动后者的宗教革命来得更大。科学研究的基本规则——包括重大发现的传播及以文字形式将相关荣誉归为开山鼻祖写进历史——从此奠定了基础。“您的第一本著作使我接受了牛顿宗教的洗礼。”皮埃尔 · 莫培督于 1732 年发表了《天体形状论》（*Discourse on the Different Figures of the Planets*）后，年轻的法国哲学家、才子弗郎索亚 · 马利 · 亚路埃（他的笔名伏尔泰大家更熟悉）旋即写信给他，“您的第二部著作则使我接受坚信礼，正式成为其信徒了。我感谢你赋予我的圣礼。”这是讽刺的笔调，但也反映了新兴科学所具有的启发意义。

强烈反对“欧洲大陆中心论”，认为这种观点是为人所不齿的偏见的人，面临着一个难以反驳的难题：不论以何种标准论，科学革命那时完全是以欧洲大陆为中心的。占比极高的科技（大约 80%）都发源于由格拉斯哥、哥本哈根、克拉科夫、那不勒斯、马赛和普利茅斯所围成的六边形区域之内，而其余比例的科技几乎全部发生于那个区域方圆 100 英里之内，这确实令人惊讶。导致东西方科技鸿沟形成的最好解释是，伊斯兰世界中宗教权力超越一切。接近 11 世纪末时，影响力极大的伊斯兰教士开始提出，学习希腊哲学与《古兰经》的教义是格格不入的。严格地说，认为人类或许可以洞悉上帝的运行机制，这简直就是亵渎神灵，因为上帝可以在任何情况下随心所欲地改变其运行模式。用《哲学家的矛盾》一书的作者安萨里的话来讲："沉迷于这种（异域的）科学而不放弃宗教信仰，不使其心中的虔诚荡然无存，可以说是十分罕见的。"在宗教教士的影响下，对古代哲学的学习便受到了遏制，书籍被焚毁，而所谓的自由思想家也受到了迫害；在欧洲大学不断拓宽其学术领域的时期，伊斯兰学府做的却是日益固守神学领域。印刷术在伊斯兰世界中也遭到了抵制。对于土耳其人而言，手写体是神圣的：他们对笔有一种宗教般的敬畏，相较于印刷业务而言，他们更愿意欣赏书法艺术。有这么一种说法："学者的墨迹比烈士的鲜血更神圣。"1515 年，苏丹塞利姆一世颁布法令：一旦发现有人使用印刷机，他们将面临被处死的危险。这与科技进步格格不入，难以调和，后来证明导致了灾难性后果。曾经，穆斯林科学家启迪了欧洲学者的思想，激发了他们的灵感；如今，他们却故步自封，远离了最新的科研成果。如果说科学革命是由一张网络催生的，那么奥斯曼帝国就没在网中。截至 18 世纪，翻译成中东语言的唯一一部西方著作，是一本介绍如何治疗梅毒的医学书。

然而，没有什么比 1570 年为纪念著名的博学通才塔基尤德丁而建造的天文台的最终命运，更能说明东西鸿沟的原因了。这位天资过人的科学家，

1512年出生于叙利亚，在大马士革和开罗接受教育，在天文学、数学和光学领域撰写了为数甚多的论文。他自己设计了极为精确的天文时钟，甚至还尝试过蒸汽动力试验。在16世纪70年代中期，作为（奥斯曼帝国）苏丹的首席天文学家，他成功地说服苏丹建造了天文台。根据已知的所有记叙，新天文观测馆在当时都是极精密的设备，与丹麦天文学家第谷 · 布拉赫著名的天文堡不相上下。1577年的9月11日，天文观测馆观测到有彗星掠过伊斯坦布尔，需要从天文学上解释这个现象。迫于当时的形势，塔基尤德丁只得将其解释为这是奥斯曼帝国军事胜利的前兆。但是，当时最高级别的教士唆使苏丹相信，塔基尤德丁窥探上帝的秘密，与撒马尔罕[①]的天文学家兀鲁伯所绘制的星位图如出一辙，同是亵渎神灵之举。据说，兀鲁伯也是因为类似的莽撞行为而被砍头的。1580年1月，那个天文台建成还不足5年时间，奥斯曼苏丹就下令将其拆毁。此后直到1868年前，伊斯坦布尔没有建成第二座天文台。通过这类措施，穆斯林教士事实上掐灭了奥斯曼科技发展的火花；而同一时期，欧洲的基督教堂却在逐步放松对自由探究精神的压制。在伊斯坦布尔，欧洲的进步被蔑视为“纯粹是虚荣心在作怪”。在一片虔诚中，奥斯曼曾经知名的智慧宫遗产灰飞烟灭了。直到19世纪早期，奥斯曼新工程学院的校长胡赛因 · 里夫金 · 塔唛尼教授给学生的仍然是：宇宙是圆的，以地球为中心……太阳和月亮绕着地球，按黄道带的十二宫位置运转。

17世纪下半叶，在奥斯曼继承人开始蛰伏期间，遍及欧洲的统治者都在积极推动科技发展，很大程度上不顾宗教教权的约束。1662年6月，在格雷山姆学院创立两年后，自然知识促进会伦敦皇家学会首次从查理二世国王那

① 前苏联中亚地区的城市，位于塔什干西南部。——译者注

里获得皇家特许状。学会的宗旨在于创建一个“推动物理—数学实验知识”的机构。该学会的首位史学家会员庄严宣称：学会创始人将自由地接纳不同宗教、国家和社会职业的会员。他们必须这么做，否则他们所崇尚的胸怀广博的精神便会枯竭。他们的信念不是为英国、苏格兰、爱尔兰，或是罗马教皇或新教奠定哲学基础，而是要为整个人类的哲学造福……通过接纳不同国家的人才，他们在未来将更具优势。通过这种方式，他们可以汲取所有国家的智慧，积蓄知识资源，并进而使皇家学会成为全球（智力资源）的“总部和自由港”。

4 年后，法国科学院在巴黎设立，最初定位为研究地图绘制的先驱中心。这些组织渐渐成为全欧类似机构的榜样。在皇家学会的创始者中，有一位叫克里斯多夫 · 雷恩的人，他是建筑师、数学家、科学家和天文学家。1675 年，查理二世授权雷恩在格林尼治规划其皇家天文台时，可以肯定，他并不是期望他去预测战争的结果。那位国王很清楚，真正的科学是有利于国家利益的。

皇室的资助固然是使皇家学会如此重要的原因之一，但还有个更大的原因：皇家学会属于新型科学社团——这种社团通过公开竞争的体制，使大家分享创意和集体解决问题成为可能。此中最为经典的例子便涉及万有引力定律：如果没有胡克前期的贡献，牛顿也不可能系统阐述这个定律。事实上，在牛顿于 1703 年成为皇家学会会长时，该学会成为了新科学交流的中心所在。这并不是说现代科学过去或现在全是协同努力的产物（那时与如今一样，作为个体的科学家在秉承无私奉献精神的同时，也怀抱着个人野心），而是说，在要求发表最新研究结果的制度下，科学知识能够渐渐地积累、发展——虽然有时彼此也心怀怨恨，在谁最早发现引力反平方定律或光的真实属性问题上，牛顿和胡克曾经吵得很厉害。牛顿与莱布尼茨也曾展开过十分恶毒的交锋，因为后者拒绝接受万有引力之说，认为引力具有“某种超自然性”。在欧洲大陆的形而上学思想与英伦群岛的实证主义实践之间，确实存在较大范围的知识断层现象。在实证主义背景下，英伦群岛形成了别具一格的进行实验并耐心观察的文化，因此科技进步更有可能在这里出现。而如果没了技术发展，也便不会发生所谓的工业革命了。虽然托马斯·纽卡曼不过是一位身份卑微的达特茅斯小五金贩子，但从牛顿定律到纽卡曼发明的蒸汽机之间的连线很直却很短，该蒸汽机1715年在怀特黑文挖煤中首次投入使用。全球最为重要的三大技术革新——詹姆斯·瓦特改进的蒸汽机（1764年），约翰·哈里森发明的可定位经线的计时器（1761年）及理查德·阿克莱特发明的水力纺纱机（1769年）——是同在18世纪60年代并同在一个国家发明的。

1727年牛顿死后，他的遗体在威斯敏斯特大教堂陈列了4天，供公众瞻仰，之后，他的棺木由两个公爵、三个伯爵和上院大法官抬着，举行了下葬仪式。参加葬礼仪式的人中包括伏尔泰，他对出身卑微的科学家享受如此崇高的敬意感到震惊。这位著名的哲学家在返回法国的途中这样写道：“我见到了一位数学家仅因为他在职业上的伟大成就，就像一位功德无量的国王那样，享受臣民为其举办的高规格葬礼。”在西方，科学和政府已密切联系在一起。这种结合具有极大的优势，没有哪个君主能比伏尔泰的朋友普鲁士腓特烈大帝的例子更能说明这一点。

奥斯曼和德国佬

维也纳被围之后7年，两个人的例子集中体现了西方文明与其近东的穆斯林劲敌之间不断拉大的差距。在伊斯坦布尔，奥斯曼苏丹三世毫无作为，松懈地管理着这个不断衰落的奥斯曼帝国；在波茨坦，腓特烈大帝则不断改革，使普鲁士王国成了人所共知的军事高效和管理合理的典型。

如果不深入分析，从表面上看，奥斯曼帝国仍然与苏莱曼大帝叱咤风云的时代一样，实力雄厚，令人生畏。但事实上，从 17 世纪中期开始，这个帝国已面临着极为严重的体制性问题。帝国开支高于税收收入，国家财政危机极为严重；由于受源于“新世界”的通货膨胀的影响，情形又因货币的贬值而进一步恶化，结果导致物价上涨（同样也在欧洲发生），发生货币危机。在维齐尔穆罕默德 · 科普律鲁，他的儿子艾哈迈德及其时运不济的养子卡拉 · 穆斯塔法的统治下，帝国要努力去弥补苏丹宫廷的巨大开支，遏制其禁卫步兵势力——它在以前可是奥斯曼的一支有世袭等级制度的禁欲之师，纪律极为严格，还要竭尽全力去控制其相距遥远的帝国行省。贪腐之风猖獗，帝国离心力日益增大。拥有土地的阶层的力量逐渐减小，诸如发生于安纳托利亚的暴动则不断挑战着中央政府。也有宗教冲突存在，比如东正教神甫与苏菲派神秘主义教派之间，前者如卡迪扎德认为奥斯曼帝国的式微全是因为其所为与穆罕默德训示不符，后者则以斯瓦斯 · 埃菲丁泛神秘主义论者为代表。奥斯曼官吏以前由奴隶充任，他们往往是从巴尔干基督教社会掳掠过来的。但在时下，其官僚的遴选和升迁似乎更多地取决于受贿和裙带关系，而不在于资质；大家争先恐后地想捞肥缺，混乱情形发生概率高得离谱。奥斯曼帝国管理水平的恶化情形，可以从当时的政府记录中找到蛛丝马迹。比如，1458 年的人口普查便是一个记录相当详细的文件。到 1694 年时，类似的记录变得马虎、草率，处处都有省略和删除，语焉不详，实在令人扼腕。奥斯曼官员很清楚其管理效率的恶化，但他们唯一可以建议的应对措施便是回到苏莱曼大帝治下的昔日美好时代。

然而，各代苏丹自己的腐朽可能是帝国政府管理式微中最为重要的原因。政权统治更迭频繁，在苏莱曼大帝离世的 1566 年到穆罕默德四世继位的 1648 年间，奥斯曼帝国经历了 9 任苏丹的统治。在这 9 位苏丹中，有 5 位遭废黜，有两位被暗杀。一夫多妻制意味着，奥斯曼苏丹并不存在基督教徒国王亨利八世所面临的困难：为了拥有一个男性继承人，他用心良苦，曾先后娶了 6 位妻子，其中两位被处死，两位离了婚。在伊斯坦布尔，作为苏丹为数甚众的儿子中的一个，这是最危险的。只有一个儿子可以继承苏丹王位，在 1607 年前，毫不例外，其余各子均被作为人质控制，以防他们反对。这种方法很难保证子女之间的友爱。苏莱曼最具天资的大儿子穆斯塔法的命运就是个典型。苏丹第二个妻子，即穆斯塔法的继母，为了她自己所生的儿子的利益，成功地实施了阴谋：穆斯塔法就在他父亲的帐篷中被暗杀了。苏莱曼的另一个儿子巴耶塞特也被人勒死。穆罕默德三世于 1597 年继位之际，处死了他的 19 个兄弟。1607 年，奥斯曼帝国采取了长子继承制，这种做法才被放弃。此后，除长子之外的兄弟纯粹被限于深宫后院之中，那里事实上就是“禁宫”：仅由苏丹的妻室、嫔妃及其子女生活起居的后宫。

如果把后宫的环境仅仅说成不健康，还不足以说明问题。奥斯曼三世在 57 岁继位，也就是说，此前事实上在后宫深墙之内过了 51 年的囚禁生涯。在他主持国政之际，几乎对他应统治的王国茫然无知。他对女人是如此厌恶，以至于他竟然喜欢穿铁底的鞋子，只要听到他哐啷作响的鞋声，后院的女人们便要迅速消失。回避后宫妃嫔长达半个世纪的生活，很难说对执掌权力有很好的帮助。而在巴尔干半岛之北的土地上，皇家生活则是另一种情形。

“这个统治者是这个国家地位最高的人。”腓特烈大帝在 1752 年为其子孙所写的两篇《政治证言》中的首篇如此说，“他拿到的薪俸很高，这样他便可以保持其职位的尊严。但是，作为回报，其子民要求他展开有效工作，为整个国家谋福利。”在一个世纪以前，他的祖父选帝侯腓特烈 · 威廉也曾表达过类似的看法。他的祖父所取得的伟大成就之一便是，使受战争蹂躏的荒凉之地勃兰登堡的马克跃身为中欧统治最为牢靠的国家的核心货币，其金融根植于王室范围极广的领地的高效行政管理，其社会秩序由忠诚地效忠王室的军队或文职官吏提供保障，国土安全则由受过良好训练的农民军来保证。1701 年，他的儿子被正式确认为普鲁士国王时，腓特烈大帝治下的王国，其存在形式与英国政治理论家托马斯 · 霍布斯建议采用的理想的君主专制整体极为相似，与无政府主义体制是对立的。这是一种追求精益化的新体系。

该体系与奥斯曼体制的反差之大，从腓特烈大帝在波茨坦的最钟爱的王室住所可以反映出来。该居所是这个国王自己设计的，虽然其名称为无忧宫，但宫殿主人过的并非无忧的生活，当然，与其说它是宫殿，倒不如说是别墅更合适。他宣称：“如果我的利益与我臣民的利益不均等，我宁可放弃我的个人利益。如果我的利益与臣民的利益发生冲突，永远都要以国家的福利和优势为重。”

无忧宫的简单设计为普鲁士所有的官僚树立了榜样。严格的自律、按部就班的行为方式及廉洁清白的品行便是他们口号。腓特烈在无忧宫的侍从人员很少：6 个杂务男仆，5 个常规男仆，两个侍从官，服饰男侍是没有的——因为他的衣橱极为单调，几乎总是那带有烟味的、磨破了的军装。在腓特烈看来，君主袍没有任何实际作用，而那头上的王冠不过是一顶“漏雨”的帽子罢了。与生活在托普卡普的、他的对手而言，他过的就是僧侣的生活。他有的不是三宫六院，他只有一个妻子（不伦瑞克的伊丽莎白 · 克里斯丁娜），还是他所厌恶的。“夫人已经变胖了。”在他们一次长时间的分别之后，他就是以这种方式来问候他妻子的。东西反差也体现在书面记录中。

普鲁士王室内阁的记录——一页一页清楚地记录着王室决议，与18世纪奥斯曼帝国的文书记录形成了鲜明对照。

诗人拜伦曾经这么写信给一个朋友："在英国，流行的罪恶是卖淫和酗酒；在土耳其，其罪恶便是鸡奸和嗜烟。我们更喜欢的是女孩和酒瓶，他们更乐意吸吮烟嘴和娈童……"颇具讽刺意味的是，腓特烈大帝这位开明的专制主义者，作为一个年轻人，如果生活在奥斯曼宫廷中极可能会更开心。性格十分敏感，十之八九是一位同性恋知识分子的他，在他那暴躁、酷爱阅兵的父亲腓特烈·威廉一世的监护下，忍受着极为严格，有时甚至是残酷的教育经历。

当腓特烈·威廉一世与他那帮粗野的酒肉同僚在他领导下的"烟草部"一起放松时，他的儿子则在历史、音乐和哲学中寻求慰藉。在这位要求严格的父亲看来，他的儿子就是"一个柔弱的男孩，既不能骑马，也不会玩枪，此外也不注意个人卫生，从不理发，头发卷曲像个傻蛋，没有哪怕是一点男子汉气概的人"。腓特烈曾试图逃离普鲁士，被其父逮住，此后，被其父囚禁在昆斯特林堡，并被强迫观看他朋友——帮助他计划逃离普鲁士的汉斯·赫尔曼·冯·卡特——被砍头的情形。他朋友的躯体和被砍掉的头颅就丢在他居室外面的地上，他在昆斯特林被囚禁了两年时间。

但是，腓特烈大帝无法不接受他父亲对普鲁士军队的激情。在担任戈尔茨军团团长后（从监狱释放后），他开始潜心学习军事本领。因为普鲁士的版图形状几乎是斜贯中欧的对角线，他决意改善普鲁士在地理版图上易受攻击的情形，后来证明，他的军事本领是实现这一步必不可少的条件。在腓特烈大帝统治时期，他将军队规模从8万扩充到19.5万，一跃成为欧洲的第三大军事强国。事实上，截至1786年腓特烈大帝统治结束之际，每29人中就有一个士兵，按这种比例看，普鲁士是全球军事化程度最高的国家。而且，与他父亲不同的是，腓特烈不仅要将其军队用于阅兵的目的，而是准备投入战斗，攫取新的领土。1740 年继位的几个月之内，他便入侵了奥地利，夺取了西里西亚，此举令欧洲大陆一片哗然。这位敏感的审美主义者曾经要费很大力气才能稳当地骑在马背上，喜欢笛声胜过喜欢哐啷作响的马蹄声的人，成为了施展权力的艺术家——腓特烈大帝。

人们该如何解释他的这种转变呢？我们从腓特烈的早期政治哲学著作《反马基雅弗利主义》中可以看出些许端倪，这是反驳佛罗伦萨人马基雅弗利的那本供统治者参考的著名犬儒之作《君主论》（*The Prince*）的多部著作中的一部。在书中，腓特烈认为，“当欧洲各强国势力膨胀眼见要冲破堤岸，席卷世界时”，国君理应提前发动战争掌握主动权。换句话说，为了保持诸强之间的平衡，“即以其他诸多国家的联合力量制衡其他强国之优势，进而达到某种微妙的均势”：与其坐以待毙，不如在尚能选择是和是战的时候，积极投入战争，若到危亡时再应战，那只能暂时推迟被奴隶和被毁灭的命运而已。后来，腓特烈大帝将其邻国波兰描述为“随时可能被一片一片吃掉的洋蓟”——在该国被奥地利、普鲁士和俄罗斯瓜分之际，他适时地吃掉了它。所以，腓特烈大帝吞并西里西亚，绝不是一时冲动才这么干的。普鲁士的扩张恰似奥斯曼收缩的镜像：这是以残酷无情的理性主义为基础构筑的权力所取得的伟业。

腓特烈 · 威廉一世在其广阔的王国领地之内，极尽所能攫取每一分钱，积累了大量的钱财，为其后人留下的遗产达到 800 万泰勒。他的儿子决意将这笔财产投入使用，不仅要扩展其领地，还要给这个一流的王国建一座匹配的都城。他计划在柏林的心脏地带营造一座与广场同样可观的气势恢宏的建筑，便是国家剧院。紧靠剧院修建的是圣黑德维希主教座堂。在无比好奇的现代游客看来，与在欧洲其他国家首都所见到的剧院和大教堂相比较，这些建筑的风格几乎没有差别，但它们值得游客细细观赏。与北欧国家截然不同的是，柏林剧院从来就与皇宫扯不上边。其之所以存在，不是为了让君主个人享受，而在于为范围更广的公众提供娱乐。腓特烈大帝所营建的大教堂也颇耐人寻味，因为在这所路德信徒众多的城市中，该教堂却是天主教堂——这是一位思乡情切的国王主持修建的，对此，他毫不在乎为之花掉的大笔钱财，他更看重的是，作为柏林城市广场中心的建筑一定要有气势。这所教堂的柱廊刻意效仿了古罗马的万神殿（供奉诸神的庙堂）。这所建筑印证了腓特烈大帝对于宗教的包容态度。

腓特烈大帝登基时所颁布的开明法令影响之大，至今都令人称奇：不仅完全包容各派宗教信仰，还给予毫无限制的新闻自由，对他们坦诚相待。1700 年时，事实上，每 5 个柏林居民中，几乎就有一个是居住在法国人“定居点”的法国胡格诺派教徒。此外，还有萨尔茨堡新教徒、韦尔多教派、门诺派教徒、苏格兰长老会教友、犹太人、天主教徒和公开承认的宗教怀疑论者。“在这里，每个人几乎都能以最适合他们的方式获得庇护。”腓特烈如此宣称，即使是穆斯林信徒也不例外。不错，犹太人和基督教信徒在奥斯曼帝国是被包容的，但这仅仅意味着他们可以在那里生活。他们在奥斯曼帝国社会中的地位与他们在中世纪欧洲的情形较为接近：被限制在某个特定区域及职业环境中，上缴税率比其他人高。

在自由理念和外国人的两大因素推动下，普鲁士经历了一场文化上的大繁荣，新兴的阅读社团、研讨组织、书店、期刊和科学社团相继涌现，便能说明这一点。腓特烈大帝自己曾公开表明了对德语的鄙视——宁愿写法语，只对马才会说德语，但他看到了德国出版物方兴未艾的前景。正是在他的统治时期，康德成长为 18 世纪最伟大的哲学家之一，他所著的《纯粹理论批判》（1781 年）探讨了人类理性的本质和限制问题。康德终其一生都在哥尼斯堡的阿尔伯尔金纳大学（哥尼斯堡大学别名）执教，过着比他的国王更为严格的生活。他每天准时散步，时间如此之准，以至于当地人会据此设定手表时间。对于腓特烈大帝而言，这位伟大的思想家是苏格兰马鞍制造者的孙子这一事实毫不重要，最要紧的是其思想深度，而不是其出身。成就接近康德的另一位学术界泰斗摩西 · 门德尔松是个犹太人，腓特烈也丝毫不在意。这位国王曾语带讽刺地说，基督教教义充斥着“奇迹、矛盾和荒谬，它是东方人狂热想象的产物，随后才传播到我们欧洲，在这里，某些狂热信徒信奉它，有些阴谋家佯装皈依于它，有些愚昧之人真的相信了它”。

这正好体现了我们所知的启蒙运动的真谛，从很大程度上说，这都可谓科学革命的延伸，虽然并非方方面面都如此。这其中的差异表现在两个方面。首先，启蒙思想家阵营更广泛一些。在普鲁士正在发生的在全欧洲都在发生，这得益于识字率的显著提高，书籍、杂志和新闻出版行业服务的市场日益扩大。在法国，能够签自己名字的人的比例——充分反映识字率的指标——从 17 世纪 80 年代的 29% 升至 18 世纪 80 年代的 47%，虽然会签自己姓名的女性比例（从 14% 升至 27%）仍然保持着较低的水平。到 1789 年，巴黎的男性识字率大约为 90%，女性识字率为 80%。天主教和天主教机构之间的竞争、国家法规的改善，高比例的城镇化率和交通条件的改善，所有这些因素加在一起，使得欧洲可以进一步提高阅读能力。18 世纪的公众领域也有付费音乐会（如沃尔夫冈 · 阿马德乌斯 · 莫扎特于 1784 年在维也纳举行的音乐会），还有新型的公众剧院和艺术展览馆，其他复杂的文化社团和艺术协会就更不用说了：诸如共济会的社团组织在这个时期得到了迅猛的发展。“我以世界公民的身份来写作。”德国诗人、剧作家弗里德里希 · 席勒在 1784 年曾激情洋溢地如此道来：

如今，公众对我意味着一切——它让我如此着迷，是我的国王，是我的朋友。从此以往我便仅仅属于他了。我希望自己接受他的审判，而拒绝其他任何审判者。那是我唯一害怕并敬仰的。想到世人对我的裁定才是套在我脚上的足镣，想到人类的灵魂才是我唯一渴望的王冠时，有种崇高的感情便在我的心中油然而生，并感染着我。

此外，启蒙思想家主要关心的并不是自然科学，而是社会科学，也就是苏格兰的启蒙思想家大卫·休谟所称的“人类科学”。启蒙运动到底有多科学，事实上是存在争议的。尤其在法国，实证主义便不怎么能吃得开。17 世纪的科学家一直醉心于探索自然世界的本来面貌。18 世纪的启蒙思想家更关注的是提出人类社会可能或应该具有的面貌。前面我们已经谈到，孟德斯鸠认为气候在塑造中国政治文化上起到了重要作用，魁奈认为农业在中国经济政策中最为重要，斯密认为中国的停滞不前源于对外贸易开展得不充分。这些人没有哪一个曾到过中国。约翰·洛克和克劳德·阿德里安·爱尔维修也认同，人类的思想就像一块白板，有了教育和实践后才逐渐成形，但他们都没有一点实证方法证明这种观点。这和其他思想一样，均是广泛阅读和思考的结论。

启蒙运动轻易取胜之处在于，它以理性来对抗宗教信仰或形而上学的迷信。伏尔泰、休谟、爱德华·吉本和其他人在其哲学或历史著作中，曾以较为微妙的方式嘲讽基督教，而腓特烈大帝则十分直接，对基督教表达了极大的蔑视。当发挥讽刺作用时，启蒙运动便是最有成效的，如吉本就早期基督教写出的令人着迷的章节（《罗马帝国衰亡史》第一卷第十五章），又或者在《老实人》中，伏尔泰对莱布尼茨所言称的“天下事尽善尽美” 予以了毫不留情的讽刺。[①]

然而，这个时期最伟大的成就，或许当推斯密对公民社会相互联系的习俗（《道德情操论》）和市场经济所展开的分析（《国富论》）。与同时期其他大多数著作相比，尤其重要的是，这两部著作都深深地根植于他对自己身居其中的苏格兰资产阶级世界的观察。但是，很显然，斯密所言称的市场那“看不见的手”得放入惯常的做法和相互信任的大背景下，而操着法语、更为激进的启蒙思想家竭力挑战的，不仅是沿袭已久的宗教体系，其矛头还指向了由来已久的政治机制。瑞士人卢梭所著的《社会契约论》（1762 年）对没有建立在“大众意愿”上的任何政治体系的合法性都表达了怀疑。孔多塞侯爵在其所著的《黑人奴隶制问题的思考》（1781 年）中对没有自由的劳工制的合法性提出了质疑。如果一个普鲁士国王可以嘲讽基督信仰，那么，什么又能阻止来自巴黎的御用文人对他们自己的国王和王后极尽辱骂之能事呢？启蒙运动的尾巴很长，从康德家乡风轻云淡的哥尼斯堡，延续到藏污纳垢的巴黎贫民区，这里也是《装甲录》（*Le Gazetier Cuirasse*）这类毁谤书的老巢，《装甲录》由夏尔·莫兰德主笔，它对政府粗俗的攻击就连伏尔泰也感到震惊：“这是一本邪恶的著作，从君主到公民的任何人都遭到了他狂暴的侮辱。”

启蒙运动所产生的部分预期的革命成果在于，该运动本身便是一场上层贵族化的运动。其中最为卓越的启蒙思想家是孟德斯鸠爵士、米拉波侯爵、孔多塞侯爵及无神论者霍尔巴赫男爵。出身较低的启蒙思想家全都或多或少地依靠皇室或贵族的资助：伏尔泰依靠夏特莱侯爵夫人，斯密依靠布克莱公爵，弗里德里希·席勒依靠符腾堡公爵，狄德罗依靠凯瑟琳大帝。

---

① 在他们的旅途中，老实人、居内贡、莱布尼茨主义者邦葛罗斯和加刚菩亲身经历或亲眼目睹了鞭笞、战乱、梅毒、沉船、绞刑、地震、奴役、兽性、疾病以及行刑队执行的死刑。

与其他的君主一样，腓特烈大帝所做的，不仅仅是给知识分子提供摆脱宗教和其他桎梏限制的自由，他所提供的支持也绝不仅仅是在无忧宫为伏尔泰提供一处容身之所。1740 年 6 月，莫培督证明了牛顿的假说——地球是一个椭圆球体，在两个极点稍微扁平，腓特烈对此印象十分深刻，随后便邀请这位法国人来柏林，协助他创建普鲁士的皇家学会。令他愧颜的是，在第一次西里西亚战争期间，莫培督被奥地利人所俘虏，上述项目因此遭遇搁浅，但最终还是继续展开了。1744 年 1 月，腓特烈大帝创建了普鲁士科学和纯文学研究院，将上年所成立的皇家科学院和非政府文学学会一并纳入，并说服莫培督重返柏林，担任该院院长——如这位国王对伏尔泰所言，“这是我此生所完成的最漂亮的征服”。

毫无疑问，腓特烈自己就是一位严肃的思想家。因为坚持认为君主要履行公务员的职责，他所著的《反马基雅弗利主义》《*Anti-Machiavel*》是极具革命意义的文献：

> 王权所蕴涵的真正智慧在于，为人民服务，在其所领导的国家中成为最功德无量的人……实现他们自己的光荣梦想和伟大抱负，完成宏大的事业，但这还不够……他们必须更乐意为整个人类谋福利……伟大的君主总是因为人类的共同利益而忘记自己的利益……应该让因为要实现伟大抱负而卷入战争的君王看到战争给他的臣民带来的骇人的后果：沉重的税负使这个国家的人们不堪忍受，征兵带走了该国的青年，如此之多的士兵可怜地死于传染疾病，围攻使人员伤亡惨重，更为残酷的战争，致残人员失去了他们赖以获得生计的手脚，还有任凭敌人凌虐的孤儿……他们充满激情，一时冲动，却为此牺牲了他们理应保护的、为数众多的人民的安康……将其臣民视为奴隶的国君拿他们的生命做赌注，

没有丝毫怜悯之心，即使亲眼看见他们死去，也无丝毫内疚。而将其士兵视为与他平等、在某些方面视他们为主人的国君，则极其珍视他们的鲜血，极为看重他们的生命安危。

腓特烈的音乐创作也着实非同寻常，尤其是其创作的恬静的C大调长笛独奏，这可绝非模仿巴赫的模仿之作。他所著的其他政治著作也远非业余之流所能企及。然而，他所构想的思想启蒙与此前的科学革命之间是存在较大的差别的。英国皇家学会过去一直是极为开放的知识交流中心。相比较而言，普鲁士研究院则建构在专制主义君主本身的基础之上，存在专门设计的从上到下的等级体系。“如果牛顿真的与莱布尼茨或笛卡儿合作，那么他便不可能成功地说明引力体系了。”腓特烈在他所著的《政治证言》（1752年）中这么写道，“与此类似的是，对于一种政治体制而言，如果它不是一个人思考设计的产物，那么这种体制也不可能诞生并长久维持下去。”其中的内容充斥着这样的观点，对具有自由精神的伏尔泰来说，这是难以容忍的。当莫培督对牛顿的伪皇家权威立场进行漫骂，大肆宣扬其最小作用量原理时，伏尔泰写出了极具讽刺效应的《教皇御医阿卡基亚博士的讽刺》。这种不听话的做法正是腓特烈所不能容忍的。他命令将此书销毁，并清楚地表明，伏尔泰在柏林不再受欢迎。

其他人则更愿意做听话的人。成为哲学家之前的康德，是一位天文学家，1757年，因为对地表摩擦导致的地球自转减速效应所作的研究，赢得了普鲁士研究院奖，这是他首次为公众所知。这位哲学家在他的科研论文中以十分抢眼的一段来表达他的感激之情。“什么是思想启蒙？”思想启蒙便是呼吁所有人敢于“作出理性思考”，但同时又不违背其国家主人的意志：

只有自己思想开明，同时又具备庞大的、训练有素的军队以确保公众安全的人才能说："想怎么争辩就怎么争辩吧，就你愿意争辩的任何内容争辩吧，但要服从！"共和国或许不敢说出这样的话……公民更大程度上的言论和行动上的自由似乎比人民思想的自由更具优势，然而，这也不可避免地限制了思想的自由。反过来，较低程度的言论和行动自由为人民的思想提供了便利，可激发其思想上的所有潜力。

简言之，普鲁士的思想启蒙关乎思想的自由，而不是行动上的自由。此外，这种自由的思想主要用来提升整个国家的实力。迁入普鲁士的移民使普鲁士征收更多的税收成为可能，为其拥有更大规模的常备军队创造了条件，也进而使普鲁士征服更多的领土成为可能，所以说，移民为普鲁士的经济作出了贡献。正好与此类似的是，学术研究也为之作出了战略贡献。因为新知识不仅可以揭开天体运动的奥妙，解释自然世界，还可以决定世俗国家的崛起与衰落。

今天，波茨坦不过是柏林又一块破败的郊区而已，夏天时尘土飞扬，冬天时凄凉沉寂，天际下的背景因为丑陋的建筑群而大杀风景。而在腓特烈大帝统治的时期，波茨坦的大多数居民都是士兵，几乎全部建筑物都与军事有关，或是用于军事目的。今天的电影博物馆起初是个橘园，随后作为骑兵的马厩使用。沿着这个镇的中心散步，你会经过军队孤儿院、阅兵广场及以前的骑兵学校。在林登街和夏洛特街的交汇处，随处可见军事风格的装饰，这里边是以前的禁闭室。就连这房子的顶部也另外修了一层楼，供士兵驻扎之用。

可以说波茨坦不仅是普鲁士的微缩版，也是其漫画版。腓特烈的副官贝仑霍斯特曾半开玩笑地评述道："普鲁士君主国不是拥有一支军队的国家，事实上，更像是军营。"军队已不仅仅是确保强大国力的工具，它已逐渐成为普鲁士社会的组成部分。国家希望土地业主在军队担任军官，身体强健的农民取代了国外雇佣军在军队中的位置。普鲁士就是军队，反过来，军队就是普鲁士。在腓特烈统治时期的尾声，普鲁士的军事人口比例超过 3%，该比例比法国和奥地利高出两倍多。

强调操练和纪律一致被认为是普鲁士军力强大的关键所在。在这个方面，腓特烈确实是拿骚[①]的莫里斯和瑞典国王哥斯塔夫 · 阿道夫——17 世纪的战争大师——的后继之人。身着蓝色铠甲的普鲁士步兵步速精准有如时钟，每分钟 90 步，在接近敌军时，速度减至每分钟 70 步。洛伊滕会战于 1757 年 12 月打响，当时普鲁士的生存本身受到法国、奥地利和俄罗斯 3 个强国同盟的威胁。一如既往，普鲁士突袭了奥地利拉长的战线，集中攻击其南翼，实施侧翼包围。但在奥地利人企图重新部署时，他们所遭遇到的是比快速前进的敌军更为致命的东西：大炮。极为精准的炮火攻击对普鲁士的崛起有巨大的作用，与其著名的僵尸般服从命令的步兵同样至关重要。

在腓特烈的早年时期，他看不起火炮，认为为此开支是笔“不小的浪费”。后来，他逐渐意识到了火炮的价值。“如今，我们要对抗的可不仅仅是士兵，”他如此宣称，“我们必须切实地意识到，从今往后，我们将进行的那种战争，是火炮之间的较量……”普鲁士在洛伊滕部署了 63 门野战火炮，8 门榴弹炮，此外还有 10 门被称做“咆哮者”的 12 磅炮（得名于其发射时隆隆的巨大爆炸声）。不久，腓特烈所创建的机动马炮连成为了欧洲军队标准建制。在后来拿破仑 · 波罗巴的诸多军事胜利中，以前所未见的规模快速而集中地部署马炮连发挥了关键的作用。

---

① 拿骚，德国中部一地区和前公国，位于美因河和莱茵河的北部和东部。该地区在 1806 年成为公国，并于 1866 年被普鲁士吞并。原先的王朝成员相继统治了卢森堡和荷兰（作为奥兰治的王室）。——译者注

这样的武器说明科学知识已应用于军事。其间有竞争、创新和发展，于是，东西方之间的差距迅速形成，其差距之大，着实令人吃惊。然而，造成这种情形的关键人物在很大程度上却默默无闻，无人知晓。

本杰明·罗宾斯出生贫穷之家，但智力过人。由于没钱读大学，他便自学数学和物理学，后以私人家庭教师的身份谋生。25 岁时已被选为英国皇家科学院会员，后被东印度公司聘为炮兵军官和军事工程师。18 世纪 40 年代早期，他开始将牛顿物理学应用于火炮研究，利用微分方程，首次真正描述了空气阻力对高速抛射体轨迹（伽利略所未能解决的问题）的影响。他所著的《火炮技术新原理》（*New Principles of Gunnery*）于 1742 年在英国出版，在本中，他根据自己的认真观察，结合玻意耳定律和牛顿的《自然哲学的数学原理》第一卷第 39 条假说（对受向心力影响的物体运动的分析），算出了抛物体离开枪口时的速度。随后，他用自己设计的弹道摆，演示了空气阻力的影响——可能是抛射体本身重量的 120 倍，完全颠覆了伽利略所提出的抛物体轨迹之说。也正是他，首次为世人演示了飞行中转动的火枪子弹如何偏离预想的行进轨迹。他所写的论文“关于来复枪的属性和优势”，1747 年获得皇家科学家的科普利奖，他在皇家科学院朗读了这篇论文。论文提出，子弹应该像鸡蛋形状，枪管应刻螺旋形槽线。从论文的结束语可以看出，罗宾斯是何等重视该研究成果的战略及科技意义：

> 不论哪个国家，都应该从根本上弄清来复枪的性质和优势所在，一旦研发并制造出这种枪，就应在军队中推广使用，并要求军队管理层熟练掌握其要领；配备、使用这种枪，就具备了优势，而优势之大，几乎不亚于其他任何因素：它能够成就任何时候、任何卓越的武器装备所能实现的功业。

因为火炮越是精准有效，防御工事的保护性能就越低，就连最训练有素的常规步兵团也没有那么大的杀伤力了。

仅过了 3 年，腓特烈大帝便着手启动了罗宾斯《火炮技术新原理》的德文版翻译。该书译者莱昂哈德 · 欧拉自己就是一位了不起的数学家，他又为这本书增补了一份极为周详的表格，为既定的出膛发射体速度和仰角确定了速度、射程、最大高度和飞行时间，进一步完善了原书内容。1751 年，法文版翻译工作也启动了。无可置疑，在这个时期也出现了其他军事创新，其中以奥地利君主约瑟夫 · 文策尔 · 冯 · 列支敦士登和法国的格里博瓦尔将军的贡献为代表，而 18 世纪弹道研究革命的最大功臣则非罗宾斯莫属了。科学应用这种撒手锏，给西方带来了真正的致命武器：精准的火炮技术。令人惊奇的是，取得这项成就的竟是罗宾斯这样贵格会出身的人。

毫无疑问，罗宾斯催生的弹道学革命是奥斯曼帝国所排斥的，正如他们错失利用更大众化的牛顿运动定律的良机一样。16 世纪时，奥斯曼帝国火炮制造厂生产的武器是欧洲火炮所难以匹敌的。17 世纪时，这种情形开始变化。早在 1664 年，哈布斯堡王朝的战略家、曾在圣哥达大败奥斯曼军队的依蒙多 · 蒙特库科利说过："土耳其人那些体积庞大的火炮攻击时威力巨大，造成巨大的破坏，但这些火炮不便机动，装填炮弹、瞄准目标要花很长时间……我们的火炮则易于机动，攻击效率更高，相较于土耳其人的火炮而言，这便是我们的优势。"在接下来的两个世纪中，西方国家在诸如 1741 年所创建的韦尔维奇工程和火炮学院的机构中持续学习新知识，不断改良其武器装备，于是，东西方之间的差距又拉大了。1807 年，当约翰 · 达克沃斯爵士的骑兵连攻克达达尼尔海峡时，土耳其人所使用的大炮仍然是朝着攻击舰队的大致方位，发射巨大的石球。

法国军队军事劳动生产率：每个步兵成功发射率（1600~1750 年）

大致时期	每支手枪成功发射率（每分钟发射次数）	步兵的手枪配备比例	每个步兵成功发射率（每分钟发射次数）	假定前提
17 世纪（17 世纪 20 年代，每个步兵配备的手枪	0.50	40%	0.20	火绳枪，每分钟 1 发，失火率 50%
18 世纪初	0.67	100%	0.67	燧发枪，每分钟 1 发，失火率 33%；装上刺刀后，枪手可变成长矛兵
18 世纪 50 年代	2.00	100%	2.00	燧发枪，每分钟 3 发，配推弹杆和纸药卷，失火率 33%

变革之路

孟德斯鸠在所著的书信体小说《波斯人信札》中虚构了两个途经土耳其、踏上探索法国的发现之旅的穆斯林人。“我极其震惊地注意到奥斯曼帝国的实力是如此之弱，” 郁斯贝克在其向西行进时如此写道，“这些野蛮人抛弃了所有的艺术，连战争艺术也置之不顾了。相比较而言，欧洲国家每天都在发展，而这些人却仍然处于原始无知的状态；只有欧洲国家在战争中使用某项先进技术，成百上千次对付他们之后，他们才会想到在战争中利用这种创新。”

面临西方显然日益上升的军事优势，派遣使节前往欧洲寻求原因的事确实发生过。1721 年，切莱比 · 穆罕默德被派往巴黎时，他得到的指示便是“遍访城堡、工厂并了解法国发明的诸项文明成果，选择那些可能适合我们的上报”。为此，他热情洋溢地写信报告法国军事学校和训练基地的情况。

直到此时，土耳其人才知道他们必须向西方学习。1732 年，出生于特兰西瓦尼亚、信奉基督教的土耳其官员易卜拉欣 · 穆塔法里克，给穆罕默德一世呈上了他所写的《国家政治之理性基础》，提出了从此困扰穆斯林人的那个问题：“过去比伊斯兰国家弱小的基督教国家，何以开始在现代时期统治疆域如此之广的领土，甚至还能打败曾经战无不胜的奥斯曼帝国军队？”穆塔法里克给出了多种答案。他提到了英国和荷兰的议会制，论及了基督教国家在美洲和远东地区的扩张，甚至还提出，在奥斯曼帝国仍然受伊斯兰教义统治时，欧洲人却有了“以理性为基础的法律和规则”。而其中最为重要的一点是，务必缩小军事差距：

> 让穆斯林人深谋远虑，未雨绸缪，逐渐熟悉欧洲新的方法、组织、战略、策略和战争……全球所有明智之士都会认同这种说法：土耳其民族在服从法规和命令的本性方面，要胜过全球其他各民族。如果他们学习新的军事科学，并进行实践，那么，任何敌人在任何时候都无法抵御这个国家。

信号很清楚：如果奥斯曼帝国想成为世人所信赖的大国，那么它必须积极地推动科学革命和思想启蒙运动。1727 年，穆塔法里克终于为奥斯曼帝国引进了印刷机，一年后，利用阿拉伯字母活字印刷了第一本印刷物——一本词典。1732 年，他出版了一套由几种英语和拉丁语著作组成的著作汇编，将之命名为“磁力启蒙运动”。

1757 年 12 月 2 日，奥斯曼外交官艾哈迈德 · 雷斯米 · 爱芬迪从伊斯坦布尔起程去维也纳，宣布奥斯曼新任苏丹穆斯塔法三世的登基。奥斯曼帝国这次的派遣任务与 1683 年卡拉 · 穆斯塔法所领导的远征是截然不同的。雷斯米所带领的并不是军队，而是 100 个军事和行政官员；他此行肩负的使命不是去围攻哈布斯堡的首都，而是要向他们学习。在那里停留 153 天后，他热情洋溢地写出了长达 245 页的详尽报告。1763 年，他肩负另一项外交使命，被派往柏林。要说此次与上次任务有什么不同的话，那就是普鲁士比奥地利给他的印象更为深刻。尽管他对腓特烈的衣着（积着灰尘的便装）感到些许不快，但对于腓特烈大帝致力于政府公职，不怀宗教偏见，普鲁士经济发展迅速，欣欣向荣，他是极为赞赏的。

此前，奥斯曼帝国出使欧洲诸多的公使对欧洲的叙述不免有嘲讽的意味。事实上，奥斯曼帝国长久以来所具有的自大情结是阻碍其改革的另一个因素。雷斯米充满激情的报告标志着一个巨大而又痛苦的变化。然而，并非伊斯坦布尔的每个人都认同他的建议。雷斯米间接或直接对奥斯曼帝国行政和军事机制的批评，十之八九是这位才华横溢的官员没能成为维齐尔的原因。描述欧洲政府所具有的优势是一码事，对奥斯曼系统实施改革则完全是另外一码事。

西方专家被邀请到伊斯坦布尔，为苏丹提供咨询。波尼瓦伯爵克劳德·亚历山大负责指导奥斯曼炮兵部队及工兵和火炮机动部队。弗朗索瓦·德·托特男爵是一位出生于匈牙利的法国军官，他也受邀前来，负责监管用以防卫奥斯曼帝国首都的新式有效的防御工程。在乘船经过波斯普鲁士海峡时，德·托特男爵震惊地意识到，岸边部署的很多堡垒不仅已落后过时，选址也是不对的，即使使用现代枪炮，沿海而过的任何敌军舰船也远在其打击射程之外。在他的回忆录中，他这样描述道："与其说其堡垒是防御工事，不如说更像围攻后的废墟。"他仿效法国的勤奋兵团和军事学院创建了独立炮团，聘请苏格兰人坎贝尔·穆斯塔法给军校学生教授数学。他还设立了工厂，生产大炮，并鼓励该国创建机动炮兵建制。

然而，变革的努力再一次遭到了来自政治反对派的阻力，其中最主要的阻力来自禁卫步兵，这股力量导致另一位法国专家阿尔伯特·杜贝耶将军指导创建的名为新秩序的现代化军队的解散。至此，奥斯曼帝国军队存在的主要目的似乎便是让军官敛财，满足其个人利益。奥斯曼军队在战斗中日益不堪一击，甚至在镇压国内暴动方面也不再有战斗力。直到坦齐马特时代，即在苏丹马哈穆德二世和阿布杜勒迈吉德一世改革派统治时期，奥斯曼的苏丹才作好准备针锋相对地应对来自反对派的阻力。

1826年6月11日，在接近禁卫步兵军营的一个大游行广场上，200个士兵穿着崭新的欧式军装，以整齐的步伐进行操练。两天后，有两万多禁卫步兵聚结起来抗议，大声叫嚣："我们不要异教徒的那套军事操练！"他们象征性地推翻锅灶，并威胁着要冲进托普卡普宫殿。马哈穆德二世抓住了这个时机。他宣称，如果不杀掉那些禁卫步兵，那么伊斯坦布尔将成为夜猫游走的废墟。他准备充分，诸如炮兵部队的那些关键军事机构对他忠心耿耿。当这些军队的枪炮掉头对准禁卫步兵的营房时，反叛力量即刻陷入混乱状态。数以百计的禁卫步兵被杀。6月17日，禁卫步兵制被废除。

对欧洲风格的仿效不仅仅限于军服。朱塞佩·多尼采蒂被任命为奥斯曼帝国音乐总指挥后，士兵也得按全新的节奏行军。此人便是更为大家所熟悉的《拉美摩尔的露契亚》音乐剧作曲家葛塔诺·多尼采蒂的兄弟。除了指导军队创建欧式的军乐队，教他们演奏罗西尼前奏曲外，多尼采蒂还为他的雇主写了两支风格迥异的意大利式国歌。曾使维也纳守军闻之心惊，对其越发恐惧的战鼓已经废弃不用了。如法国报刊《游吟诗人》在1836年所述：

> 在伊斯坦布尔，古老的土耳其音乐已痛苦地死去。苏丹马哈茂德热爱意大利音乐，因而将其引入到他的军队中……他尤其钟爱钢琴，以至于他从维也纳为他的女人们订购了很多这样的乐器。我不知道他们如何学习弹奏的，因为截至目前，没人能够成功地弹奏钢琴。

象征改革时代的最持久的标志为苏丹阿布杜勒迈吉德一世所建。多玛巴切新皇宫建成于1843~1856年，至少有285个房间，44个大厅，68个卫生间及6个土耳其浴室。用于装潢宫廷天花板的金叶就重达14吨，而悬挂于天花板上的枝形吊灯总数达36个。在这个宫殿令人目眩的扶梯的上面，便是该宫殿的最大房间——典礼大厅，上面铺着一张整块的巨大地毯，面积达1 300平方英尺，天花板上悬挂的枝形吊灯重达4吨。其场面之宏大，极像中央车站和巴黎歌剧院舞台的混合体。

相比西方大约慢了200年后，所有要做而未做的便是，踏上工业革命的征途。1838年出版的一份政府报告表明了西方知识新的重要性："宗教知识是为了拯救未来的世界，而科学则使现今世界的人类生活日益完美。"然而，在奥斯曼科学院创建10年后的1851年，智慧宫才在仿效法兰西科学院的基础上建立起来。法兰西研究员要求其会员通晓学问和科学，熟练掌握至少一种欧洲语言。与此同时，在伊斯坦布尔的西部，出现了诸如工业园区的新事物，随后，奥斯曼政府集中资源开建工厂，生产现代军服和武器装备。这似乎表明，土耳其人最终真正向西方开启了大门。东方通詹姆士·瑞德豪斯17岁便随船闯荡，后来成为奥斯曼海军工程学院雇用的第一位老师，此后他数十年如一日地从事翻译工作，将英文著作译成土耳其语，并编纂词典、语法和短语图书，以使欧洲知识更容易被土耳其读者所掌握，并着力改善西方人对声名狼藉的土耳其人的看法。1878年，艾哈迈德·迈扎特创建了《真理译者》报刊，他以连载的形式刊载了他出版的很多书，其中包括《欧洲之旅》(*Avrupa'da Bir Cevelan*,1889年)，这本书对他在巴黎万国博览会的经历，尤其对机器展览馆的印象进行了描述。

然而，尽管有来自诸如维齐尔赖希德·帕夏、福阿德·帕夏、阿里·帕夏和迈扎特·帕夏等的真正支持，但是这些改革均未触及到最为根本的管理体制，帝国的大厦仍缺乏牢固的根基作为支撑。新式军队、新式军装、新谱写的国歌、新建的宫殿确实都很好，但是，如果缺乏有效的征税系统提供资金，日益扩大的成本便只能通过巴黎和伦敦的借款来弥补。而且，用于支付欧洲债券持有人借款利息的财政收入越多，相应地，可用于目前即将崩塌的国防预算也就越少了。19 世纪 20 年代，奥斯曼帝国不断被赶出希腊，在 1878 年失去了在巴尔干的大片领地，这似乎昭示着奥斯曼帝国已处于衰亡的最后阶段：发行粗糙（容易被仿造）的被称为kaime的纸币，其货币大幅贬值；支付给欧洲债权人的利息费用占财政收入比例日益上升；帝国四周的斯拉夫民主独立运动不断高涨，强国虎视眈眈，觊觎着其领土。迈扎特·帕夏试图推出限制苏丹权力的宪法，却遭到流放，计划因之流产，阿卜杜勒·哈米德二世又重新恢复了其绝对的统治地位。

在多玛巴切新皇宫众多宏伟大厅的一个角落，摆放着一架非同寻常的时钟，它兼具温度计、气温计和日历的功能。这是埃及总督送给奥斯曼苏丹的礼物。里面还刻有阿拉伯语赠言："但愿您的每分钟值一个小时，每一个小时抵得上 100 年。"这看起来是东方技术的杰作，除了一个细节：它由威廉·基尔希造于奥地利。基尔希的时钟完美地揭示了仅仅引进西方技术可绝对代替不了奥斯曼帝国本土的现代化。土耳其人所需要的，不是崭新的宫殿，而是全新的宪法，新的字母表——实际上，他们需要的是新的国家。土耳其人最终实现其愿望的事实，在很大程度源自一个人的功劳。他就是土耳其之父凯末尔。他的志向是做土耳其的腓特烈大帝。

从伊斯坦布尔到耶路撒冷

我有严肃的理由相信，那个小王子所来自的星球是被称之为B-612 的小行星。这颗小行星仅通过望远镜被观测到一次。发现它的是土耳其天文学家，那年是 1909 年。发现这颗行星后，这位天文学家便立即将该发现以最佳方式为国际宇航大会作演示。然而，他穿着土耳其风格的服装，所以没人相信他的发现……幸运的是，基于发现B-612 行星的声誉考虑，一位土耳其独裁国君出台了一项法令：他的子民都必须穿欧式服装，违者处死。所以，在1920年，身着欧洲抢眼、典雅的欧式服装，那位天文学家又重新论证了他的发现，结果每个人都认可了他的报告。

在安东尼·德·圣-埃克苏佩里这个《小王子》的故事中，土耳其的现代化受到了轻微的嘲讽。确切地说，土耳其人在“一战”之后才开始改变他们的着装时尚，日益向西方风格靠拢，正如日本人是在明治维新之后才开始效仿欧美一样。这种变化到底有多么深刻呢？具体地说，改头换面的土耳其是否真的有资格跃升于西方大国科技俱乐部呢？

穆斯塔法·凯末尔的权力之路与普鲁士的腓特烈大帝掌权的方式不同。酗酒、好色的凯末尔，是奥斯曼帝国军队在19世纪晚期大改革的受益人。那次军队大改革于19世纪80年代和90年代初期在戈尔茨的主持下进行。戈尔茨象征着腓特烈大帝一手创建的普鲁士：生于普鲁士，其父是乏善可陈的农民兵士，戈尔茨凭借骁勇善战和足智多谋而荣升陆军元帅。凯末尔学会了德式作战方法，并将其理论于1915年在加利波利应用于实战：在土耳其胜利抵御英军的入侵战斗中发挥了关键的作用。此战之后，随着土耳其帝国的解体，在希腊军队逐渐挺进安拉托里亚的过程中，也正是凯末尔组织了至关重要的反攻，进而确认了他作为新生的土耳其共和国之父的地位。尽管他将土耳其的首都从伊斯坦布尔迁到了安拉托里亚中部的安卡拉，毫无疑问的是，在土耳其之父看来，他所缔造的国家应该向西靠拢。他认为，数世纪来，土耳其人一直在“向西方看齐、靠拢”。他曾向法国作家莫里斯·佩尔纳发问：“在文明探索之旅中，哪个国家没有向西方靠拢，你能举出这样的例子吗？”

土耳其之父打造土耳其的一项重要内容便是，亲历亲为地开展彻底的字母表改革。阿拉伯文字虽然象征着伊斯兰信仰的统治地位，但与土耳其语言的音调很不相配，让大多数的民众读写文字绝非易事。1928年8月的一个晚上，在古尔哈内公园（这也曾是托普卡普宫殿的一个花园），这位土耳其之父实施了他的计划。在面向受邀的大规模听众发表演说时，他要求一位懂土耳其语的人朗读他手里拿着的纸上的字。那位志愿者看到那张纸上的内容，明显显得窘迫不安，这时，凯末尔便对人群说："这位年轻人之所以很困惑，是因为他并不懂真正的土耳其字母。"随后，他将那张纸递给他的随从，让他大声朗诵：

> 利用新的土耳其字母表，我们丰富而又和谐的语言便能清晰地展示自我。数世纪来，那些令人难以理解的符号一直在邪恶而又顽固地禁锢着我们的思想，我们必须摆脱它们……你们必须迅速掌握新的土耳其字母表……将这视为爱国举动和爱国义务……因为，如果一个国家中只有10%~20%的人识字，而其余80%~90%的人都是文盲的话，那是可耻的……我们必须纠正这些错误……有了自己的文字和思想，事实会证明，我们的国家将跃升于文明世界之列。

基于将其国家带入20世纪的宗旨，这位土耳其之父启动了涉及多方面的文化革命，而字母表的西化仅是其中一项举措而已。男女的穿着方式也都西化了；毡帽和头巾被西方礼帽取代，也不提倡妇女戴面纱；采用了西式日历，包括基督纪元纪年法。然而，土耳其之父所做的最具重大意义的一件事是，将新生的土耳其确定为世俗国家，与所有宗教政府明显划清了界限。1924年3月，哈里发被取缔，一个月后，宗教法庭被关闭，伊斯兰教教法被效仿瑞士的民事法典所取代。在这位国父的眼中，在科学的领域内，宗教干预危害很大，比其他任何因素都严重，极大地妨碍了奥斯曼帝国的发展。1932年，咨询过日内瓦大学的艾伯特·麦尔切后，他取缔了此前一直被伊斯兰教长所牢牢控制的、传统的科学所，以新创设的具有西方风格的伊斯坦布尔大学代之，这为大约100多位德国学者敞开了大门——他们因为犹太身份或持左翼政治思想，正逃离国家社会主义党派执政的德国当局。他宣称：“无论是为了世界上的什么，文明也好，生命也好，成功也罢，只有知识和科学才能真正给我们指明方向。放弃知识和科学而去寻求其他途径，这是无知、偏离正轨、缺乏考虑的表现。”这句话后来被铭刻在安卡拉大学的主建筑楼上。

第一次世界大战使奥斯曼帝国解体，并使土耳其的核心价值观不断世俗化，其中有一点无可否认：第一次世界大战产生了非预期性后果，打击了科学革命和思想启蒙运动的价值观。然而，为了确保“一战”的胜利，英国不遗余力地发动其国内的敌人来反对土耳其苏丹，其中的力量就包括阿拉伯人和犹太人。对于阿拉伯人，英国承诺让他们建立独立的王国。对于犹太人，英国人承诺在巴勒斯坦“为犹太民族”建设新的“国家”。我们知道，这些承诺后来证明是互不相容的。

虽然是三种一神论宗教的圣地，但有时看来，今天的耶路撒冷似乎是1683年维也纳的现代版：扮演着西方文明前沿要塞的角色。毫无疑问，犹太人于1948年5月以世俗国建国，但又不完全是为犹太人的以色列，它充当了西方的前哨。这个前哨四面都被敌方所围。宣称耶路撒冷[①]为其首都的以色列，四面都有虎视眈眈的穆斯林军队，时刻威胁着它的生存：在被占领的

① 1948年激战之后，犹太社区被取缔，该城的传统讲堂被摧毁，阿拉伯军队暂时夺取了耶路撒冷。然而，到1949年1月签署停火协议时，以色列宣称占有新城（西耶路撒冷）和犹太传统居住点。外约旦宣称拥有东耶路撒冷，并控制约旦河西岸。此后长达约20年中，这个城市被一分为二，正如1961~1989年柏林的情形，虽然国际上并没有认同这样的安排。后来，在1967年的“六日战争”中，东耶路撒冷被以色列国防军“解放”，这是又一次公开藐视联合国。在泰迪 · 库利克市长任职期间，阿拉伯耶路撒冷的大部分定居点被摧毁，马格里比定居点也未幸免。在东耶路撒冷建造犹太定居点的政策也是在旨在使以色列对该区的控制永久化。然而，不时发生的暴力事件，尤其是阿拉伯青年引发的暴动，又逐渐使该城恢复了过去的分裂对峙局面，同时也是试图说服以色列人：重新恢复到1967年的边界必须纳入永久和平协议的内容。尽管如此，以色列的法律仍然坚称“完整而团结一致的耶路撒冷，是以色列的首都”。同时，从1988年开始，巴勒斯坦人也宣称该城（他们称之为圣城谢里夫）为其首都。截至本书写作之时，就该问题达成妥协的愿景是难以想象的。

戈兰高地（现被以色列控制）和约旦河西岸，有的是哈马斯组织；邻国黎巴嫩有真主党；东边有伊朗，不要忘了还有沙特阿拉伯。在埃及和叙利亚，以色列发现一些伊斯兰教教徒一直在与世俗政府作对。很明显，就连长久以来一直友好的土耳其，现在也在向伊斯兰教靠拢，反对犹太复国运动，其所执行的新奥斯曼外交政策就更不用提了。结果，以色列的很多人都感觉与1683年维也纳一样，危机重重。其中最关键的问题是，科学能在多大程度上持续发挥杀手级程序的作用，进而赋予诸如以色列这样的西方社会其敌人所没有的优势。

以色列这样一个小国却具有科技创新的一流竞争力，从某种程度上说，这确实是卓越非凡的。1980~2000年，以色列注册的专利数量为7 652个，与此相对应的是，所有阿拉伯国家总共注册的专利数量为367个。仅在2008年，以色列发明者申请注册的新专利数就有9 591个。同年伊朗申请注册的专利数为55个，世界上大多数伊斯兰国家加在一起申请注册的数量为5 657个。以人均数论，以色列比全球其他任何国家的科学家和工程师都多，产出的科技论文居全球之冠。以国内生产总值份额计，其民用研究与发展支出是全球最高的。在“六日战争”爆发时，德国的犹太银行家西格蒙德 · 华宝将以色列比做18世纪的普鲁士，这话没错。华宝对位于雷霍沃特的魏茨曼研究所印象至深。这个研究中心是卓越的化学家哈伊姆 · 魏茨曼于1933年创建的。此人后来当上了以色列的第一任总统。成为被敌人包围的“沙盒”，任何一个国家都需要以科学确保其战略生存空间。如今，科学和安全之间的关系如此密切，没有什么能比耶路撒冷中央区域的警察检测控制室更能说明这一点。老城几乎每个人满为患的街道都配装了闭路电视摄影机，警察可监控、记录，并在需要之时打击恐怖嫌疑分子。

然而在当今，这种科技的差距最终显示出逐渐缩小的迹象。作为一个伊斯兰教共和国，伊朗办有两个年度科学盛会：花剌子密国际基础科学节和年度拉兹医学研究节——旨在推动理论和应用领域的高水平研究。最近，伊朗政府投入 1 500 亿里亚尔（约合 1 750 万美元）建设新的观测站，这算得上是在天文学和天文物理学领域的大手笔投资。令人吃惊的是，虽然伊朗当局严格执行伊斯兰教教义，但该国大约 70%的科学和工程学学生如今都是女性。从德黑兰到利雅得，再到我曾在西伦敦所参观的沙特阿拉伯资助的穆斯林女生学校，反对女性受教育的禁忌在逐渐消失，这本身就是一个值得赞赏的进步。

2006 年 4 月 11 日，伊朗总统马哈茂德 · 内贾德宣布，伊朗已成功浓缩出铀。此后，尽管面临着经济制裁的威胁，伊朗仍一心想实现其成为核大国的夙愿。从表面上看，这是一个旨在生产核能源的计划。实际上，内贾德渴望拥有核武器，这是一个公开的秘密。然而，伊朗也许成为不了第一个拥有核武的伊斯兰国家。得益于科学家阿卜杜勒 · 卡迪尔 · 汗博士所进行的开创性工作，数年来，巴基斯坦一直是核武器扩散的急先锋。截至本书写作之际，以色列是否能有效应对装备核武器的伊朗的威胁，情形一点儿也不明朗。

今天，维也纳被围长达 3 个多世纪后的关键问题在于，西方能在多大程度上仍然维持其科技领先地位：长久以来，这是西方保持其军事优势的重要原因之一。抑或我们换个角度提问题：如果非西方国家持续拒绝引进西方制胜秘籍的其他关键内容——私有产权、法治和真正的代议制政府的第三次体制性创新，那么它们是否能从西方科学技术中获益呢？

CIVILIZATION

第三章

财产权

自由是……在他所属国家相关法律的允许下，按照自己的意愿处置和授权他个人、行为、拥有物及其所有财产的自由，不受制于其他人的随意性意志……所以说，人归附于共和国的最大、最重要的目的在于……保护其财产权。

约翰 · 洛克

那些掠夺成性的西班牙人来到美洲榨取它的血汗，又与受害的土著居民交媾生子，我们就是他们粗鄙的后裔。之后，这些非法子孙又与从美洲运送过来的奴隶子孙融合在一起。在这样的种族构成和如此的道德历史下，我们是否可以设立凌驾于领袖之上的法律和辖约公众的准则？

西蒙 · 玻利瓦尔

新世界

这是一个新的世界，但这将是西方的世界。因为长途跋涉、横渡大西洋，进而拥有广袤土地的，正是欧洲人。在马丁·瓦尔德泽米勒描绘出1507的世界地图之前，地图上根本就没有美洲这块土地，而美洲也得名于探险家阿美利哥·韦斯普奇[①]。心甘情愿越过大洋征服整块大陆的，是那些欧洲的君主，尤其是西班牙和英国君主——他们争夺人口、黄金，攫取领地。在很多史学家看来，美洲（宽泛的定义包括加勒比地区）的发现是西方崛起至关重要的原因。有人如此断言：没有那个新世界，“西欧仍将是欧亚大陆中一块很小和落后的地区，仍将依赖东方输入技术、传入文化并输进财富”。没有美洲这片海外给养地，没有在其上辛勤耕耘的非洲奴隶，或许根本就不会有“欧洲奇迹”和工业化革命。鉴于大规模开发新世界之前西欧在经济和

① 哥伦布本同样可以将这片大陆取名为“哥伦比亚”，但是韦斯普奇于1504出版的《新世界》却先于哥伦布给这个大陆命了名。

技术领域已取得的成就，上述论述似乎有些夸张。征服并殖民美洲的真正意义在于，这是历史上进行的最大的自然实验项目之一：这是两种西方文明对另一种族和另一块土地大范围的输出和强加，即在美洲北部强行输入英国文化，在美洲南部强行输入西班牙和葡萄牙文化。然后，看哪种文化产生的效果好。

这根本不是竞争。看看当今的世界，此后的 4 个多世纪，或许没人能怀疑这个事实：西方文明的主导力量是美国。直到最近，拉丁美洲仍远远落后于英美人。这种情形是如何出现的？为什么？或许你会认为，这是因为北美土地更肥沃，地下埋藏的黄金和石油更多，抑或是因为气候更好，河流地理位置更佳——或者仅仅是因为北美离欧洲更近。但这都不是北美洲获胜的关键原因。我们也不能认为，西班牙帝国或葡萄牙帝国内部问题重重，与东方大帝国的情形相似。因为西班牙与中国不同，西班牙人很早就参与了全球贸易，是 1500 年全球贸易蓬勃发展的弄潮儿。他们与奥斯曼帝国也不同，因为他们很早就投入到了科学革命的运动中。确切地说，使英系美洲和伊比利亚美洲产生巨大不同的，是理念的不同：关于人民应如何管理自己的思想。有些人错误地将这种理念称为“民主”，并据此认定，只要是举行了选举就算是选择了这种理念。事实上，民主是建筑大厦的拱顶石，而大厦的根基则是法治——准确地说，便是通过代议制立宪政府确保个人自由神圣不可侵犯，保护私有财产的安全。

伟大的英美人之一在他认为的文明处于灭亡危机之际曾这样说过：“很少有哪个词能像‘文明’一词那样具有如此广泛的含义。”“文明是什么？”他的答案是文明是迄今对东西文化差异的最完美描述：

> 文明意味着基于民众舆论的社会。它意味着，暴力、武士和专制首领的统治，军营和战争，暴动和专制统治，所有这些都让位于制定法律

的议会和长期维持这些法律独立的法庭。这就是文明——在文明的土地上，自由和文化会逐渐形成，生活日益改善。当文明在任何一个国家盛行时，广大人民的烦劳就会日益减少，并过上更为丰富的生活。昔日的传统被珍视；往日英明、骁勇的人民留给我们的历史遗产，将成为最重要的财产，为我们所共同利用、享受。

文明的中心原则在于，使统治阶级服从人民约定俗称的习俗，遵守人民以宪法表达出的意志……

这便是温斯顿 · 丘吉尔 1938 年的观点。他是英国贵族和美国女继承人的儿子。可是，以法治和立宪政府为基础的自由与和平的文明，这种特别的英美式定义，又来源于何处呢？为什么这种文明没能在格兰德河南部的美洲生根发芽呢？

我们的故事要从两条船讲起。1512 年登陆厄瓜多尔北部的一条船上，载着已获得“秘鲁总督”头衔的那个人，其随行的西班牙人不足 200 人。他们的野心便是替西班牙国王征服印加帝国，并为自己攫取传说中数量极大的稀有金属财富。另一艘则是在 138 年后的 1670 年抵达“新世界”的“卡罗来纳”号，其登陆地在今天南卡罗来纳海岸的一个岛上。船上载着一位仆人，他的不大的抱负便是，寻找更好的生活，告别他在英国所过的劳苦、贫穷的生活。

这两艘船代表了这两个美洲的故事。一艘船上载着西班牙征服者，另一艘船上则是契约佣工。一群人渴望立即展开掠夺，那里有成山的玛雅黄金，去了便可得到。另一群人则知道，他们还需辛勤耕耘数年，但同时也明白，他们得到的回报将是世界上最有吸引力的财产——上佳的北美土地，此外还有法律制定流程中的发言权。地产加代表权：这便是北美之梦。

然而，在开发之初，得到命运眷顾、处于顺境的，似乎不是移民北美的贫穷英国人，而是踏上南美的西班牙征服者。毕竟最初抵达美洲的是西班牙佬。在16世纪，殖民美洲的任务几乎全部落到了伊比利亚半岛人的肩头。当英国人还渴望着征服加来时，强大的美洲帝国则正臣服于西班牙的探险家。在墨西哥，嗜血的阿兹特克人在1519~1521年被荷南·考特斯大量消灭。在秘鲁，仅在此后的10年中，伟大的安第斯印加帝国被弗朗西斯科·皮萨罗征服。

征服的风险和回报之间的关系，皮萨罗看得异常清楚。仅仅为了找到印加帝国的地理位置，在1524~1526年他就进行了两次远征探索。第二次探索过程中，在不那么顽强的兄弟思想发生动摇之际，皮萨罗在沙地上画了一条线，清楚地表达风险和回报的关系：

> 同志、朋友们，线这边代表了死亡、艰辛、缺衣少粮、滂沱大雨和放弃，线那边代表着安逸。从这边你返回巴拿马，结果是贫穷；从这里你可以继续前往秘鲁，结果是富裕发达。作为出色的西班牙人，作出最适合你们的选择吧。

他的第三次远征，于1530年从巴拿马以扬帆出海，船上载着180人，其中的核心成员和亲密战友都来自他家乡特鲁希略。当他们达到秘鲁高原时，皮萨罗可资利用的马夫只有60人，麾下士兵只剩90人。他们干的事需要极大的胆量，即便半个世纪后再论及他们的冒险，也让人瞠目结舌。他们意欲征服的那个帝国的人口在500万至1 000万之间。

然而，西班牙征服这边却有一种无形的优势：南美人根本无从抵御的欧洲疾病——天花、流感、囊虫病和斑疹伤寒。此外，西班牙人的马匹、枪炮、弩弓则比印加武器库中的任何武器都要先进很多；他们赋予了侵略者一种令人畏惧的外星人属性。而且，印加人自身也分裂成种种派系。在印加帝国皇帝瓦伊纳·卡帕克死后，他的儿子阿塔瓦尔帕和瓦斯卡为了争夺王位而一直在争斗，而其原来臣服的部落嗅出了良机，从印加人的桎梏下摆脱了出来。结果呢，卡哈马卡战役（1532年11月14日）根本就称不上是战役。如皮萨罗的兄弟尔南多所描述的，阿塔瓦尔帕接受了西班牙人的宴请，走进了他们所设的圈套：

> 阿塔瓦尔帕行进到一个开阔地的中央时，停了下来，此时，伴随总督（皮萨罗）的一位多米尼加托钵修会修道士代表总督上前告诉他，总督在住所等候他，所以先派他过来跟他说话。随后，那位托钵修会修道士告诉阿塔瓦尔帕，他是一个神甫，也许他们希望皈依基督教，这才派他过来布道。他把手里拿的一本书（《圣经》）给阿塔瓦尔帕看，并告诉他，这书里讲述了有关上帝的内容。阿塔瓦尔帕把书拿去，扔在地上，说："如果你们不归还从我们的土地上掠夺的所有东西，我是不会离开这个地方的。我很清楚你的身份，明白你此行的目的。"随后，他从轿上抬起身子，向他的战士发表讲话，之后，只听见含混不清的小声说话，其中包括对武装战士的命令。那位修道士回到总督身边，报告了那边的动静，时机不容耽误。总督派人叫我过来。此前，我已与炮兵队长作好了安排，收到信号他就必须开炮，一听到火炮发射声，所有军队就立即冲锋。一切按计划执行，由于印第安人没有武装准备，基督徒秋毫无伤地就将他们击败了。

用16世纪安第斯人编年史家沃玛·波玛的话来说，西班牙人就像踩死"蚂蚁一样"杀掉了惊魂未定的印第安人。

征服秘鲁并不是通过一次战斗实现的，其间发生了1535年由曼科·卡帕克领导的印加人起义，还有一次起义的规模更大，发生于1536~1539年。

印第安人采用西方战法的速度也不慢。事实证明，他们是顽强的游击战士。与此同时，西班牙人内部的争斗太多，这危害了他们的统治地位——竟然发展到了皮萨罗也因为内部斗争而搭进性命。直到 30 多年后的 1572 年 12 月，当图帕克 · 阿马鲁被处死时，印加人的抵抗才无可挽回地被镇压。

西班牙中有个年轻的船长，来自塞哥维亚，名叫杰罗尼莫 · 德 · 阿利阿加。在他看来，秘鲁是个奇妙而神秘的地方。他对印加建筑的庞大规模和精妙绝伦赞叹不已，尤其雄踞于印加帝国首都库斯科的萨克塞华曼城堡上，有一面向北的、巨大的城墙，城墙上重达 20 吨的石块密合在一起，堪称完美。西班牙人意识到这些建筑所具有的非凡的抗震性，后来在库斯科所建的大多数建筑，都是在印加人以前堆砌的城墙和地基上完成的。今天，马丘比丘遗迹能让我们对印加被征服前的辉煌成就有一些概念。这座传说中“消失的印加城”，似乎是漂浮在安第斯山巅的云雾之中，这座城市西班牙一直没能发现，因此从来没有遭到掠夺，所以也用不着重建。高高耸立在乌鲁班巴河之上的马丘比丘，极有可能兴建于 15 世纪中期。该城紧紧依偎于海拔 8 000 英尺的悬崖峭壁山腰上，地理位置似乎并不便利，但很显然，这是一块自给自足的定居点，泉水流淌，梯田肥沃，适合栽种谷物和放牧。1911 年，美国学者、探险家海勒姆 · 宾厄姆发现了这个城市，此前，西方世界完全不知道这个城市的存在，这给了我们这样的警示：任何文明都可能衰亡，不论这种文明自身看起来多么强大。我们仍然不知道兴建这座城的目的何在。我们也无从知晓，印加人在什么时候、为什么放弃该城。其中很大的一种可能性是，伊斯帕尼奥拉岛（如今，这个岛屿分属多米尼加和海地）的瘟疫先于西班牙征服者肆虐于此，夺去了居民的性命，这座城因此而被废弃。

西班牙起初袭击卡哈马卡的借口是，印加人拒绝皈依基督教。但是，皮萨罗真正感兴趣的不是什么上帝，而是黄金。被俘虏的阿塔瓦尔帕第一次用黄金装满其囚室，第二次用银子填满囚室，以求获得释放，但这是徒劳，反而激起了西班牙征服者攫取稀有金属的欲望。1 340 英磅 22 克拉的黄金和 26 000 英磅的纯银，整整齐齐地堆满了一屋，加入这次远征冒险的每个人即刻暴富。然而，这里有比这多得多的黄金和白银。而且，西班牙人又在伊斯帕尼奥拉岛找到了黄金，在中美洲的萨卡特卡斯发现了储量巨大的白银。现在，他们在波托西找到了“富山”，这是世界上绝无仅有的银井。不论西班牙人走到秘鲁的哪里，似乎都能发现金币。杰罗尼莫 · 德 · 阿利阿加是皮萨罗的大会计，在最大程度地攫取这些新发现的财富过程中，可是一点也不含糊。截至 1550 年，来源于秘鲁的黄金大约值 1 000 万比索，其中大约一半是掠夺而来的，另一半是开采出来的。随着时间的推移，产银矿井的产量日益上升：16 世纪初期的年产量大约为 60 吨，截至 1780 年，产量已超过 90 吨。全部算进来，1500~1800 年，以当今价格折算，大约价值 1 750 亿美元的稀有金属从新世界输往欧洲，或越过太平洋输入亚洲，其中很大一部分稀有金属来源于秘鲁。诸如德 · 阿利阿加这样的人确实腰包被撑得满满的。所以，他可以在新建的秘鲁首都利马城为自己修建富丽堂皇的别墅群，而别墅内院竟然就坐落在印加神殿的选址上。自此以后，他的后代便一直居住于此；别墅目前的主人贡萨洛 · 德 · 阿利阿加，以他的征服者祖先感到自豪——不以为耻，反以为荣。

西班牙人似乎为一种全新的伟大文明打下了牢固的基础，而这种文明则由一小撮西班牙土生土长的富裕精英来管理。这些精英生活在建得富丽堂皇的少数几个城市中。这些城市迅速繁荣起来。1692 年，墨西哥城有 100 000 居民，而那时波士顿仅有 6 000 人。西班牙式的美洲大学相继创建，多达 25 所，比如圣多明哥大学，几乎比哈佛大学早一个世纪创立。不管怎么说，西班牙人学会享受中美洲的烹调了：辣椒、花生、土豆、火鸡（所有这些食物后来都被北美所采用)。数以百计的装潢铺张的教堂拔地而起，有些气势磅礴的大教堂，比如库斯特竖起的雄伟壮观的大教堂，就是建筑师弗朗西斯科 · 贝塞拉设计，并在佛兰德人耶稣会信徒胡安 · 鲍蒂斯塔 · 埃吉蒂亚诺的主持下于 1669 年完工的。除了耶稣会士，还有成千上万的圣方济修士前往美洲，让所剩的原住民皈依各自的教派。教堂虽然具有广泛的影响力，但决定大权仍掌握在西班牙国王手里。而且，至关重要的一点是，国王拥有所有土地。以下故事涉及的北美财产权，则完全是另一种情形。

自由的土地

1670 年，一对身无分文的年轻夫妇忍受千辛万苦，横穿大西洋，抵达卡罗来纳的海岸，成为到达这里的第一批定居者。与同行的亚伯拉罕 · 史密斯一样，米利森特 · 豪也签署了 1669 年的标准行为契约：

> 与人共知，本人，伦敦女子米利森特 · 豪在 × 年 × 月 × 日签署契约，承诺以忠诚、服从的仆人履行以下各点，完成伦敦商人约瑟夫 · 韦斯特上尉吩咐我在种植园或南卡罗来纳的任何事情。

17 世纪期间去切萨皮克的英国人中，有 65%~80% 的人是通过这种方式。这很正常。在整个殖民期间，移民英属美洲的所有欧洲人中，足足有 3/4 的人是以契约仆人的身份前来的。

这种移民方式与杰罗尼莫 · 德 · 阿利阿加所经历的方式是很不相同的。西班牙人事实上是在墨西哥和秘鲁发现了成山的白银。而在南卡罗来纳的海岸上，全是泛白的残枝败叶。这可不是什么黄金国。确切地说，在北美定居的居民要吃就得种玉米，要贸易就得种烟草。此后很多年，英属美洲殖民地一直都是些零散分布的农庄和村落，小镇屈指可数，根本就没有真正意义上的城市。而这里的原住民，虽然人口规模更小，但却并不那么容易被征服。即便在1670年，你仍然会认为杰罗尼莫·德·阿利阿加治理下的美洲将是未来的乐土，而米利森特·豪所定居的美洲则前途堪忧。

如果情形截然相反呢？也就是说，如果阿利阿加抵达的是西班牙属卡罗来纳，史密斯和豪最终达到的是英属的秘鲁，那将是什么情形呢？“如果英格兰的亨利七世之前愿意资助哥伦比的首次航行”，历史学家J.H.艾略特不无戏谑地设想着：

> 如果英国派出的远征探险队为亨利八世成功地征服了墨西哥，可以料想的是，由于数量日益增加的美洲白银将不断流入英国皇家金库，英国国王的财富将大规模增长；英帝国便会拟定出开发新世界资源的统一策略；便会创建一套帝国官僚机制，以管理定居居民社会及被他们征服的人口；英国国内生活中议会的影响力将会减弱，而凭借美洲流入的白银，英国君主专制主义就会确立。

换句话说，如果英国人是在南美洲，而不是像事实上那样在北美洲建立定居点，英国在南美的最终情形是否与在北美一样，就难下断言了。

如果新英格兰在墨西哥，新西班牙在马萨诸塞，其情形又如何？可以设想，受秘鲁矿井的白花花的白银所推动，进而形成专制君主政体的便是英国，而非卡斯提尔，因此，在美洲高纬度地区种下共和制种子的，同样便是卡斯提尔而非英国了。或许，西班牙的国会——现代西班牙早期所具有的最接近议会的机制——便会逐渐拥有极大的权力，进而在西欧开创第一个立宪君主制国家。这样的角色对换并非不可能。也或许，美国便会从西班牙危机，而不是从英帝国统治之下崛起，从一开始说的便是西班牙语了。或许，纯粹是因为偶然性——新世界黄金和白银的发现——将英国送上了议会制的大道，而将西班牙送往追求安逸享受的专制主义体制之路。如果有了这额外的收入来源，查理一世可能会维持其“个人的统治”，所以，导致英国内战爆发的重大冲突便可以避免了。到1640年时，他在下院的那个清教徒反对者已垂垂老矣。再过不了几年，他们之间的矛盾便会自然消失。此后，在荷兰策划政变和入侵后，奥兰治威廉傀儡便坐上了王位，英国是否会因为这一事件而再一次避免了专制主义君主政体，这也完全无从判断。从詹姆士一世直到詹姆士二世的财政危机所导致的重大事件链，或许在很多时候都会轻易地断裂。辉格派认为，1688年的光荣革命注定是君主与立法机构之间神圣的妥协产物——没有谁对英国历史事件的阐释比这更有偏向性了。即使在辉格党贵族（斯图亚特王朝下台的真正受益人）主导英国的1688年后，他们仍然不时地面临着来自斯图亚特王朝拥护者的政变威胁，因为他们在凯尔特周边地区拥有较大的支持力量。

此中问题的关键在于：第一，新世界殖民领地的初始自然资源在历史的发展进程中发挥着相对重要的作用；第二，殖民者从欧洲带来的体制性蓝图。如果初始的自然条件发挥决定性作用，那么英国人或西班牙人不论谁最终去了秘鲁，都没有多大关系，因为英国人同样也会禁不住去掠夺印加人，所以同样有可能受到便宜黄金和白银所引发的“资源诅咒”。同样可以料想的是，当西班牙人在切萨皮克海湾没发现黄金的影子时，他们可能会更有创新意识。但是，如果你认为关键点在于殖民者所带去的体制，那么截然不同的道路便会清楚地说明问题。

一般而言，无论在何处检验，英国殖民化比西班牙或葡萄牙人殖民地的经济结果更优。诚然，鉴于任何殖民地都不完全相同，所以，我们无法十分精确地验证上述论断，但有一点是肯定的：亚利桑那比墨西哥富裕；中国香港比马里拉富裕。所以，或许可以说，英国对墨西哥和秘鲁的殖民可能会比西班牙人来得更持久、更好，并最终催生出某种中美利坚合众国和南美利坚合众国。也或许，西班牙对北美的殖民最终使这个地区相对贫穷，并分裂为不和的几个共和国——如哥伦比亚这样的多个主权国家，而非以哥伦比亚区特区为美国联邦政府之权利中心；而代替如今哥伦比亚与委内瑞拉之间敌视关系的，将是威斯康星和明尼苏达之间的不和。

早在1670年，英国就已不同于西班牙了，那可是在工业化进程的很久以前。自14世纪以来，以杀人罪衡量的暴力事件比例已逐渐下降。1688年的光荣革命后，内战时断时续的时代已告终结，虽然为了维持秩序在凯尔特外围地区，尤其是在苏格兰的北部和爱尔兰南部的硬仗仍在持续进行。大约从1640年开始，英国的出生率稳步上升，从千分之26升至19世纪千分之40的高点。但是，和过去和未来其他地区一样，"马尔萨斯陷阱"此时仍然存在。实际工资逐渐上涨，租金逐渐下降，识字率显著上升。至关重要的一个变化便是，为那些甘愿冒险登上跨洋之旅的人提供"退出选项"。早在1640年，净输出移民就超过了100 000人，此后直到18世纪90年代前，每10年的移民人口规模都在30 000到70 000之间。那些害怕跨洋移民会丧失其出生地的人，在美洲殖民地和欧洲之间贸易繁荣之际，没能看到跨洋移民所带来的回报。在土地肥沃、劳动力不足的美洲，那些被输出的劳动力的生产效率更高。输出移民离开故土，也间接地为他们那些因害怕冒险而留守的亲戚带来了益处，因为他们工作的价格相应地有所提高。

诸如米利森特·豪和亚伯拉罕·史密斯这样的，在1670年左右离开英国前往美洲的移民，几乎没携带什么东西。事实上，即便是他们此行的路费也是以他们未来将付出的劳动为抵押的。然而他们满脑子的想法和理念却对美洲的未来发展有着深刻的意义。他们的第一个理念是财产权，这是自12

世纪以来便在普通法法庭（以及衡平法法庭）演化出的理念。第二个理念是推行好战的新教教义（不要忘了，贵格会教徒、天主教徒和犹太人在殖民东部沿海地区同样扮演了好战的角色。）第三个理念是，征税是否合法取决于议会是否批准；国王同意让渡立法权，作为回报，国王将获得议会提供的"经费"。这些都是导致英国内战的关键问题。

不列颠岛屿在 17 世纪中期危机中的一个鲜明特点是，威廉 · 劳德大主教渴望在英国实现独尊国教而引发了国内矛盾，以及查理一世财政改革所引发的各派的敌视。早在 1628 年，在《权利请愿书》中，议会中国王的批评者就坚持要求，"从今往后，没有经由议会的一致同意，不得强制任何人给予或让渡赠品、借款、恩惠，征税或征收此类费用。"当查理一世意欲在长老会盛行的苏格兰地区强制推行威廉 · 劳德出版的《公祷书》的拙劣企图以内战告终时，他被迫屈辱地回到议会。但是，他不接受长期国会对其皇家特权的限制，反而于 1642 年提高了皇家特权标准，结果将国家拖入内战。他被击败，并于 1649 年 1 月 30 日付出了被砍头的代价。查理一世被推上断头台后英国实现了共和（英吉利共和国），随后在很大程度上如经典政治理论所预见的，便是以克伦威尔为护国公形式的专制统治。克伦威尔死后，君主政体得以复辟，没过多久，以前的问题又出现了。有充分的理由表明，查理二世及其兄弟有倾向于罗马天主教，渴望减弱国会权力的嫌疑。英国议会邀请荷兰发动政变，于 1688 年废黜詹姆士二世；《权利宣言》有力地结束了有关财政权力的争论："未经议会授权，以行使特权之名，长期代表王室或为了供其使用而征收费用，或以有别于上述的其他方式征收费用的行为，均是非法的。"光荣革命结束了（国王）任意征税的威胁，将政府的收入、开支和借款置于比例失衡的资产所有者组成的机构的监管之下，为后续我们或许可以称之为英国的"海上财政综合体"奠定了坚实的基础。即使斯图亚特王室于 1714 年或 1745 年成功复辟掌权，他们是否就能废除这种机制，这是很值得怀疑的。

然而，17 世纪的英国所经历的更为深刻的变革却与政治本身的性质有关。论战在两个牛津人之间展开，其中之一曾在牛津的摩德林学院接受教育，另外一人则在牛津的基督教会学院求学。这两人都得到了贵族的资助，前者受德文郡公爵资助，后者受沙夫茨伯里爵士资助。这两人的思想灵感同样得益于他们在国外度过的生涯：前者在法国，后者在荷兰。在托马斯 · 霍布斯看来，如他在《利维坦》（*Leviathan*，1651 年）中所论，17 世纪上半叶的教训是很清楚的："如果人类生活在缺少令他们畏惧的公共权力的社会中，他们就……处于战乱之中，相互敌对，自相残杀。"霍布斯认为，只有"恐惧感"才能让人类履行其义务，因此，必须将权力赋予一个强硬的君主，使之肩负国防、教育、立法和司法的责任。至关重要的一点是，霍布斯认为，必须确保君主的权威不受任何人的挑战。任何"契约"（宪法）均不能限制他，权力不能被分散，也不能把他"合法地处死"。这并非对皇室专制政体的辩护（偶尔有人这么认为）；相反，鉴于他对人类的缺点持悲观看法，又鉴于他倡导强硬君主的实用主张，可以说，《利维坦》论著切断了霍布斯与那时被流放的斯图亚特王室的关系。因为霍布斯清楚地表明，他所谓的君主既可以是一个帝王，也可以指议会（即"一个人，或者一群有着共同目的的人"）。所以说，他的观点绝不是斯图亚特王室的忠诚支持者罗伯特 · 菲尔默爵士——《父权论》（*Patriarcha*）的作者——提倡的君权神授论。

约翰 · 洛克的第一部《政府论》（*Treatise of Government*，1690 年）驳斥了菲尔默的主张，他的第二部著作则首次对霍布斯发难，彻底挑战了他的观点。与认为社会的自然状态是战争状态，只有依靠铁腕政权才能解决问题的观点不同，洛克认为，社会真正的自然状态是和谐的；而不遗余力"夺走自由"，与社会为敌的，正是那些成为专制主义者的人。人们选择接受管理，并不完全是出于畏惧。作为一个“理性动物构成的社会”，其成员会为共同的福祉而努力。在以此为基础构建的共和国中，只有“公民社会”才能将权力委托给一个“立法机关”：超过半数票的决议是以所有公民的间接同意为基础的。霍布斯认为，君主必须是单一而不可分割的，洛克的提法与此相对，他明确地主张将“行政机关”和他所言称的“联邦”机关与立法机关分开，虽然在他看来，立法机关最为重要，负有制定法律及任免法官的责任。在对自由的阐述上，霍布斯和洛克之间的差异则更为显著。在霍布斯看来，“一国国民的自由仅体现在……君主允准的那些方面（即君主明确赋予的那些权利）”，而“法律沉默”的情形，其前提必须有利于君主。洛克对自由的理解与之截然不同：

> 没有法律，便没有自由……立法机关通过颁布习惯法，任命以确保大众福利为终极目的的、普遍认可的法官……而肩负着伸张正义的使命。

在洛克的理论中，自由的概念非常鲜明。何为自由？“自由是……在他所属国家相关法律的允许下，按照自己的意愿处置和授权他个人、行为、拥有物及其所有财产的自由，不受制于其他人的随意性意志。”关键在于，“人归于共和国的最大、最重要的目的在于……保护其财产权”。“没有他本人的同意”（也就是说，如果没有大多数代表一致同意征税），立法机关不得“从他处侵占他的任何财产”。这确实具有革命性的意义，这点洛克再明白不过了，因为在1688年的大事件发生后不久，他便撰写了论著：

> 立法机关仅仅是为了达到某些目标而发挥作用的一种受托权力机关，至高无上的权力仍然掌握在大众手中，如果他们发现立法机关辜负了大众委托给它的责任，他们会决定是否解散或变更立法机关。

虽然在 1776 年前仅有一部美国版的《政府论》问世，而且也有待完善，但洛克的思想对北美的社会和政治均产生了深刻的启迪作用。与此相对，独立后的拉丁美洲的政治体制不是沦为霍布斯所说的自然的无政府状态，就是成为粗陋版的霍氏独裁政权体制。

对西欧的君王而言，新世界的发现意味着领土面积的大规模增加。那些美洲的新定居者（南美的西班牙人和北美的英国人）所面临的关键问题，是如何分配这些新的土地。这个问题如何解决将关系到西方文明未来的主导地位。他们对此的解决方法截然不同。

驶抵卡罗来纳的首只船的船长走上海滩时，为新世界带去的是体制模板，一份重点在于解答土地问题的模板。卡罗来纳的基本宪法于 1669 年起草，起草人正是洛克本人，他当时是卡罗来纳 8 位领主之一沙夫茨伯里爵士的文书。这份文件引人注目的地方，不仅在于那些殖民者所采纳的原则，而且那些他们没有采纳的原则同样备受关注。资助他的贵族渴望“避免建立多数人专政的民主政体”，洛克顺从了他们的意愿，在北美设计了一套确保世袭贵族制和等级森严社会的机制，包括所谓的领主、伯爵领主、男爵及五花八门的酋长和民事法庭人员之分，并严格限制他们对大块土地进行转让或细分。他认为，“伸手要钱或要求回报是卑鄙可耻的”，因此也就竭尽全力地禁止职业律师行业。令他感到不舒服的是，他的贵族资助人强烈要求他在其体系中纳入这么一条（第 96 条），规定英国圣公会为卡罗来纳的州立教会。不过其中的大多数原则，并没有被这里明智的殖民者采纳，但他们确实保留了洛克所提出的一项关键主张——政治代议和财产所有权应该关联起来。其中第 4 条规定，3/5 的土地应分配给“大众”。第 71 和 72 条明确提出，应设立议会，每两年举行一次会议，而且——

在其所在选区，自由不动产少于500英亩土地的任何人不得被选为议员；在其所在选区，自由不动产少于50英亩土地的任何人也不具备选举上述议员的投票权。

所以，很多情形都取决于卡罗来纳的土地将如何分配。

有一段时间，人们所担心的是，派往卡罗来纳的第一批定居者可能已遭海难，葬身鱼腹了。当大家最终发现他们已安全到达时，殖民者起草了后来为人们所知的《巴巴多斯宣言》，用以管理土地的分配。其中重要的一点是，至少可以确保定居者获得一定量的土地："在1672年3月25日前来到此地居住、耕种的自由民，其本人或其继承人都可分到并永远占有100英亩的土地……"但是，如果响应这个承诺、来此定居的自由民规模不足的话，情形又会怎样呢？答案显而易见，当签署契约的仆人服役结束时，通常在5年或6年后也将被分配土地。

在英国，米利森特·豪和亚伯拉罕·史密斯的生活一直过得很艰难。穿越大西洋也可谓危险重重，毫无疑问，他们也明白，到达北美定居点的大批移民，没能挺过头一到两年的"日晒雨淋的艰苦适应期"。但是，这里有使他们甘愿冒险的鼓励措施。在英国，不动产产权受保护，是安全的，但是它们却掌握在极少数人的手中。（1436年，大约有6 000至10 000个家庭的贵族和绅士占有了约45%的土地，教会占20%，国王占5%。）但在美洲，即便是最底层的人也有机会首先登上财产权的高梯。这就是"人头权利"体系的精髓，这种体系同样也在弗吉尼亚、马里兰、新泽西和宾夕法尼亚施行。在土地充裕而劳动力短缺的定居点，这种体系切合实际，十分合理。洛克在他写的《对降息后果的思考》（*Considerations of the Consequences of the Lowering of Interests*）中提到："处于全球文明地区的大多数国家，都或多或少存在贫富差异，这与其国民人口的多寡息息相关，而无关其土地资源是贫瘠还是肥沃。竞争对手如西班牙或荷兰帝国，并没有靠耕种土地改善殖民地的情形；他们在东印度群岛的做法仅仅靠战争、商贸，及在海岸城镇构筑堡垒和要塞，并以此确保与该地区他们所征服的人进行商贸活动并实行垄断，不是像英国人所干的那样，开荒垦地”。然而积极耕种土地的做法不仅是一种更优的领土扩张主义形式，还把从原始狩猎部落那里非法占有土地的行为合法化。用洛克的话来讲：“只要一个人辛勤劳动、耕耘、种植、精心管理土地，并能利用其产出，这土地便是他的财产。通过劳动，事实上，他是从公有地中圈占了那块土地。”以他对私有财产权的定义看，印度安人的狩猎地便是无主之地，完全适于开发。这就是征占土地的特许权。

自从第一批定居者抵达后，每一笔土地交易都记载于北查尔斯顿土地让渡署，记录包括给那些契约服役期满被给予男女定居者的所有小块土地。米利森特·豪和亚伯拉罕·史密斯被分配的应得土地分别是100英亩和270英亩土地，他们有权自由买卖。他们确实成功了——不仅经济上如此，政治上也是如此，因为洛克在他起草的基本宪法中清楚地表明，拥有政治权力的，便是那些土地所有人。如果你是个男人，就像亚伯拉罕·史密斯——但不是女人，如米利森特·豪——又拥有50英亩以上（包括50英亩）的土地，那么你不仅可以拥有投票权，而且可以选为陪审团成员。最为关键的是，作为投票人或陪审团成员，又或者作为议员，你有且只有一张投票权，不论你拥有的是所要求的最低的土地数量还是数百倍于那个数字的土地。

这种财产主的民主政治，其发源可谓低调、朴素。卡罗来纳选举的第一批代表起初在教堂街13号一所平实无华的查尔斯顿住宅楼上聚会。然而，这种民主机制即将成为政府形式变革的“发射台”。英国国王以赋予贸易公司特定权利的形式，奠定了其美洲帝国的根基。尽管当地总督由皇室任命，但其前提是，当地殖民者应具备自己的代议制议会，而这自然是从其特许权公司的地位发展而来的。事实上，他们也在争分夺秒地建立此类机构。早在 1919 年，弗吉尼亚议会便召开了首次会议。截至 1640 年，在包括马萨诸塞湾、马里兰、康涅狄格、普利茅斯、纽黑文及巴巴多斯在内的英国殖民地中，共有 8 家议会。拉丁美洲根本没有这样的机构。

简而言之，此中关键在于社会阶层的变化：诸如亚伯拉罕 · 史密斯这样的人几乎身无分文地来到这片荒原大陆，然而，没过多少年，他便不仅拥有了财产，还拥有投票权。美国革命前夕、后来的 13 个州的 7 个州中，投票权与土地所有权或财产税密切联系在一起——这种规定在某些地区到 19 世纪 60 年代都一直有效。

在南面的西班牙殖民地，土地的分配形式则完全不同。

在一项于 1534 年 8 月 11 日颁布的法令中，皮萨罗给杰罗尼莫 · 德 · 阿利阿加和另一个名为塞巴斯蒂安 · 托雷斯的征服者赐予了大片的封地，这片封地位于秘鲁安第斯山优美的胡亚拉斯山谷。那里的土地肥沃，山上富含珍稀铁矿。阿利阿加面临的问题在于，该如何开采这些资源。而这个问题的答案，与约翰洛克为北美所设计的方案很是不同。

起初，封赐给阿利阿加和托雷斯的并不是土地，严格地说，他们所得到的仅仅是居住在那里的大约 6 000 人左右的劳动力。在诸如卡罗来纳这样的英属殖民地中，土地被广泛分配在居民手中，与此不同的是，在西属美洲，极少数精英拥有的是土著民，如何压榨他们则是他们的特权。此前，这些土著民在米塔体系中为印加国王出力。如今，他们的命运是为西班牙人劳作。这本质上是一种贡赋制度，其形式便是艰辛的劳动。印第安人耕耘土地，还从山上开采黄金、白银，而且要完全听命于西班牙人。1542 年开始施行分工制度，皇家开始管理土著民劳工资源的使用，这是劳役贡赋制度虐待劳工报告出版后的新调整，至此米塔体系才略有改变。（事实上，托雷斯就是因为虐待成性而被他的几个印第安劳工杀死。）封地并非永久赋予男人及其继承人，按照卡斯提尔法律，他们所在的土地仍然属于西班牙国王的财产，这些土地甚至不能用篱笆围起来。这些土地是十分缓慢地发展为世袭的大庄园的。最终结果是，征服者阶层逐渐成为懒惰的美洲富人，而绝大多数的居民却只获得了数量极少的土地。即便是西班牙移民，受封人口也是少数，大抵只占秘鲁西班牙后裔人口的5%。尽管该地曾遭受疾病肆虐，但秘鲁的土著劳动力仍然相对充裕。1700年，在西班牙所属的三大殖民地中，其人口密度是英属美洲大陆人口密度的好几倍，所以西班牙人觉得毫无必要从欧洲引进大批契约劳工。事实上，从16世纪初期开始，西班牙人便不遗余力地限制前来美洲殖民地的移民。结果，在西班牙的统治下，其殖民地根本就不存在英属美洲所特有的阶层晋升现象。

西班牙人的统治也意味着罗马天主教的推行，这并不坏，毕竟正是多米尼加传道士弗赖·佩德·罗科尔多瓦首次揭露了大授地制体制下令人震骇的土著民虐待问题，究其根本，这只是一种垄断。与之相对的是，北美则逐渐成为接纳新教众多教派的家园，不同意见、多元化是符合英属殖民地组织原则的。这有其黑暗的一面（萨勒姆巫术思想开始出现），但有其明显的益处：致力于政治和宗教信仰自由的、由商人和农民构成的社会得以形成。在起草的卡罗来纳基本宪法的97条法令中，约翰·洛克清楚地表明了英国包容宗教信仰的程度：

> 这个地方与我们的种植相关的土著民对基督教是完全陌生的，尽管他们懒惰、无知或常犯错误，但这不等于说我们有权力驱逐、滥用他们；而对于从其他地方来这里耕耘的那些人，他们自然也会对宗教事务

持不同的看法，他们享有这方面的自由，基于这个原因，排斥他们是不合理的。在不同的意见中可以维持民间的和平，应恰当而忠实地遵循我们与所有人达成的协议和契约。不论在何地，违背契约之举都不可能不对我们“万能的主”造成伤害，不可能不对我们所宣扬的真正的宗教带来莫大的丑闻。我们不得让犹太人、异教徒及纯洁的基督教反对者感到害怕，也不得排斥他们，与之保持距离。相反，我们应该让他们熟悉基督教条包含的真理和合理性，让布道者以和平、不触犯他们的方式，并利用适合《圣经》中所有友善、谦恭的说服性方式，谨慎布道，赢得他们的心，使之真诚地信赖它，接受它的真理。所以，只要有 7 个以上的人（包括 7 人）皈依同一种信仰，他们就应形成一个教会或宗教会，并为之命名，以便与其他教会相区别。

欧洲经历了数年严重的宗教冲突之后，设想出一个仅有 7 人便可以合法地开创一个教会的社会，这需要极大的自信。当时机来临，北美和南美人民能够独立自主的时候，北美和南美民间社会存在的深刻差异就会产生持久的后果。

美洲革命

1775 年，尽管北美和南美之间存在着极为深刻的经济、文化差异，但南北美洲的殖民地仍然由遥远的国王所统治。然而，这种情形即将改变。

1776 年 7 月 2 日，大群人口集聚在查尔斯顿的老交易所建筑的台阶前，见证南卡罗来纳政府宣布脱离英国独立的历史时刻。这是第一个这么做的殖民地。40 多年后，西班牙在拉丁美洲的统治结束。然而，北美洲的革命巩固了财产所有者的民主权利，催生了一个在100年后发展为全球最富裕国家的联邦政府，而南美洲的革命却使格兰德河以南的美洲陷入了长达两个世纪的分裂、混乱和经济落后的局面。这是为什么？

不论西班牙还是大英帝国，都在18世纪晚期经历了种种危机。帝国政府逐渐加强了跨大西洋贸易的管理，“七年战争”（1756~1763年）付出了高昂的代价，这为殖民地的暴动提供了可乘之机。18世纪70年代，英属美洲殖民地不断发生起义，而西班牙统治的南美也不例外：1780~1783年爆发了图帕克·阿马鲁二世领导的印第安人起义；1781年，新格拉纳达（今天的哥伦比亚）爆发了考姆奈罗起义。英属的13个北美殖民地要求获得独立，这是由商人和农民构成的、具有自由主义精神的社会，对帝国过度统治的反抗。我们完全可以说，这些起义是17世纪40年代因征税和代议制老问题而引发的英国内战的延续，但事实不仅限于此。其中十分重要的一点是，土地问题在美国革命中扮演了至关重要的角色。英国政府试图限制在阿巴拉契亚以西的定居，这直接损害了殖民扩张主义者的未来愿景，对诸如乔治·华盛顿那样热衷地产的投机商来说，这俨然是对财产的侵占。①“七年战争”期间，当伦敦的英国政府与印度安部落达成协议时，华盛顿认为，这些交易仅仅是战争时的权宜之计。当他发现印第安人的土地在1763年公告被承认后，他颇受震动：

> 对于这个公告，我只能说（但仅限于我们内部），这绝对是缓兵之计，是用来平息印第安人的权宜之策（1767年，他给他未来的合伙人

① 华盛顿17岁时被任命为新成立的边疆县库尔佩珀的土地测量员。这种技能使他在法国和印第安战争（殖民者所言的“七年战争”）担任军官时具有不少优势。1752年，华盛顿开始了他作为土地投机商的事业，在弗吉尼亚弗雷德里克县布尔斯金河沿岸地区购置了1 459英亩的土地。取得独立战争的胜利后，他和他的战友获得了俄亥俄河以西的土地，作为此次战争胜利的合法战利品。

> 威廉·克劳福德这样写道)。过不了几年，这种交易自然会流产，尤其在印第安人同意我们占有土地之后。如果我们不把握当前猎取上佳土地的机会，不去对土地作测量并占为己有以免他人捷足先登的话，这种良机将再难遇上。如果您在获取土地时遭遇困难，只要有可能，我会不遗余力、不惜代价来作土地测量、争取土地所有权，将这块土地收入囊中……说到这里，或许您已然明白，我的用意在于获得大量土地的所有权，而您也将随之获得数量不菲的土地……（但）请保守这个秘密计划，或仅将此事透露给能助你发现上佳土地的人。

1768 年，华盛顿获取了位于现在西弗吉尼亚的梅森、普特南和卡诺瓦等县、面积达 45 000 英亩的土地；同时，他也是后来将特拉华、肖尼和明戈等部落驱逐出俄亥俄河以南土地的直接获益人。然而，在他的眼中，1774 年《魁北克法案》使当时的局势进一步恶化了，因为该法案不仅使法属加拿大的领土扩张到了当今的伊利诺伊、印第安纳、密歇根、俄亥俄、威斯康星及部分明尼苏达，还赋予了说法语的天主教徒信仰自由。这也难怪反叛的新英格兰人将该法案与波士顿倾茶事件后通过的 4 项惩罚措施一起，视为“无法容忍的法案”了。

在诸如税收和代议制的关键问题上，如果伦敦作出及时妥协，战争或许本可以避免。如果英国豪将军和伯戈因将军在指挥战争方面干得更出色，战争的走向或许也会截然不同。抑或，如果英国在外交关系的处理上更为圆通，英国也就不会被孤立，也就不会有法国后来在 1781 年约克镇的胜利。如此一来，设想 13 个州后来会分裂而不会团结在一起，也不是没有可能。战争及战后的经济问题是严峻的：1779 年年通胀率达到顶点，几乎是原来的 4 倍，随后在 1774 年至 1790 年发生的经济萧条使人均收入减半，国家累积的负债规模庞大，1790 年占国民生产总值的 62%，各州相互征税，而更为糟糕的是，马萨诸塞州农民们，如丹尼尔·谢伊斯，在其财产被征收用以支付税收欠款和私人债务时，被迫公开造反。如果革命的进程在《邦联条款》诞生前就戛然而止的话，或许北美洲的命运可能会更像南美洲的情形：一部四分五裂而非紧密团结的历史。要为新的共和国建立一个切实可行的联邦体，而不仅仅限于创建洛克式的权力分立——行政、两院立法和最高法庭，还要形成统一的市场、统一的贸易政策、统一的货币、统一的军队，（及最为重要的）对于债务超过财产的人还要有统一的破产法，这就需要 1787 年《宪法》——人类历史上一部政治体制建设的最为鲜明的宪法，同样，我们不能忘记这部《宪法》的第四修正案：确保个体享有免遭“无理搜查和没收”的权利。

从根本上说，关键全都围绕财产权。从这种意义上说，最注重实效性、在独立战争中获益甚多的人中，自然也包括华盛顿。1800 年签字生效的遗嘱中，他列出的土地共计 52 194 英亩，遍及弗吉尼亚、宾夕法尼亚、马里兰、纽约、肯塔基、俄亥俄谷，以及弗吉尼亚各城市，包括亚历山大、温切斯特、巴斯（现今的伯克利斯普利斯、西弗吉尼亚）和以他的名字命名的新创建的城市。在美国早期的历史中，没有什么能比这更好地诠释土地和自由之间的密切联系了。在南美洲，印第安人在耕耘土地。在北美洲，他们失去了土地。

西蒙·玻利瓦尔本该是南美的华盛顿，他也推翻了一个帝国——西班牙。但是，他却没能创建一个南美的合众国。美国革命不仅在前英属殖民地之间实现了统一（当然，加拿大和加勒比殖民地仍然忠于大英帝国，正如很多忠诚的亲英美国人选择离开这个年轻的共和国一样）。殖民地的独立把美利坚合众国送上了一条兴旺发达之路，其财富之多，实力之强大，迄今没有哪个国家超越。然而，南美洲殖民地从西班牙的独立给南美洲留下的却是持续不断的冲突、贫穷和不平等。为什么资本主义制度和民主政治没能在拉丁美洲开枝散叶呢？我曾问我在哈佛大学的一位同事：拉丁美洲是否属于西方？他不能给出肯定答案。为什么玻利瓦尔没能成为拉美的华盛顿呢？

玻利瓦尔 1783 年出生于一个富裕的可可豆种植主家庭，不满 10 岁便成了孤儿，14 岁进了军队。玻利瓦尔在西班牙和法国游学。1804 年，因为西班牙发生食物短缺，所有外国人（包括拉美的黑白混血人种）均被驱逐出马德里，于是他们留在巴黎。玻利瓦尔于 1807 年返回委内瑞拉，此时他一方面深受拿破仑时期的法国革命的鼓舞，一方面也厌恶西班牙人的统治。玻利瓦尔梦想着有朝一日在他祖国发生类似的变革。但是，当南美真的迎来革命时，却并没有经过精心策划。1808 年拿破仑突袭西班牙之后，南美突然迎来了权力的真空带，革命便趁机而动了。两年后，玻利瓦尔被派往伦敦，任务是如果法国进攻西属美洲殖民地的话，希望能得到英国的支持。他没能如愿，但他遇到了弗朗西斯科 · 米兰达——委内瑞拉独立中身经百战的积极支持者——并与之交好。当他们于 1811 年 7 月返回委内瑞拉时，他们宣布成立委内瑞拉第一共和国。

然而共和国以失败告终。1811 年宪法明确地将投票权限制在财产拥有者群体内，但是，正如我们将读到的，相较于北美的法令，人口比例大得多的群体被排除在投票权之外了。结果，无产者，包括为数众多的被解放的奴隶，都站到了保皇党这边。保皇党派牢牢控制住卡贝略后，玻利瓦尔对米兰达的幻想破裂了，将他出卖给西班牙人。逃往新格拉纳达后，玻利瓦尔着手联合那里的黑白混血人种，为第二次独立备战。

以独裁者角色宣布成立第二共和国后，玻利瓦尔发动了所谓的令人钦佩的运动，将保皇党人从梅里达、波哥大、加拉加斯和特雷西略赶走，并为自己赢得了“解放者”的称号。他于 1813 年颁布的《战斗至死法令》表明了这场冲突与日增加的邪恶性："任何西班牙人，如若不积极采用有效措施，代表这场正义的事业反抗暴政，都将被视为敌人，受到惩罚；作为祖国的叛徒的任何西班牙人，必将被行刑队枪决。"处死囚犯已成惯例——有一回，一次处死了800人。直到他的一个绰号为魔鬼的下属给他送来一位上了年纪的西班牙人的人头时，他才有所收敛。然而，尽管借助于恐怖手段，非白人仍在不断叛逃至保皇党一边。1812年，加拉加斯发生了一场毁灭性的地震，大约10 000人遇难，这似乎应验了教会对独立运动的谴责和诅咒。[①]玻利瓦尔以其特有的藐视态度宣布："如果自然与我们作对，我们将与之战斗，并使之顺从我们。"然而，他面临的最大麻烦却不是自然，而是何塞·托马斯·博沃斯这个西班牙叛徒，他领导的乌合之众，包括印度安人、流浪奴隶和逃兵，他们对自由的兴趣远不及对财产掠夺的兴趣，而玻利瓦尔却没能将他们收服。在吃了一连串败仗后，玻利瓦尔被迫再次逃亡，这次去了牙买加。在牙买加的短期逗留进一步使他相信，解放委内瑞拉的奴隶现在必须成为他的策略之一。只有以这场独立事业感召黑白混血群体和黑人，他才有希望取得胜利。现在，他联合的对象转向了包括"有色人种"的所有南美人。

至少，这种策略奏效了一阵子。受政治代议权利的吸引，很多棕色人种加入了玻利瓦尔的军队。他们渴望的是，成为曼纽尔·卡洛斯·皮耶这样的人。皮耶来自库腊索岛，是西班牙商人的儿子，拥有一半荷兰血统、一半非洲血统。对于一个像他这样的混血人种来说，能得到总司令的头衔，这就表明玻利瓦尔在确实地实践他作为南美所有人解放者而不论人种的宣言。与此同时，西班牙人对重新恢复皇室权威的支持也在不断减弱。1820年，即将穿越大西洋被派去"重新殖民美洲"的14 000人在加的斯发生兵变，这对巴

① 然而，有些牧师的确是支持这场独立运动的，尤其是在新格拉纳达，因为他们对西班牙在南美教会的征税极为不满。为镇压这些持异见的牧师，保皇主义者发起了卡塔赫纳审查活运动。

勃罗 · 牟利罗这位保皇派司令官是一个沉重的打击，他支撑西班牙即将倾覆的帝国大厦的重任可谓费力不讨好。

机遇之轮正在渐渐靠向玻利瓦尔，但是，他还有很多仗要打。为了进一步充实听他调遣的军队的实力，玻利瓦尔开始寻求海外的支持。令人难以置信的是，他居然找到了支持力量。

在加拉加斯市中心，为委内瑞拉开国元勋建立的宏伟的纪念碑上，赫然刻着几位极不相宜的名字：布朗、麦格雷戈、弗格森，而奥康纳、奥利里和罗伯逊也自然在内。而在 1810~1825 年，为拉丁美洲的自由事业而战并献身的英国和爱尔兰士兵有很多，以上所列只是其中几个而已。

共计有大约 7 000 名英国和爱尔兰志愿者报名入伍，协助玻利瓦尔将南美从西班牙统治下解放出来。有些士兵是拿破仑战争后退伍的老兵，战火停息后的太平并不是他们所感兴趣的。有些志愿者无疑受到了玻利瓦尔所象征的更崇高的事业的激励：缔造自由、统一的南美。1815 年后，解放事业成为不可阻挡的趋势，也有些理想主义者，其中最为知名的是拜伦，他跑到希腊，帮助他们从奥斯曼帝国的奴役中解放出来。但是，与早期移民北美的英国人一样，远涉重洋来到委内瑞拉的大多数人，事实上是被给予土地的承诺所吸引：作为在军队服役的回报，他们将得到军事资产。这其中就有一个年轻的上尉，他来自曼彻斯特，名叫托马斯 · 费里尔，没过多久他发现自己已升任玻利瓦尔所领导的英国军团总指挥。

费里尔对新成立的玻利瓦尔式的美利坚的第一印象，来自一个叫做安格斯特拉（苦味物原产地）[①]的镇子，地处奥里诺科河不适宜居住的两岸——玻

① 事实上，安格斯特拉苦酒是一位在玻利瓦尔军队服役的德国人所发明的，他就是约翰 · 戈特利布 · 本杰明 · 西格特博士。他于 1824 年按照一种至今无人知晓的秘方首次制造了酒精浓缩汁。皮斯科酸如果不加上几滴西格特研制的浓缩汁的话，就愧对了它的名字了。

利瓦尔正是在此建立了他的根据地。在接下来的4年中，他和战友从大西洋沿岸打到太平洋，经历了数次战斗。1819年，在博亚卡战役后，玻利瓦尔参与了夺取通哈和波哥大的战斗，随后，他在波哥大宣布成立哥伦比亚共和国。接着，他们剑锋北指，向委内瑞拉挺进。1821年的6月24日，他们终于进抵了卡贝略港南部的卡拉沃沃。这是玻利瓦尔此行委内瑞拉攻势中决定成败的关键之战。共和军大约6 500人，他们面对的是忠于西班牙的5 000保皇派将士。如果玻利瓦尔的军队那天可以获胜，那么东进加拉加斯的大道便畅通无阻了。

西班牙在俯视战场的山上构筑了掩体工事，玻利瓦尔命令费里尔指挥600士兵对西班牙人实施迂回包围。借助于隐蔽性很好的沟壑，他们可以悄无声息地接近敌军。但是，西班牙人一发现他们便即刻开火，至少有两门大炮和3 000支步枪的火力。费里尔顶着酷热徒然等候玻利瓦尔的增援。最后，他下达了前进的命令。接下来进行的是刺刀肉搏战，这是南美历史上的最为悲壮的军事壮举之一。有历史如此描述，“这不仅需要超人的勇气，而且要具备只要一息尚存就要坚持下去的巨大耐心和顽强的意志”。当敌军阵地最后被拿下时，费里尔已因致命伤躺在了地上。因为胜利而欣喜若狂的玻利瓦尔称这些英国士兵为“我们祖国的救星”。

玻利瓦尔成为了他所称的大哥伦比亚——包括新格拉纳达、委内瑞拉和基多（即如今的厄瓜多尔）——的主人。何塞·圣马丁——那位阿根廷和智利的解放者，将政治领导权交给了他。1825年，玻利瓦尔的军队将所剩的西班牙军队赶出了秘鲁，为了纪念他，秘鲁以北地区重新命名为“玻利维亚”。接下来的一步便是成立一个包括大哥伦比亚、秘鲁和玻利维亚的安第斯邦联。

玻利瓦尔的大哥伦比亚没能确立其作为拉丁美洲合众国的核心地位，为什么？乍看之下，答案在于他决意要集中权力，同时还在于西班牙失败后地区军阀乘机进入了这个权力的真空地带。但这种解释还忽略了他们所面临的更为深层的三个难题。

第一个难题是，南美人民事实上没有民主决策的经验，即从一开始北美殖民地议会就习惯的那种民主做法。确切地说，因为权力如此集中于伊比利亚半岛的西班牙本土人士手中，混血人种事实上几乎不具备任何形式的行政管理经验。玻利瓦尔在1815年曾这样说过：

> 我们……既不是印第安人，也不是欧洲人，而是一个介于本国合法业主和西班牙篡权者之间的群体……我们被隔离了——事实上，是脱离了行政和国家管理技能意义上的世界。我们从没就任过总督或地方长官，只有极少数例外情形；很少担任大主教或主教；从没做过外交官；而作为军人，只是下级；即使是贵族也从不具备皇家的特权。简单地说，我们不是行政长官，不是金融家，也极少是商人。

新格拉纳达由混血人种组成的议会中，派系倾轧，暗斗不止，对此玻利瓦尔十分沮丧。在他1812年发布的《卡特赫纳宣言》中，他嘲弄道，“那种致命的宽松体系……任何稍具常识的人都会谴责它的软弱无能”。他也不屑于“那些慈悲的空想家，他们在脑袋中勾画出完美的共和国，又认定人性的完美，便一心要取得政治上的完美”，玻利瓦尔认为这是一种“有罪的慈悲”。同时，他谴责了委内瑞拉第一共和国探索联邦体制之路的实践：联邦体制“使得人们各行其是，践踏社会公约，把各族人民引向无政府状态”。在他第二次流亡牙买加时，他已确信，“完全代议制的体制与我们的国情、习惯和目前的认识水平不相符”。在卡拉沃沃之战打响的前两年，面对在安格斯特拉新组建的国会，他曾以类似的心境如此说过：

> 虽然那个国家发源于自由，成长于自由，又仅靠自由来维持……但以联邦体制如此软弱、如此复杂的政府组织，竟然能够在过去艰难困苦的时局中勉力运作，真是让人称奇……

在他看来，美利坚合众国的宪法要发挥作用，则需要一个“由圣人组成的共和国”。这样一套体系不可能在南美取得成功：

> 不论北美所采用的这种政府形式是否有效，我必须要说，我在任何时刻都不认为这两个国家的情形有英属美洲和西属美洲之分，我从来没有这样的念头。

所以，玻利瓦尔的梦想并非民主体制，而是独裁政治；并非联邦制政体，而是集权力于一身，正如他在卡特赫纳宣言中所陈述的，“因为我们的同胞还没有能力最大程度地自己行使权力，因为他们缺乏真正的共和主义者所具有的典型政治德行”。在他设计的宪法——除了其他具有鲜明特征的条款外，还有两院议会体制——之下，玻利瓦尔就是要终其一生做一个独裁者，有权任命其接班人。“我至为深切地确信，”他陈述道，“美洲人只能由一个合格的专制主义体制所统治……以法律制约领袖，以原则来限制公众，这是我们做不到的。”他 1828 年颁布的《组织独裁令》清楚地表明，在玻利瓦尔时代的南美洲，根本就没有财产所有者的民主政治，也没有任何法治可言。

第二个问题与财产本身的不平等分布有关。要知道，玻利瓦尔自己的家庭拥有 5 栋物业，占地面积超过 120 000 英亩。在战后的委内瑞拉，仅占全国人口 1.1%的约 10 000 人的黑白混血精英几乎拥有了所有的土地。在这方面美国与之的差异可谓惊人。北美独立革命后，新迁来的居民获得土地甚至更为容易，这或许因为政府信誉（1787~1804 年颁发了不同法令），或许因为诸如1841年所颁布的《优先购买权法》——赋予擅自占公地的定居者以法定权利，也或许是因为1861年所颁布的《宅地法》——事实上使边疆地区小农规模的土地成为免费资源。在拉丁美洲，因为在乡间保有大量地产、在人口稠密的沿岸地区拥有廉价劳力的利益集团的反对，没有实施此类措施。例如，在1878年至1908年间的墨西哥，超过全部土地面积1/10的土地，大批地让渡给了土地开发企业。1910年，在墨西哥革命的前夜，农村地区竟然只有2.4%的家庭拥有一点土地。阿根廷的土地拥有率高一些，从拉潘帕省的10%到秋波河的35%不等，但没有任何地方的土地占有率接近北美洲。1900年，美国农村中的财产拥有率仅略低于75%。

应该强调指出的是，这并不是美国所独有的现象。加拿大农村地区的财产拥有率甚至更高，达87%，在澳大利亚、新西兰及部分英属非洲地区，情形也大抵相似，这就表明，（白人）土地所有权思想的广泛传播显然具有鲜明的英国而非美国特色。迄今为止，这仍然是南北美洲之间的巨大差异之一。在秘鲁，直到1958年，仍然是2%的地主控制了所有适耕地的69%；83%的人仅拥有6%的适耕地（包括12英亩或更小块的土地）。以至于抱着获得军事资产土地份额的希望前来为玻利瓦尔而战的英国志愿者，最终十分失望。在起程前往委内瑞拉的7 000人中，只有500人最终留了下来。有3 000人战死沙场或死于疾病，其余的人则回英国老家了。

第三个也是与玻利瓦尔的大哥伦比亚没能确立其拉丁美洲核心地位密切联系的难题在于，种族差异和分裂程度在南美更为严重。诸如玻利瓦尔这样的黑白混血人种对伊比利亚半岛人极端仇视，其程度远远甚于马萨诸塞州的“爱国者”与“英军”之间的敌意程度。而有色人种和奴隶对混血人种也一样并不友好。玻利瓦尔呼吁黑人的支持，并不是因为他从心底持种族平等信念，他只是将它当成一项政治权宜之计。当他怀疑皮耶计划团结他周围的混血群体反对白人时，就把他抓起来，并以叛逃、违抗命令和阴谋反对政府为由对他进行审判。1817 年 10 月 15 日，面向安格斯特拉大教堂站着的皮耶被行刑队枪决，附近玻利瓦尔的办公室里都能听到枪声。玻利瓦尔也并非完全没有兴趣将享受政治权力的范围扩大，覆盖到原住民，但宪法中规定的所有投票人应识字的要求，实际上将他们排除在这个政治主权国家之外了。

南美洲的种族分裂情形比北美更为复杂，要弄清这一点，至关重要的一点是，切实了解玻利瓦尔时代之前便已存在的差异。1650 年，美洲印第安人在南北美洲的人口占比大约都在 80%左右，巴西也不例外。但到 1825 年，南北美洲的人口比例便截然不同了。在西属美洲，原住民在其总人口中的占比仍然大约为 59%。然而在巴西，相应比例却降至 21%，而在北美，其占比却在 4%以下。在美国和加拿大，来自欧洲的移民工作已在进行，而靠军事武力又能更为轻易地强占印第安人的土地，使他们背井离乡迁至边远的“保留地”。在西属美洲，印第安人不仅人口数量更多，而且在缺乏北美相应的大批移民的补充情况下，他们也自然成了大授地体制不可或缺的劳工力量。此外，如我们即将读到的，非洲奴隶制度对各式欧洲定居地区也产生了不同的人口方面的影响。

因此，到头来，玻利瓦尔所构想的南美统一愿景被证明是不可能实现的。在新格拉纳达、委内瑞拉和基多发生暴动后，安第斯邦联提议遭到拒绝，当委内瑞拉和基多退出邦联时，大哥伦比亚也就解体了。胜利者是玻利瓦尔以前的同僚何塞·安东尼奥·派斯，他将自己放到了策动委内瑞拉独立的先锋位置。玻利瓦尔于 1830 年 12 月死于肺结核，他在一个月前从总统和总司令职位上退下来，他写的最后一封信充满沮丧之情：

> ……我已经统治了 20 年，从中我仅能肯定如下几点：第一，（南）

美洲是我们所无法统治的；第二，效力于革命的都是远渡重洋而来的那些人；第三，美洲人所能做的唯一一件事就是移民；第四，这个国家将不可避免地落到难以驯服的大众手中，随后又会以几乎令人难以觉察的方式落到一小撮暴君手中，不论其肤色和种族如何；第五，既然我们已被各种罪行和纯粹的暴力所破坏、所消灭，欧洲人甚至都不会认为我们这个国家值得征服；第六，如果世界某处有可能回归到原始的混乱状态，那么，它最终会是在美洲。

不幸的是，这是对拉丁美洲此后一个半世纪的精确预测。新成立的独立国家从一开始便没有代议制的传统，有的只是极为不公平的土地分配制度，以及因经济不均等而造成的种族裂痕。结果，在无产者努力争取更多的几亩土地，而混血精英又死抱着庄园不放手的过程中，革命和反革命、政变和反政变便交替上演。

格勒人[①]的命运

再看另一个场景。两艘大船装载着另一种类型的移民驶向美洲。两条船都从戈雷小岛起程，沿着塞内加尔海岸线航行，一条开往巴西的巴伊亚，另一条驶向南卡罗来纳州的查尔斯顿，船上装的是非洲奴隶，这仅是1450~1820年移民美洲的一个缩影，在其间有多达800万人越过大西洋。1500~1760年，接近2/3的去美洲的移民中都是奴隶，此比例在1580年前为1/5，后在1700~1760年达到顶点，其比例仅略低于3/4。

① 住在美国南卡罗来纳州、佐治亚州和佛罗里达州北部沿海一带及沿海岛屿上的具有非洲血统的人群之一。——译者注

乍一看，奴隶制是北美和南美的一个共同点。因为非洲奴隶成本更低，与喜欢冒险的北方欧洲人和南方的美洲土著人相比干活更勤劳，南方的烟草农场主和巴西的蔗糖作坊便开始使用奴隶来做苦力。自达荷美王国时代开始，非洲奴隶贩卖商就一直为葡萄牙人供应奴隶，此后也同样乐于服务于英国主顾，而很早便是其买方的阿拉伯客人就更不用说了。其实横跨撒哈拉的奴隶交易可以追溯到公元2世纪。葡萄牙人1500年来到贝宁时，奴隶市场的功能已经十分完备。对一个囚禁在戈雷岛的非洲奴隶来说，被送往南美或北美似乎没有区别，运输途中的死亡概率（大约16%——我们知道1/6的奴隶没能活下来）也相差无几。

然而，奴隶制在这个新大陆上的演变却大相径庭。这种制度自远古时代就是地中海经济不可或缺的组成部分，十字军东征时期得以复兴，但在英国事实上已消亡。葡萄牙人借助西非奴隶市场开辟了通往地中海的新航线，在马德拉岛（1455年）和几内亚湾的圣多美（1550年）建立了第一批非洲蔗糖种植园，其间普通法中事实上已不存在半自由式农奴概念了。早在1538年，第一批非洲奴隶便被运至巴西。在后来成为美利坚合众国的领土上，没有任何奴隶，这种状况一直持续到1619年：350个奴隶被运到詹姆斯敦，他们是在被运往韦拉克鲁斯的西班牙船上被俘，作为战利品被带到詹姆斯敦的。此前，在这片北美土地上没有蔗糖种植园。由于蔗糖在实现工业化生产之前是一项劳动密集型产业，所以在巴西的巴伊亚和伯南布哥的蔗糖种植园，奴隶们的工作条件毫无疑问是艰苦的，而巴西南部的金矿开发（如米纳斯吉拉斯州），以及19世纪早期的咖啡种植园也没强到哪儿去。大量奴隶运往巴西，远超过美国南部，使得巴西迅速超越加勒比海地区成为全球的蔗糖生产中心，1600年产出了16 000吨蔗糖。除了蔗糖生产，采矿、咖啡种植和基础制造也发展起来，奴隶继续被贩运过来，数目超过了自由移民，而奴隶也成为各个经济领域的主要劳动力。到 1825 年，非洲后裔占据巴西总人口的 56%，这一比例在西班牙美洲区域为 22%，北美为 17%。由此奴隶制对巴西的重要性可见一斑。即便在奴隶贸易及奴隶身份在英语国家被废除之后，巴西仍然从事奴隶贸易。1826 年的“英巴条约”要求终止奴隶贸易，但 1808~1888 巴西仍进口了 100 万的奴隶。19 世纪 50 年代，巴西的奴隶总数量比 1793 年多了一倍，英国海军也开始干预这种跨大西洋运输。

拉美革命之前，奴隶的命运并非完全惨不忍睹。皇室和教会在限制其他私有财产权利的同时，也对奴隶主进行干预，奴隶们的工作条件得以有些许改善。罗马天主教会认为奴隶制是一个罪恶的制度，毕竟非洲人也有灵魂。拉美种植园的奴隶比弗吉利亚咖啡农场的奴隶更容易获得释放。在巴伊亚，被释放的奴隶们有一半是自己花钱才获得自由的。巴西 3/4 的黑人和白黑混血儿到 1872 年时都获得了自由。古巴和墨西哥的奴隶甚至可以给自己标价，然后用分期付款的方式赎回自由。据说巴西的奴隶比英属西印度群岛的奴隶享有更多的假日（35 天的圣人节以及每个星期天）。从巴西开始，拉美国家允许奴隶有自己的土地。

尽管如此，情况远远称不上令人满意。奴隶贸易繁荣时期，巴西的蔗糖庄园里的奴隶一天工作 20 小时，每周工作 7 天无休息，常有奴隶劳累至死。一个巴西庄园主竟声称他买奴隶就是打算使用一年，虽然鲜有能活过一年的，但他已经充分榨取了奴隶的劳力，这让他不仅收回了投资成本，而且获得了丰厚的利润。跟加勒比海地区相同，庄园主们常担心奴隶起义，便依靠残酷手段维持秩序。巴西庄园常用的惩罚手段叫“连续 9 天的祷告”——在奴隶的伤口上涂上盐和尿，连续鞭打 9 天。在 18 世纪的米纳斯吉拉斯，常有奴隶逃犯的头颅放在路边示众。巴西的奴隶在 19 世纪 50 年代的平均寿命为23岁。一个奴隶工作5年，其主人便能挣回两倍的投资。另一方面，巴西奴隶可以结婚，而英国（和荷兰）的法律是禁止的。葡萄牙和西班牙的奴隶法令也逐渐变得不那么严酷。

北美的奴隶主们有权处置他们的“财产”，包括奴隶和土地。奴隶数量逐渐增长，1760年到达顶峰——是英裔美国人的1/3。庄园主对契约的白人劳动者和黑人奴隶采取迥然不同的态度。前者通常工作5~6年即可，后者则终生为奴。1663年马里兰州的法令明确规定：该州所有的黑人及其他奴隶将终生服役，任何黑人及其他奴隶的所有子女也像他们的父辈一样终生为奴。北美的奴隶制之后也越发严厉。弗吉尼亚州1669年的法令规定主人杀死奴隶将不会被判罪。南卡罗来纳州1726年的法律明确把奴隶们视为“财产”（后来称为“人员财产”）。体罚不仅被认可，还被编入法条。卡罗来纳州的奴隶开始越过州界跑到西班牙统治的佛罗里达州。因为如果他们信奉天主教，那里的州长允许他们建立居住地。考虑到英国几个世纪前就废止把奴隶当做财产，这是个了不起的进步，表明欧洲制度在美洲大地上能够演进。弗吉尼亚的一个县长把这个“特殊制度”的主张简洁地表达出来，他宣称：奴隶不仅仅是财产，他们有理性，应享有法律赋予的人权，在财产权不受侵犯的前提下应当得以保障。奴隶贸易商们如果对待奴隶特别残忍，则会受到奴隶制度废除论者的批评。1782年利物浦一个叫宗（Zong）的船长因为船上缺水，把133名奴隶用铁链锁住扔到水中，他因为保险欺诈遭受起诉，之后，奥拉达·艾奎亚诺把他奴隶贩卖的罪行揭露给格伦维尔·夏普。

北美跟南美一个明显的不同是北美禁止跨种族通婚。拉丁美洲很早便允许跨种族结合，并且按等级进行分类（西班牙男人和印第安女人的后代为麦斯蒂索人，克里奥尔人与黑人后代叫穆拉托人，印第安人与黑人的后代为桑博人）。皮扎诺娶了个印加女人，生了混血女儿。这种不同种族的混血儿1811

年时占据了西班牙殖民美洲的 1/3 的人口，几乎等同于该地区的原居民，超过了不到 1/5 的纯西班牙后裔的克里奥尔人。18 世纪，巴西的克里奥尔人与黑人后代在非洲种植园的劳动力中占 6%，但在技术工和管理岗位中占 1/5，他们是这个葡萄牙帝国的次一等的阶层。

美国尽力禁止跨种族通婚（至少否定其合法性），这也有其原因：英国人移民到美国时通常带有女眷，而西班牙和葡萄牙人则是单身跨越大西洋的。《印第安旅人编目》里记载，1509~1559 年，来到新大陆的 15 000 个西班牙人中，只有 10% 为女性，种族通婚不可避免。以安德烈斯 · 鲁伊斯–利纳雷斯为首的科学家做过一个项目，研究了从智利到墨西哥 7 个国家、13% 的西班牙男人和印第安女人后代的线粒体 DNA 样本，结果显示拉美全境都存在欧洲男人娶本地的印第安女人为妻子的现象，相反的情况则不会出现。关于哥伦比亚麦德林等地的纯西班牙后裔的案例研究也支持这个结论。一则案例显示：Y 染色体（来自父亲）中有 94% 来自欧洲人，5% 来自非洲人，只有不到来自 1% 为美国印第安人。而线粒体 DNA（来自母亲）中则 90% 来源于美国印第安人，8% 来源于非洲人，2% 来源于欧洲人。

北美并非没有混血人种，事实上也有这样的例子。最著名的就是托马斯 · 杰弗逊与其奴隶生下孩子。英国殖民美洲结束的时候，克里奥尔人与黑人的后代约有 60 000 人。当今大部分美国人的 DNA 中，约 1/5~1/4 可以追溯到欧洲人。但扎根于殖民时代的这种模式是两方面的。不管他的皮肤多白，长得多像白人，一个带有一点非洲美国人血统的人—— 比如在弗吉尼亚只有祖父母其中一个是纯粹黑人——仍被归为黑人。自 1630 年起，在弗吉尼亚州，跨种族婚姻被当成是应予以惩罚的罪行，1662 年法律则明令禁止通婚。而早在 1661 年前，马里兰的殖民地也通过了一个类似法令，这类法令在其他 5 个北美殖民地都有实行。美国建国后的一个世纪里，不少于 38 个州通

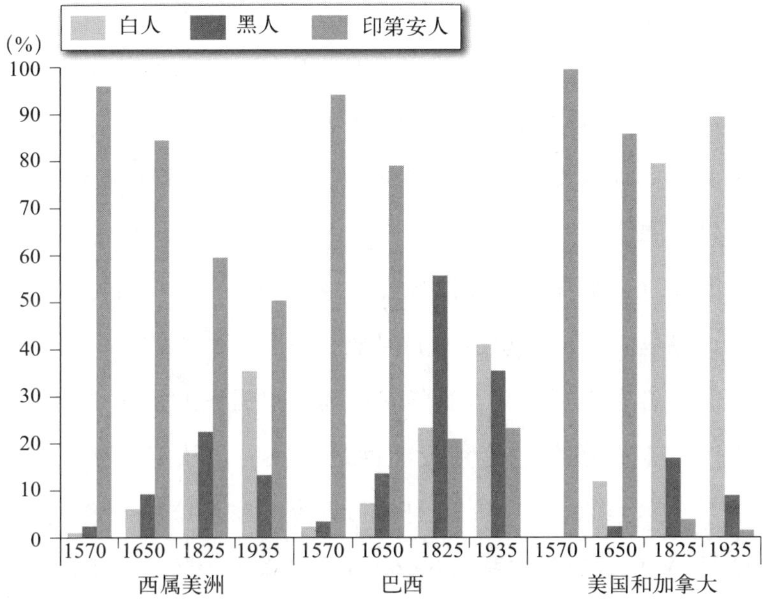

新世界的种族结构（1570~1935 年）

过法令禁止种族通婚。直到 1915 年，此类法令在 28 个州仍有效，有 10 个州把它写入州宪法。1912 年，竟然有人试图要修改美国宪法，把禁止种族通婚永远写进美国宪法。

于是，非洲奴隶到达美洲的目的地不同，便产生了不同的结果。那些去拉丁美洲的最后都经历了种族融合，一个男性奴隶在经历了头几年的艰苦劳作之后，可能有机会获得自由，一个女性奴隶也可能生下一个混血儿。那些被送往美国的奴隶，他们与白人的区别被严格界定并被竭力维持。

我们知道正是约翰 · 洛克使得私有财产成为卡罗来纳州政治生活的基础，但他的财产概念不仅仅包括土地财产。他的基本宪法第 110 条写道“无论信仰如何，每个卡罗来纳州的自由人都可对其黑人奴隶拥有绝对的权力和权威。”洛克认为人的所有权与土地的所有权一样，都是殖民统治的一个部分，当然这些人既不是农场主也不是选民。后来的立法者们试图延续这种理念。1740 年的南卡罗来纳州奴隶法令第 10 条规定：白人可以拘禁和诘问单独出现在房子或种植园外面的奴隶。第 36 条禁止奴隶离开他们的种植园，特别是周六晚上、周日以及假日，违背规定的奴隶会被处以中度鞭刑：第 45 条禁止白人教黑人阅读和写作。

这种法规的深远影响在今天美国的部分地区仍然存在。古拉海滨从南卡罗来纳州的仙地岛延伸至佛罗里达州的阿米利亚岛，那里的人们有自己的方言、烹调方式以及音乐类型。有人类学家认为这里居民的祖先可能来自安哥拉，古拉就是安哥拉的变体。这种可能性是存在的。从 17 世纪中期开始，运到美洲的 44% 的奴隶来自非洲的安哥拉（现今的安哥拉加上喀麦隆和刚果河之间的地区），来到美国查尔斯顿的奴隶 1/3 也来自于此。大部分奴隶为恩东戈王国的姆邦杜人，其国王叫恩哥拉，国家也因此得名。这些奴隶分散在美洲各地，包括巴西、巴哈马及美国的卡罗来纳州。

南卡罗来纳州依旧留有安哥拉人的痕迹，比如金邦杜语，这点能充分说明问题。这里的居民是安哥拉奴隶的后裔，其基因没有多少改变。古拉文化是南卡罗来纳州以及其他州的种族隔离的例证。而运往南美洲的安哥拉人有着更大可能性摆脱奴隶的命运，有时他们也切切实实地逃脱了，从伯南布哥逃跑的奴隶们在帕尔马雷斯的基隆布，或者叫小安哥拉，找到了自己的根据地，它位于巴西东北部阿拉戈阿斯州的丛林深处。这个根据地在高峰时期超过 1 万人，并选举刚戈 · 尊巴作为首领。它建立于 17 世纪早期，直到 1694 年被葡萄牙人征服。1822 年一个安哥拉奴隶杰克 · 普里查德计划在查尔斯顿发动起义反对白人,其命运却大相径庭，被处以绞刑。具有讽刺意味的是，号称自由的土地上却有 1/5 的人口永远没有自由，格兰德河北岸的奴隶们世代为奴。

最终，自由制度内的畸形奴隶制度被南北战争解除。南部维持奴隶制，遭到北方反对。英国海军若支持南部联盟，本可以打败北方联盟，但他们根本没有出兵。尽管内战结束了奴隶制度，但许多美国人在接下来一个多世纪里仍然相信他们的繁荣建立在种族分离的基础之上。19 世纪 20 年代，爱德华·埃弗里特在《北美评论》中写道：

> 我们不关心南美洲，我们不同情他们，在政治上没有理由同情他们。我们来自不同的祖先。我们不会订立盟约，也不会派出使节，不会借钱给他们，去把他们的什么玻利维亚建成华盛顿。

在白人至上的种族主义者眼中，种族隔离是美国繁荣的最根本原因，而南美洲的混血儿必然遭受穷困。

直到 1963 年，亚拉巴马州长乔治·华莱士在就职演说中仍喊着“今天要种族隔离！明天要种族隔离！永远要种族隔离”，把种族隔离当成美国成功的关键。他说道：

> 这个国家从来不会成为一个单元……而是许多单元的联合体……这正是我们热爱自由的先辈们建立各州的原因，目的是各州分享权利和权力，而不会导致中央集权制的政府管控……
>
> 我们种族的情况也一样……每一个种族在其框架之内有自由去教育……去教导……去发展…去要求和接受另一种族的其他人的帮助。这就是我们的立国先驱们的伟大的自由……但是，如果我们全合并成一个单元……那么我们富裕的生活……我们发展的自由……将不复存在。我们会成为一个单独的集权政府下面混合的群体……我们代表一切……但我们一无所有。

这种观点并非不得人心，在华莱士 1968 年参加总统竞选时，他和他的美国独立党获得了 1 000 万选民（占总选民的 13.5%）的支持。

然而认为美国的成功源于种族隔离的想法终究是一派胡言。像华莱士那样认为美国比委内瑞拉和巴西更加繁荣和稳定的原因，在于反对跨种族通婚的法令，以及把美国白人和黑人在社区、医院、中小学、大学、工作单位、公园、游泳池、饭馆甚至墓地都隔离开的体系，是错误的。与此相反的是，北美比南美发达的原因仅仅在于英国的私有产权制度和民主制度比西班牙的财富和权力集中的制度更能促进社会发展。奴隶制和种族隔离不但不是美国成功的要素，反而成为美国发展的障碍，其后遗症体现为当今的一些社会问题，如青少年怀孕、成绩不良、吸毒、黑人监禁率高，这些问题现在正困扰着许多美国的社区。

如今，一个其父为非洲人其母为白人的混血儿—— 在西蒙 · 玻利瓦尔时代被称为卡斯塔人——竟然在弗吉尼亚州打败了一个有苏格兰与爱尔兰血统的战功卓著的英雄，当上了美国总统，这在 30 年前我访问美国南部地区时是万万不可能的。我们很容易淡忘禁止跨种族通婚的法令到 1967 年在 16 州仍然有效。只是最高法院在对“是爱还是弗吉尼亚”作出裁决后，禁止种族通婚的法令才在全美国被认为是违宪的。但田纳西州 1978 年 3 月才正式废除州宪法中的相关条款，而密西西比州竟然拖到 1987 年 12 月。自那以后美国的种族观念发生了巨大改变，那些曾经名噪一时的话语和思想再不会出现在公开场合了。

同时，北美城市里大街小巷上出现了越来越多的南美洲人，从拉美特别是从墨西哥移民的人源源不断，意味着再有 40 年的时间，非西班牙裔白人可能成为美国人口的少数派。那个时候，美国即便不是法律上，事实上也将变成一个双语国家，美国的社会也会出现前所未有的种族融合。目前的美国种族划分为四类：黑人，白人，美国土著人，亚洲和太平洋岛屿居民。以此为基础，每20个小孩中便有一个父母属于不同种族。2000年异种族通婚的夫妻达到150万，是1990年的4倍。由此可见，贝拉克·奥巴马2008年的当选不足为奇。

当今时代另一个经济活跃的国家是多种族的巴西。巴西仍然是社会不平等的国家之一，但实施改革而让更多人去获得财产和挣钱，是其成功的关键。除委内瑞拉之外，大部分拉美国家里长达一个世纪以来过分依赖于贸易保护、进口替代和其他形式的国家干预，但从20世纪80年代开始依靠私有化，外商投资和出口导向型经济已经取得高速的发展，该地区经济以高通胀或高负债为特点的时代已经成为过去。1950年南美洲的国内生产总值不到美国的1/5，现在已经达到1/3。

自500年前的殖民时代开始至今，英格兰殖民的美洲和拉丁美洲的界限已经不再明显。一个统一的美洲文明于西半球正在出现，玻利瓦尔的泛美洲梦想将最终实现。

但仍有许多事物有待发展。种族差别理论的繁盛期没有出现在19世纪而是在20世纪上半叶，为什么种族问题是西方文明和其他文明碰撞时的首要问题？我们必须把目光投向非洲本身，欧洲帝国主义那时就在这里进行扩张。本章开始说到的丘吉尔的演讲中——他的帝国生涯从苏丹和南非开始——提出了一个问题，很大程度上成为整整一代帝国缔造者们心中的核心问题：为什么构成大不列颠岛和大英帝国的自由、秩序、忍让的文明准则，不能用来组织这个嗷嗷待哺的世界呢？在他看来，文明在北美已经深深扎根，在英国统治地区以及美国已经获得成功，在贫瘠荒凉的澳大利亚也繁荣昌盛，为什么在非洲却不是这样呢？

4个欧洲帝国曾试图在美洲大地上植入他们的文明（如果算上荷兰在圭

亚那，则为5个；算上瑞典在圣巴泰勒米岛和新阿姆斯特丹，则为6个；算上丹麦在维尔京群岛则为7个；算上俄国在阿拉斯加和加利福尼亚则为8个），都取得了不同程度的成功。在非洲的这场竞赛中，可能会出现更多选手。英国最大的对手正是它曾在美洲击败过的国家：法国。

CIVILIZATION

让我们首先想一想怎样的事情能称之为"文明"。它真正的检验在于这样的事实，即生活于此的人们将身心的福祉作为生活的目标……今天的欧洲人住的房子比起100年前来建造得更好……以前，他们穿的是动物的毛皮，用长矛做武器；如今，他们穿着长长的裤子，而且……不再是长矛了，他们挎上了左轮手枪……以前在欧洲，人们主要通过人力劳动耕耘他们的土地；如今，依靠蒸汽机，一个人就能犁大片的土地，由此可以积累巨大的财富……以前人们乘马车旅行；现在他们每天以400多英里的速度坐火车穿行于大地……以前，当有人想和别人干仗的时候，他们要衡量一下彼此身体的力量；现在一个人置身于山上的一门炮后面，就可能要了几千人的命……现在有些病，是人们过去从未想到过的，众多医生投身于找到治愈它们的方法，于是医院也增加了。这就是对文明的检测……我还需多言吗？……

对于这种文明，一个人只需要保持耐心，它将会自我毁灭。按照穆罕默德的教诲，这应当被视做撒旦式的文明。印度教称之为黑暗时代……应当予以回避。

圣雄甘地

通过它那些伟大的儿子（罗伯斯庇尔、笛卡儿等），人类已经为其文明作出许多贡献。我无权认为它是邪恶的。

塞内加尔学生

第四章

医药

伯克之预言

从19世纪中叶到20世纪中叶，西方统治着世界。这一时代不光充斥着帝国，也是帝国主义时代，海外扩张理论通过利己主义和利他主义把正式和非正式地奴役非西方人合法化了。帝国意味着给更多的人口提供“生存空间”。它意味着得到出口市场，而竞争对手不能依靠关税予以封锁。它意味着海外投资比起国内投资来有更高的回报。帝国也可能具有政治功能，在齐心爱国的豪情下，工业时代的社会冲突得到文饰升华，它对于势大的利益集团也起到了怀柔作用。同时它也意味着文明的传播，文明这个被越来越频繁使用的词，统括了前几章我们业已接触到的整个独特的西方制度：市场经济、科学革命、私有财产所有权和代议政府的联系。此外，它也意味着基督教的传播，因为在帝国建立的进程中，传教士几乎和商人与军队同等重要。

在所有西方帝国中，迄今为止最大的是大英帝国。从加拿大最北边的格兰特到圭亚那乔治敦闷热的海滩，再到南极洲的格雷汉姆；沿着尼罗河到尼安扎，跨过赞比齐至好望角；从波斯湾跨过整个印度到孟加拉湾，一直到缅甸和婆罗洲；从新加坡到悉尼，在世界地图上占据了长而宽的广大地带，包括无数的小岛，使得一个苏格兰人的皮肤在热带的阳光下晒成了亮粉色。到第一次世界大战前夕，大英帝国几乎占据了世界土地面积的1/4，拥有了相同比例的人口。它也无可匹敌地控制了世界的海上航线和国际电报网络。但英国并非唯一的帝国主义国家。尽管在大革命时期和拿破仑战争中蒙受了惨重的人员损失，法国人在滑铁卢失败后的15年间恢复了其帝国扩张。将老的产糖岛屿，如留尼汪、瓜德罗普和马提尼克和像圣路易斯和格雷这样的贸易港口与北非、西非和中非、印度洋、印度支那及波利尼西亚的新领地一并计算，法帝国到1913年几乎占据了9%的世界国土面积。比利时人、德国人和意大利人也得到了海外殖民地，而葡萄牙人和西班牙人保留了他们早先帝国的大部分主干。与此同时，俄国人征服陆地甚于征服海洋，它将他们的帝国扩张至高加索山脉、西伯利亚和中亚。奥地利人也得到了新的领土；哈布斯堡王朝1866年被普鲁士赶出德国后，转向了巴尔干地区。甚至以前的殖民地也变成了殖民者，美国攫取了波多黎各和菲律宾，以及夏威夷和一些太平洋上的小岛屿。

到1913年，西方帝国主宰了世界。仅占世界土地面积10%的11个宗主国，管辖着超过一半的世界。估计有57%的世界人口生活在这些帝国，经济产值约占世界的4/5。即便在当时，他们的行为也引发了激烈的批评。实际上，“帝国主义”一词已被民族主义者、自由主义者和社会主义者等广为使用。这些铺天盖地的批评中，最引人瞩目的是嘲笑帝国正在出口文明。当问及印度民族领袖圣雄甘地对西方文明有何想法时，据说他机智地回答，他认为这将会是一个好主意。而在1908年出版的《印度家规》中，甘地将西方文明称做“瘟疫”和“祸根”。美国著名的反帝国主义者马克·吐温则爱用反讽。1897年他写道："对相信的人而言，那被称做法国文明的古怪产物能够改良新几内亚和其他类似文明，攫取马达加斯加并覆盖上法国文明的做法完全合乎情理。"布尔什维克领袖列宁也语带讽刺地称帝国主义是"资本主义的最高阶段"，是垄断银行"对原材料资源、资本出口、势力范围、有利可图的交易、特许权、垄断利润等"进行争夺的结果。事实上，他把帝国主义视做"寄生的"、"腐朽的"和"垂死的资本主义"。这些帝国时代的观点今天仍有许多人信奉。西方世界的中学和大学里几乎普遍都认可这样的事实，即帝国主义差不多是当代所有问题的根源，从中东地区的冲突到撒哈拉以南非洲的贫困，像津巴布韦的罗伯特·穆加贝这样贪婪的独裁者便很方便地借此为自己开脱。

但是，如今要把当下生活在世界上最贫穷国家的"亿万低层民众"的苦境归咎于过去的殖民主义，却变得不那么容易了。非洲的环境和地理条件依然是阻碍它经济发展的屏障。独立后的统治者（除了少数例外），在独立前后并没有比殖民统治者干得更好；大多数干得更糟。现在，即使不同以往的西方文明使团——政府和非政府援助机构，也难以如愿实现目标，尽管大量的资金以援助的方式进行了转移。虽然常青藤联盟经济学家和爱尔兰摇滚歌星作了最大的努力，非洲仍然是各大洲中最贫穷的，不是依赖于西方的施舍，就是依靠其原材料的开采。诚然，非洲在某些方面也出现了些许进步，尤其是低廉的移动通讯所带来的效应，这让高效而低成本的银行服务首次在非洲得到实现。此外非洲也有可能获得更广泛的洁净水。然而非洲的发展仍是困难重重，尤其是糟糕的治理侵染着诸多非洲国家。

在非洲历史中，外国的利他主义和外国剥削并存的现象并不新鲜。正如我们所见，在19世纪，欧洲人怀揣各种动机来到了非洲。有人是为了淘金，有人是为了荣誉。有人来投资，有人来掠夺。有人来是为了提升灵魂，有人来扎根。但几乎所有人都确信——正如今天的援助机构确信的那样——西方文明的好处可以也应当赋予这片“黑色的大洲”①。在我们仓促地谴责西方帝国的邪恶和侵略性之前，在认为它所做的一切都是文明的对立面之前，我们必须明白，在他们声称所肩负的文明使命中，还是稍许有些实质性内容的。

说到西方文明最突出的撒手锏，它绝非用来取人性命的，它能将人类平均寿命延长一倍——它就是现代医药。苦行的圣人甘地蔑视西方文明中的这支“医疗力量”。1931年在伦敦的一次采访中，他提到“疾病的征服”为西方文明衡量进步的“物质”标尺之一，但对于千百万得益于西方医药而延长

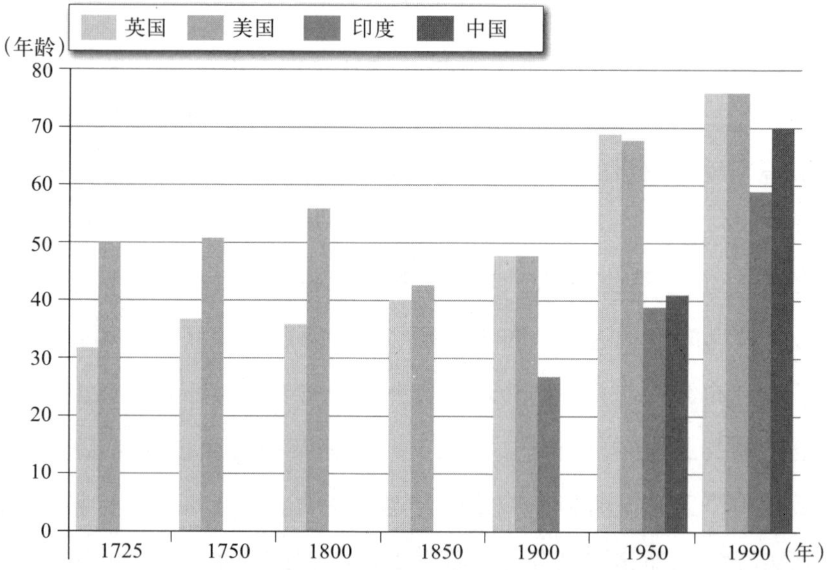

出生时平均预期寿命：英国、美国、印度和中国（1725~1990年）

① 这个短语指的不仅是当地居民的肤色，它也暗合了当地经济的相对落后（类似于“黑暗时代”）。今天的非洲在某种程度上仍是一个黑色的大陆，如果你在夜晚从空中俯视非洲，除了最北面和最南面外，整块大陆很少能看到人工的照明系统。

了寿命的人来说，精神纯洁和继续生存之间的选择不难作出。1800 年，全球平均寿命只有 28.5 岁左右。两个世纪以后，到 2001 年，已达到 66.6 岁，延长了一倍有余。这样的改善并不限于帝国主义宗主国。那些习惯把饥饿或内战混同于种族屠杀和劳改营，存心想把殖民地官员在道德上等同于纳粹分子的历史学家们，应好好思考在殖民和后殖民的世界中，西方医药在延长人类平均寿命上的巨大贡献。

“健康转变”的时间点，即寿命持续增长的起始时间相当明显。在西欧，出现于 1770~1890 年，最早开始于丹麦，最晚是在西班牙。在第一次世界大战前夕，欧洲有效地消灭了伤寒和霍乱，这是公众健康和环境卫生改善的结果，与此同时，通过接种疫苗，白喉和破伤风得到了控制。在资料详备的 23 个现代亚洲国家中（除了一个例外），健康转变几乎都出现在 1890~1950 年。在非洲，健康转变出现在 1920~1950 年，43 个国家中只有两个例外。而且，在几乎所有亚非国家中，预期寿命开始增加的时间都是在欧洲殖民统治结束之前。事实上，非洲的平均寿命增长率自独立后开始下滑，其中一个特别的原因是艾滋病的传播。值得注意的是拉丁美洲国家并未好多少，尽管从 19 世纪初期开始它们就享有了政治独立。寿命提高发生的时间点也令人颇感惊讶，因为它大多早于抗生素（尤其是用于治疗肺结核的链霉素）、杀虫剂 DDT 和综合疫苗的出现，这种疫苗不同于帝国主义时代发明的治疗天花和黄热的单一疫苗。公众健康的持续改善体现在许多方面，如排泄物疾病、疟疾甚至肺结核造成的死亡率的降低。这只是英国殖民地牙买加的状况，但类似的情况可能也发生在了像锡兰、埃及、肯尼亚、罗德西亚、特立尼达和乌干达这样的地方，它们或多或少地得到了同样的改善。正如我们所看到的，同样的事情也发生在法国殖民地。西方科学家和卫生官员为了治疗非洲特有的威胁人类生命的热带疾病而不断努力，可见如果没有帝国主义，也不会有这一切。智慧的爱尔兰剧作家萧伯纳绝妙地回应了甘地：

> 在过去的一个世纪里，文明已经将病菌性高烧的病发条件清除干净。曾经猖獗一时的斑疹伤寒已被消灭，鼠疫和霍乱被卫生防护系统挡在门外……人们比以往更懂得传染的危险和规避的方式……如今，肺痨病人的麻烦日益增加，因为人们越来越倾向于把他们看成麻风病人……人们对传染病甚感恐慌，处理发烧病人唯一真正科学的办法，甚至在医生看来似乎也是将他扔进最近的沟里，从安全距离向他抛洒碳酸，留他在那儿等待火化。而这种对传染病的恐惧也促进了医护和卫生条件的改善，其结果是一次次地战胜了疾病。

这不只是帝国主义者的胜利，它也惠及他们殖民地的属民。

故事的曲折之处在于，即使到了19世纪末和20世纪初，医药科学仍有阴暗的一面。在医学与病原体作斗争的同时，伪医学也在致力于虚谬的种族退化论。最终，1914年，敌对的西方帝国之间的战争被冠以“文明大战”，这说明非洲并不是世界上最黑暗的大洲。

绝大多数帝国都声称它们本身的和平动机是将文明带到落后国家，但历史上很少有比法国人更喜欢用“文明使团”这个字眼的了。要理解其原因，首先有必要了解法国革命和美国革命的重大区别。第一个明白这一区别的人是辉格党议员埃德蒙·伯克，他是爱尔兰南部受英国管辖的新教徒社区里一名伟大的政治思想家。伯克曾经支持过美国革命，对殖民地人民缺少代议权而被课税深感同情，他准确地察觉到诺斯勋爵的部门将进一步恶化马萨诸塞原有的税务危机。伯克对法国革命爆发的反应恰恰相反。“难道我要郑重地向一个疯子致敬，”他在《法国革命沉思录》里写道，“祝贺他从监护所和黑暗的牢房里逃脱，重享他的光明和自由？难道我要恭喜一个强盗和杀人犯打破监狱，恢复他那天赋人权？”伯克令人吃惊地很早就预言了法国革命的暴力本质。这些话发表于 1790 年 11 月 1 日。

始于 1789 年的政治连锁反应是长期财政危机的结果，并因法国干预美国革命而变得更为严重。自 1719~1720 年痛苦的金融危机——密西西比泡沫以来，法国的财政制度悲惨地落后于英国人。没有发行货币的中央银行，没有可供政府债务买卖的流动债券市场，税收制度大部分被私有化了。法国王室以出售官位来替代债券出售，这滋生出臃肿的寄生虫般的领公共工资的人。一连串能干的大臣——查理 · 德卡龙、劳麦尼 · 德布里安和雅克 · 内克尔——试图改革体制，但失败了。路易十六想要摆脱困境的简单的出路，是拖欠王室的债务，这些债务形式多样，令人眼花，而产生的费用几乎是英国政府支付其标准化债券的两倍。然而，国王最终寻求共识，显贵会议却毫无结果。律师只会惹麻烦。最终，1788 年 8 月，路易国王被说服召集三级会议，这一机构自 1614 年以来从未聚首。他本应当预见到一个 17 世纪的机构会给他带来 17 世纪的危机。

起初，法国革命与英国内战如出一辙，只是没有清教一说。三级会议的召集给了贵族阶层内的不满现状者一个机会来发泄他们的怨恨，其中以米拉波伯爵和拉法耶特侯爵为首。和英国下院阐发了自身的意愿一样，1789 年 6 月 17 日，三级会议（下院）宣称其为“国民大会”，并于 3 天以后，在著名的誓言网球场，宣誓在法国产生一部新宪法之前，它们不会解散。因此它就成了法国的长期议会。但是在设计法国政治生活新的基础规则上，革命者却显然吸取了美国的提法。乍一看，费城的那些人对 1789 年 8 月 27 日的《人权和公民宣言》或许有些似曾相识之感：

2. 人类自然而不可剥夺的权利……是自由、财产、安全和反抗压迫……

> 10. 不应有人因其观点，包括其宗教信仰而受到骚扰……
>
> 17. 财产是不可侵犯的神圣权利，不应有人被剥夺这样的权利……

为什么埃德蒙·伯克1790年2月1日用冷酷的演说来如此激烈地反对这场革命呢？他曾流畅地说：

> 法国人（已经）推翻了一个温和而法制的王朝，其怒火、愤慨和凌辱之暴烈，即使在过去反抗最反动的篡权者或最血腥的独裁者的历史上都不曾见过。他们的抗争是为了让国王退位……他们开火的目的是迫使国王放弃尊严、喜好和豁免权……在他们的成功中，他们也受到了惩罚：法纪混乱；法庭逆行；工业无力；商业殆废；财政窘困，百姓贫苦；教堂遭到肆虐，国家未得拯救；军民的无政府成为了国家宪法；俗世和宗教的一切都成了公共信用这一偶像的牺牲品，后果就是国家破产；而最重要的是，这个新的、靠不住的、摇摇欲坠的权力的纸保票……被用来作为支撑帝国的货币。

如果伯克在1793年写下这些文字，那也没有什么稀奇。但在法国革命爆发一年内就预见到其真正的本质，似乎非同寻常。他看到了什么？他看到了卢梭。

卢梭的书《社会契约论》（1762年）是西方文明的产物中最危险的书籍之一。卢梭认为，人是一种“高贵的野蛮人”，不愿屈服于权威，他能屈从的唯一合法的权威是“人民”和“大众意志”。按照卢梭的说法，这种大众意志必须是至高无上的。执法官和立法者在其面前必须低头。可以没有“联合会”。可以没有基督教（究其根本，基督教也是权力的一个分支，它与其他权力的差别只是僧俗之别）。自由无疑是好的，但对卢梭而言，道德更为重要。大众意志应当是道德的具象。回到《人权和公民宣言》，现代读者可以来看看是什么让伯克感到不安：

> 6. 法律是大众意志的体现……
>
> 10. 不应有人因其观点，包括其宗教信仰而受到骚扰，只要他们的诉求不影响由法律建立起来的公共秩序……
>
> 17. 财产是不可侵犯的神圣权利，不应有人被剥夺这样的权利，除非出于公共需要，并经法律裁定，则可明确对其作出要求……

正是这些附加声明让伯克产生了怀疑。卢梭给予“公共秩序”和“公共需要”以优先地位，让伯克觉得非常邪恶。按照伯克的想法，大众意志比起世袭原则来，更是一个缺乏可信度的统治者选项，因为选择那种方式的统治者更可能尊奉“古代的自由”，而伯克更喜欢崭新的、独一无二的抽象“自由”。他认为第三等级会不可避免地因权力（也因“经济利益”）而腐败，和贵族不同，他们缺乏私人财富所赋予的独立性。伯克也认识到1789年11月没收教会土地一事的重要性（初期真正的革命行动之一），以及仅以没收的教会土地为支撑而印刷纸币（信用券）的危险性。他说，真正的社会契约并不是卢梭所谓的高贵的野蛮人和大众意志之间的契约，而是目前一代和未来世代间的“合作关系”。伯克以他惊人的预见性，警告人们要反对“教授们”的乌托邦思想：“在每种景象的尽头”，他写下了时代的最伟大预言：“除了绞刑架①，你什么也看不到。”他警告说，对传统机构的攻击，将结束于“有害的、可耻的寡头统治”，最终将导致军事独裁。就此而言，伯克证明了自己是对的。

---

① 伯克预言唯一的差失是他以为革命者会采用绞首架作为理性主义者结束一个人生命的最有效的手段。

1791 年 9 月的宪法坚持了财产权的不可侵犯性、法国国王的不可侵犯性、联合会的不可侵犯性和信仰自由的不可侵犯性。然而两年之内，所有四项都遭到了侵犯。首当其冲的是教会的财产权。自由结社的权利随着教会秩序、同业公会和贸易联盟（尽管不是兴旺发达的政治派别）的废除而终止。1792 年 8 月，国王的特权地位受到侵犯，路易十六在土伊勒宫风暴之后被逮捕。他（化装成俄国男爵夫人的随从）试图携皇室家眷逃出巴黎前往瓦雷纳，那是个靠近东北边境的皇家蒙马地城堡，但未能成功。1792 年 9 月，随着新的民主的国民公会选举产生，路易十六的性命更加难保。但是 1793 年 1 月 21 日，路易十六被处决之后的历史进程与查理一世被处决之后大为不同。在英国革命中，处死国王是一场内战的结束。在法国大革命中，它只是序曲，之后权力经立宪会议中的雅各宾派转到起义公社，再到国民公会的监察和公安委员会。革命者在义愤的推动下，用一种新的宗教武装了自己，这不是西方历史上的最后一次。1793 年 11 月 10 日，对上帝的崇拜被禁止，创立了对理性的崇拜，这是现代的第一个政治宗教，偶像、仪式和烈士一应俱全。

法国大革命实际上从一开始就是暴力的。1789 年 7 月 14 日，攻占令人憎恨的巴士底狱后，其庆祝方式就是将德劳内（巴士底省长）和雅克 · 德弗莱塞尔（巴黎商人监管人）斩首。仅仅一周之后，国王的国务大臣约瑟夫-弗朗索瓦 · 福龙 · 德杜埃和他的女婿伯第尔 · 德索维尼也被杀。紧接着在 10 月份，当革命者攻击凡尔赛的皇室家族时，大约 100 人被杀。1791 年，上演了匕首日和大屠杀。1792 年 9 月，在布涅塔尼、万德和道费涅发生反革命示威后，大约 1 400 名保皇派的囚犯被处决。恐怖的大屠杀在继续，现代史上第一次展示了这一残忍的事实，即革命反噬了他们自己的“孩子”。

事实上，资产阶级并未对贵族发动阶级战争，相反，是一些精英层次的“显要人物”，既包括一些资产阶级，也包括一些贵族们，他们共同发动了大革命。一位名叫阿莱克西斯·德·托克维尔的贵族知识分子，已给出了更加细致的解释，他的两本重要著作《美国的民主》（1835 年）和《旧政权和大革命》（1856 年）在回答“为什么是法国而不是美国”这个问题上，给出了更为全面精准的答案。托克维尔认为，两个社会之间有 5 项基本分歧，由此影响到它们引发的两场革命。第一，法国采取的是日益加强的中央集权，反之，美国是一个天然的联邦制国家，地方协作下的生活和民间社会生气勃勃。第二，法国人倾向于将大众意志凌驾于法律条文之上，这样的倾向遭到了美国法律界强有力的抵制。第三，法国革命者攻击宗教和信奉的教会，而美国的宗派主义形成了防波堤，可以对抗世俗当局的强横。（托克维尔是一个宗教怀疑者，但他很快就掌握了宗教的社会价值。）第四，法国人将过多权利转让给不负责任的知识分子，而在美国的最高统治权掌握在实干家手中。第五，托克维尔认为最重要的是，法国人将公平置于自由之上；简言之，他们把卢梭置于洛克之上。

在《美国的民主》第十三章里，托克维尔说得十分中肯：

> 美国公民从其孩提时代起就被教育要依靠自身的努力，为的是抵御生活当中的险恶和困难；他用一双怀疑和焦虑的眼睛看待社会权威，只有当他走投无路时，他才会寻求权威的帮助……在美国，为了政治目的而结社的自由是不受限制的……没有哪个国家比那些民主立宪制国家更需要结社自由了，为的是防止派系的专制主义或哪个君主的独裁。

因此，法国公民团体的相对弱势很大程度上决定了为什么法兰西共和国倾向于侵犯个人自由并退化到独裁统治。托克维尔又增加了第六点——几乎是事后的思考：

在法国，对战争的激情是如此狂热，即使是对国家造成如此大伤害的疯狂举动，人们也不惜牺牲生命投身其中，视其为荣耀。

这肯定是两场革命之间最大的不同。二者都不得不发动战争以求生存，但是法国革命者打的战争要更为壮阔持久，这就造就了所有的不同点。

从 1791 年 7 月的那一刻开始，当神圣罗马皇帝莱奥波德二世召集其君主伙伴们去帮助路易十六时，首先响应的是伟大的弗雷德里克后人——弗雷德里克 · 威廉二世，法国大革命为了生存被迫起来战斗。它（于 1792 年 4 月）向奥地利宣战，（于 1793 年 2 月）向英国、荷兰和西班牙宣战，之后便战火绵延，其规模和持续时间都远远超过美国独立战争。按照美国国防部统计，为了保卫美国，约克城战役中 4 435 名爱国者牺牲了生命，6 188 名受伤；1812 年的战争数字分别是 2 260 和 4 505。英军的伤亡要少些。即使有大量的死者，众多士兵和平民死于疾病或因战争造成的艰难困苦，这仍然是一场小冲突。有些最著名的战役——布兰迪维恩或约克城战役，按照欧洲标准来看只是小规模战斗。法国大革命和拿破仑战争的死亡统计则是惊人的，根据估算，从 1792 年到 1815 年，各方总的战场阵亡人数达 300 万~500 万。据保守估计，在为各自革命牺牲的人数上，法国是美国的 20 倍，而且这还不包括内部镇压的牺牲者。估计有 17 000 名法国男女经正当法律程序后被处决，有 12 000~40 000 人未经审判就走上了断头台或绞刑架，有 80 000~300 000 人在镇压万德保皇派暴动中死亡。法国大革命相比美国革命，对经济的破坏也更大。美国通胀之后是稳定；法国则是极度通货膨胀，发行的纸币最终完全崩溃。法国男性人口全部被动员上了战场，物价和工资实行管制，市场经济几近停滞。

我们应在这种背景下，去理解法国大革命的激进暴烈，而它也是伯克预言的印证。从 1793 年 4 月起，当公共安全委员会开始掌权后，巴黎成了疯人院。首先，从雅各宾俱乐部分裂出去的吉伦特派（他们更极端的对手是山岳派）被逮捕，并于10月31日被处决了。其次，乔治-雅克·丹东的追随者同样上了断头台（1794年4月6日）。最后，轮到主要领袖所在的公共安全委员会了，卢梭的狂热信徒、共和国道德的高级传道者马克西米利安·罗伯斯庇尔，要去面对落下的刀锋了。贯穿此葬礼舞曲的是《马赛曲》[①]，最致命的控告就是冠以“人民之敌”的叛国罪。军事上的失利推动着偏执狂的轮转。伯克的阶级政治理论得到印证，一切如他预见的那样，这样的民主不可避免地将被一个寡头政治取代，最终将是某个军阀的暴政。10年间，国民大会被督政府（1795年10月）取代，督政府被第一执政官（1799年11月）取代，第一执政官的头衔被皇帝（1804年12月）取代。以卢梭为发端的革命最终以重复罗马共和国的衰落而结束。

1805年12月2日，在奥斯特利茨战役[②]中，73 200名法国士兵击败了85 700名俄奥联军。我们可以拿1781年在约克城的部队与之作比照，当时华盛顿的17 600人击败了考恩·华莱士的8 300名英国兵。奥斯特利茨战役造成的人员伤亡数超过约克城战役所有参战者，达12 000多人。在奥斯特利茨，超过1/3的俄国士兵被打死、受伤或被俘。但是，在那儿使用的武器与半个世纪前伟大的弗雷德里克军队在里森使用的没有太大不同。运动火炮造成了最大的死伤。新鲜的是拿破仑战争机器的规模，而非技术。到1812年，法国军队达到700 000人。从1800年到那个决定命运的一年，总共有130万法国人被征召入伍。在波拿巴发动的所有战争中，大约200万人失去了生

① 鲁热·德·利尔于1792年4月创作《马赛曲》。“与我们为敌的暴君/升起了血腥旗帜/你可曾听见战场上/敌人凶猛的嘶吼？/他们要闯到我们中间/刺穿我们妻儿的喉咙！/武装起来吧，人民/组成属于你们的军队/前进！前进！/让不纯的血/浸满我们的战壕！/……/这些嗜血的独裁者/所有这些毫无怜悯之心的恶虎/正在撕开他们母亲的子宫！”

② 正是奥斯特利茨（现捷克共和国斯拉夫科夫城）战役激发了拿破仑下令建造凯旋门。

命；近半数是法国人——所有这些人中，大约 1/5 出生在 1790 年到 1795 年之间。这场革命用多种方式吞噬着其后代子孙。

是不是像托克维尔说的那样，因为美国公民社会的特别之处，才使得民主在美国比在法国更有机会得到发展？是不是业已集权化的法国比起权力下放的美国，更可能诞生出一个拿破仑？我们不能肯定。但若要问起，如果美国也遭受类似 1791 年将法国宪法推倒的军事和经济压力，那么美国的宪法究竟能维持多久也值得细想。

战争的力量

大革命不单单吞噬了法国自己的儿女，许多与之抗衡的人实际上也是些孩子。卡尔·冯·克劳塞维茨第一次目睹反抗法军的行动时年仅 12 岁，但已经是普鲁士军队里的一名准下士。1806 年普鲁士军队在耶拿蒙受惨败，克劳塞维茨侥幸活了下来。作为一名真正的军事学者，1812 年他拒绝与法军一起攻击俄国人，1815 年他也看到了里涅的战斗。他比任何人（包括拿破仑本人）都明白法国大革命的方式已经变成了黑暗的战争艺术。他死后才出版的经典著作《战争论》（1832 年），一直是西方作者所写的有关该主题的唯一最重要的书籍。《战争论》在许多方面是一部没有时代限制的经典之作，它对拿破仑时代也作了重要论述，它解释了为什么战争已经改变了规模，这对战争又意味着什么。

“战争，”克劳塞维茨说，“是运用武力迫使我们的敌人按照我们的意志行事……（它）不仅仅是政策的实施，实际上也是一种政治工具，是政治交往的延续，它与其他政治手段一起运作。”这可能是他最有名，同时也是最容易被误译和误解的话，但这并不是他最重要的话。克劳塞维茨敏锐地看出，随着法国大革命的到来，在战场上出现了一种新的狂热。“即便最文明的人群，”他写道，显然暗指法国人，“也会怀着满腔的仇恨相互射击……”1793 年以后，“战争又成为老百姓的事情”，而非国王们的嗜好；它变成了由“国家情绪”所驱动的“巨大力量”。克劳塞维茨肯定了波拿巴在驾驭这种新军事力量上的天分。他的“胆大无畏和运气”将“旧的行为模式抛到了九霄云外”。在拿破仑的指挥下，战争已经“达到了绝对完美的地步”。实际上，这位科西嘉暴发户不亚于“战争之神……他以他的优势不断击溃敌人”，但他特有的将军气质比起激励他的军队的新流行气质要逊色不少。

克劳塞维茨写道（这或许也是他最著名的论点）：战争现在是“一个自相矛盾的三位一体，首先它带有原始的暴力、仇恨和敌意，这使战争成为一种盲目的自然冲突；其次它是概然性和偶然性的活动……最后它作为政治工具，具有从属性，这使战争成为一种纯粹的理智行为”。的确，“消灭敌军”是非常迫切的愿望，是国家间新战争的“头生子”。但克劳塞维茨警告道，防御比起进攻是“一个更强大的战斗形式”，因为“进攻的力量会逐渐地减弱……”但即使是防御也有其固有的困难：“战争中的一切都是非常简单的，但最简单的事情却是困难的……些许摩擦也会降低行动的总水平。”由于这些原因，一个高效的指挥官必须时刻谨记三点。第一，评估概率[①]。第二，最全神贯注地行动。第三，最快速地行动。

> 所以，整个军事活动必须直接或间接地为作战服务。士兵的招募、穿衣、武装和训练……这一切的最后目的很简单，就是在正确的地方、正确的时间打响战斗。

① 在巴黎皇家军官学校，拿破仑就曾接受过皮埃尔 – 西蒙 · 拉普拉斯的测验。拉普拉斯是概率数学的先驱。

但最重要的，是必须保持对军事力量的控制。因此，克劳塞维茨所称的“绝对的”战争“须把政治放在首位”，换言之，即战争手段从属于外交政策。这才是《战争论》的真正含义。

那么，拿破仑的政策目标是什么？在某些方面，它塑造了一个反动保守的形象。比较这两幅画，一幅是雅克-路易·大卫的《拿破仑一世加冕》(1804年)，巴黎圣母院里拿破仑身披貂皮皇袍；再看这位艺术家的另一幅《拿破仑在圣伯纳德隘口》(1801年)，此时的拿破仑是个浪漫主义英雄，革命的时代精神都体现在了马背上（用哲学家黑格尔的话来说）。这样的改变对贝多芬来说是非常令人反感的，这位时代的音乐灵魂愤怒地划掉了他第三交响曲原有的标题“致波拿巴”，而改为“命运交响曲”。1804年12月拿破仑自己加冕为皇帝后，强迫奥地利皇帝弗朗西斯二世放弃神圣罗马皇帝的封号，并和他的女儿结婚。与此同时，随着1801年的政教协议的签署，拿破仑使法国与教皇达成了和平，扫清了崇尚理性的雅各宾派的残余。

但除此之外，拿破仑试图在欧洲建立帝国并没有什么其他反动的地方，他确实是革命的。他不仅将法国扩大至“自然疆界”并让普鲁士版图缩水，他还建立了一个新的瑞士联邦——莱茵西部一个40邦的新日耳曼联邦，从波罗的海一直延伸到阿尔卑斯山；一个（北）意大利新王国；以及一个新的华沙公爵领地。的确，这些新国家将成为法国的番邦；他甚至派他最小的弟弟、挥霍无度的热霍姆担任威斯特法利亚新王国的挂名元首，派遣他那花花公子的妹夫热瓦奇姆·穆拉特做那不勒斯的挂名元首。战败者们也的确向胜利的法国人支付了大量的贡金。从1795年到1804年，荷兰人向法国人总共纳贡2．29亿荷兰盾，超过了一年的国民收入。拿破仑在1806~1807年发动的战役不仅自筹资金，而且至少占据了法国政府开销的1/3。而在意大利，从1805年到1812年，征收的税款足足一半进了法国国库。然而，由拿破仑重新绘制的欧洲地图将旧的世袭领地大杂烩变成为新的民族国家网络。法国的统治伴随着对法律秩序的根本改变，引入了他所主持的新的民用法典——这样的改变后来对所涉及国家的经济产生了持久而积极的影响。法国的统治去除了那些曾庇佑贵族、教士、行会和城市寡头的各种特权，建立了在法律面前平等的原则。拿破仑后来说，他曾“希望建立一种欧洲制度、一部欧洲法典、一套欧洲审判制度”，这样“在欧洲就只有一种人了”。他没能彻底成功，只是因为他的帝国没能长久，并不意味着他缺乏政治远见。对拿破仑而言，战争不是自身的终结。正如克劳塞维茨理解的那样，它是政策的武力诉求。

并不是波拿巴的目标出了问题；事实上，敌人的军队迟早会在数量上超过他的军队，即使那些指挥官在战略技术上永远无法和他匹敌。比俄国的冬天更严酷的是俄国的深度退防及消耗战略（更不必提肆虐的斑疹伤寒）。在1813 年的莱比锡，这位伟大的军事统帅在优势兵力面前屈服了，特别是骑兵兵力的悬殊差距。同样的故事发生在 1815 年的滑铁卢，兵力的天平倾向普鲁士一方。而许久以前，法国在海上已经输掉了战争。1798 年在阿布基尔湾，霍雷休 · 纳尔逊爵士狡猾地从两面攻击了法国舰队，给了拿破仑征服埃及的美梦以致命一击，他也因此受封为贵族。7 年以后，在特拉法加尔，纳尔逊的 27 艘兵舰以机动的方式战胜了法国—西班牙的一支较大的舰队，这次他采用了“纳尔逊接触”战术：高速穿越敌舰防线，舷炮向一艘敌舰的右舷射击，向另一艘的后部射击，再向第二艘敌舰的左舷射击。

拿破仑在海上的失败有两方面的后果。第一，法国与其海外领地的联系逐渐被切断。1791 年，本是滚滚财源的蔗糖殖民地圣多明各在被解放了的奴隶弗朗索瓦–多米尼克 · 杜桑 · “卢维杜尔”（意思是“打开”）领导下，爆发了革命，此前巴黎的立法会议将投票权放宽到自由的黑人和混血儿，但没有给奴隶。1794 年国民大会废除奴隶制，使该岛陷入血腥的种族内战之中，并波及邻近的西班牙殖民地圣多明各，这种状况一直持续到1802年杜桑被捕并被押解到法国、拿破仑恢复奴隶制。在海地革命中，共有160 000到350 000人失去了生命。一年后，法国人决定将广大的北美领地——那时叫做路易斯安那（不要和目前的州弄混了）——以最低价格卖给美国：828 800平方英里卖15 000 000美元（1公顷不到3美分）。第二，可能也更为重要的是，法国输掉了金融战。尽管不断出售过去的教会土地，推出新货币，压榨荷兰、意大利纳税人，但拿破仑已经不能将借贷成本降至低于6%了。从特拉法加尔到滑铁卢这段时期，法国长期公债的收益率比起英国的统一公债，整整高了两个百分点。这是致命的一点。

作为一名重商主义者，波拿巴试图削弱英国的经济地位，手段就是禁止欧洲大陆和英国之间的贸易。但英国商人能够迅速地将市场转向更远的海外，因为皇家海军主宰着重要的海上航线，能够保障他们的安全。有时候，人们误以为英国早期的工业化为它赢得了对法的优势，实际上这种优势源于商业和金融，而非钢铁和蒸汽。英国不仅在贸易上支撑了下来，更关键的是，英国经常项目下的非贸易往来保持了顺差，这要归功于航运、保险和海外投资，加上帝国利润（来自东印度公司的奴隶贸易和印第安人税的收益）。从1808年到1815年，英国劳务收支顺差每年达到1 400万英镑，远远超出了同一时期商品贸易的赤字。这就使得英国能够以支付军费和资助盟友的形式向国外进行大规模的转移支出，这在高峰时达到国民收入的4.4%。在1793年到1815年间，英国提供给法国的大陆对手的资金达65 800 000英镑。新的时代精神代言人，此刻正倚靠在证券市场的柱子上，他是一位出生在法兰克福的犹太人，名叫内森 · 罗斯柴尔德，又被称为金融波拿巴，他在向威灵顿公爵和他的盟友提供军费上发挥了关键作用。

拿破仑已经被打败了。法国现在背负着巨大的战争赔款，还有一个复辟的波旁王朝的代表——肥胖的路易十八。但是当拿破仑 1821 年在遥远的南大西洋圣赫勒拿岛因几乎确认无疑的胃癌去世时，无论是革命的梦想，还是革命帝国的梦想，并没有随他而死。1789 年的大革命为法国的政治戏码提供了一个精彩绝伦的脚本。在随后这一个世纪的大半时间里，重新上演这出戏码的诱惑难以抵挡，它分别于 1830 年、1848 年以及 1871 年再次登台。关键是，每当巴黎中心街道上竖起路障时，这场冲击波总能席卷欧洲和欧洲的帝国，虽然它的威力在不断减弱。《人权宣言》中红色的革命承诺总是不能简简单单地卷入牧师的黑衣袍而被抛诸脑后，这一点在司汤达的小说《红与黑》（1830 年）中也得到了有力体现。总之，任何人都会喊上几句革命的口号，画上几笔革命的油画。仓促武装的平民、裸露胸膛的战士、倒在地上的烈士，人们并没有厌倦这些形象[①]。

1848 年的革命甚至波及更广。人们涌上柏林、德累斯顿、汉诺威、卡尔斯鲁厄、卡塞尔、慕尼黑、斯图加特和维也纳，以及米兰、那不勒斯、都灵和威尼斯的街头。这是一场由知识分子领导的革命，他们尤其对 1815 年复辟的皇室政权强行限制言论自由不满。其中的典型是作曲家理查德 · 瓦格纳和俄国无政府主义者米哈伊尔 · 巴枯宁，他们筹划共同写一部渎神的歌剧，为这场“世界大火”尽绵薄之力[②]。英国是西欧国家里少有的幸免者之一，主要是因为有 35 000 名士兵、85 000 名特别警察、1 200 名退休军官和 4 000

① 不妨拿德拉克洛瓦的《自由引导人民》（1830 年），与埃吉德 · 查尔斯 · 古斯塔夫 · 瓦珀斯的《比利时革命》（1835 年），以及墨西哥壁画家迪戈 · 里维拉的《兵工厂》（1928 年）作个比照。

② 根据瓦格纳的自传，他打算“构思一部悲剧以备未来上演，取名叫《拿撒勒的耶稣》。巴枯宁恳请我透露一些细节，当我大致描述了一下想法，并希望他能加入创作时，他客套了两句，然后坚持应不惜一切代价把耶稣塑造成一个脆弱的角色。在作品的音乐上，他建议我在所有的变奏曲中只用一组乐句，比如男高音就唱‘砍掉他的头’，女高音就唱‘绞死他’，通奏低音就唱‘开火！开火’”。这则小故事恰如其分地反映了 1848 年狂热的情绪。

名警察在监督宪章主义者——普选权的支持者——保持安分。因此1848年的伦敦只有公园里的讲演，而非街头的鲜血。

但所谓的人民的春天并不局限于欧洲。和19世纪众多其他西方思想一样，法兰西式的革命很快成为了一个全球现象。在整个大英帝国，骚动无处不在——锡兰、圭亚那、牙买加、新南威尔士、奥伦治河流域、旁遮普和范迪门领地。更为瞩目的是发生在法属西非的事件。不同于英国殖民地，那里的激进政治变革得到了宗主国革命政府的支持。

上述内容都是为了说明法帝国主义最突出的特点：它坚韧的革命品质。英帝国对社会问题本能地持保守态度；随着时间推移，行政官员们越发青睐当地精英阶级，更加放心地透过部落首领和王公贵胄实行间接治理。但法国人依旧满怀热情，希望他们的自由、平等和博爱——加上《拿破仑法典》和罐头食品（拿破仑的另一项发明）——成为出口全球的商品。

像所有欧洲帝国一样，法国的海外帝国至少部分建筑在奴隶制基础上。但是，1848年法国新的共和政府宣布，在整个法帝国废除奴隶制，包括西非殖民地塞内加尔。英国人15年前在他们的帝国里已经这样做了。但在法属非洲，废奴只是这场革命的第一步。它还宣布新解放的奴隶将得到投票权，这和英国殖民地的土著人不同。随着普选权引入整个法帝国，几乎所有的非洲人和混血人种选民（白人仅占总数的1%）在1848年11月的选举中投了票，并选了第一个有色人种的人坐进了法国国民大会。尽管1852年拿破仑三世皇帝撤销了塞内加尔派众议员去巴黎的权利，并直到1879年才恢复，但是根据普选权，在4个市镇（圣路易斯、格雷、鲁菲斯克和达喀尔）选举市议会的举动一直延续。非洲历史上第一个多种族的民主议会在当时的殖民地首都圣路易斯召开。

同时代的人认识到这是怎样的离经叛道。一个去圣路易斯的英国游客写道："议会的访问者不时地看到一名黑人主席叫一名欧洲议员下令维持秩序……黑人议员们毫不客气地批评塞内加尔的官员。没有哪个英国殖民地会容忍像塞内加尔这样由土著们攻击欧洲官员。"对英国人来说，帝国就是等级制度，同样，在国内，社会就是阶级划分。最上面的是维多利亚女王。她那 4 亿属民中的每一个都根据精心设计的地位链安排在其下，一直往下排到最低的加尔各答制扇工。法帝国是不同的。

对于 1848 年的革命分子来说，以最可能快的速度将殖民地的人民转变成法国人似乎是理所当然的。用当时的行话说，非洲人要被"同化"了。与此同时，法国官员和非洲妇女间的通婚是得到积极鼓励的。路易 · 菲达波成了这个进步的帝国主义的代表。菲达波是一名经验丰富的军人，1854 年成为塞内加尔的总督。在圣路易斯，菲达波监督建造了新的桥梁、道路、学校、码头、淡水供应系统，并创立了河道上定期的渡船服务。为解放奴隶，塞内加尔通境建起了"自由之村"。1857 年菲达波成立了一支塞内加尔殖民地军队，即塞内加尔土著步兵，他将非洲士兵从契约化的军事劳工变成正规的步兵部队。他还为土著首领的儿子们建立了一所学校。菲达波本人与一名 15 岁的塞内加尔女孩结婚了。

"我们的动机是纯洁而崇高的，"菲达波在即将结束总督任期时宣称，"我们的事业是正义的。"当然，他的使命远不只教化。1857 年他宣称："我的目标是以尽可能低的成本控制这个国家，并通过商业获取最大的收益。"在授意之下，他将法国的势力延伸到了内陆，从当地人手中夺取了阿拉伯胶（一种用阿拉伯胶树树液制成的商品）和花生在非洲的贸易控制权，借此促进了塞内加尔的经济发展。菲达波的策略是沿着塞内加尔河，从麦迪那开始直到费卢瀑布，修建一连串的法式城堡。这就不可避免地与内陆强大的本土势力发生冲突：瓦罗的特拉扎摩尔人、南部的凯奥人和艾尔哈吉乌马尔特人，以及中尼日尔的穆斯林统治者（此人后来在邻近的马里建立了图库勒帝国）。然而，这些非洲对手最后都逐个地、无一例外地被迫后撤。1857 年，法国军队推翻了勒布共和国，将其首都纳卡罗并入新的殖民城市达喀尔。至今，这个城市中心仍然保留着法国殖民统治的影子，从白色的将军总督府到宽阔的菲达波大道，从生产新鲜而香气逼人的法国棍式面包的面包铺到供应加奶咖啡的糕点铺。为了将法国化的进程正规化，整个国家被分成了郡、区和县。到 1865 年菲达波下台时，一个法国人可以在圣路易斯溜达，真切地为其国家的成就而感到自豪。过去的奴隶市场已经变成法国文化骄傲的前哨。往昔的帝国主义受害者已经被改造成既有投票权利又有服兵役义务的公民。记者加布里埃尔 · 查姆斯这样写道：

> 如果（法国）能为这片迷信和劫掠盛行的广袤土地带来……和平、商业、宽容，那么谁能说这是武力的滥用……百万人民将接受文明和自由思想的洗礼，这片土地将充满骄傲，它将孕育出伟大的人民。

当然，法帝国主义的现实与这样过高的宣传可能不相符。最大的挑战在于吸引来自法国的有能力的官员。菲达波的一个继任者曾尖刻地说，那些自愿到西非服务的人通常“不是在家乡做了什么违法的事，就是至少在家乡难以立足谋生”：如果不是小偷小摸，就是酒鬼或破产的人。正如一个定居者 1894 年所言，殖民地“对于我们所有这些不称职的人来说是‘罪人的避难所’，是我们政治和社会机体排泄物的收集场”。殖民大学校长回忆，当有人前往殖民地时，他的朋友会问：“他犯了什么罪？他从哪具尸体边上逃走了？”大量的殖民地官员因为他们对土著人的蛮横行径而臭名昭著。一个叫埃米尔 · 托盖的人 1903 年在庆祝巴士底日时，用黑色火药将一名犯人炸上了天。多数殖民地官员可能和学校里的至少一名教授的观点相同，即他们的非洲属民在智力上都是迟钝的。基因赋予他们天然的权力，如果他们认为合适，就会以46项不同罪名把不听话的土著人关上15天，而在法国，这些罪名中的绝大多数并不算违法。殖民地人民没有上诉机制。在西非强迫劳动是税收制度不可缺少的组成部分，达喀尔—尼日尔铁路就是这样建成的。对橡胶园的一名工人来说，法属刚果的人头税相当于一年中100天的劳动所得。一旦村子的税款拖欠，就要带走人质。有些官员，比如法属苏丹的某位官员，他被控多次谋杀、至少一次强奸、严重的身体伤害、审判不当和贪污，他似乎把小说家约瑟夫·康纳德笔下的科茨当做生活楷模了。一个名叫布洛卡德的人出于“怜悯”将一名因监房条件污秽而致盲的犯人给斩首了。最为残暴的事件是保罗·乌莱和朱利安·夏诺瓦去乍得湖所执行的任务（1898~1899年），这起任务导致一系列村庄被烧、土著人被绞死甚至活活烤死孩子等惨剧，最后他们麾下的非洲士兵哗变将两人杀死。

不过，法国殖民地行政官员的标准后来明显提高了，特别是在第一次世界大战之后，当时殖民大学不仅吸引了更好的学生，而且还有莫里斯·德拉福斯和亨利·拉伯雷这样著名的民族学家。作为大学校长，圣徒似的乔治·哈迪成为传播西方文明的象征。与此同时，法国人在吸引和训练本土精英上也做了切实的努力。菲达波在他作的一次演讲中清晰地表达了他的思想，当时他正将中尉军衔颁发给名叫阿利翁·萨尔的士兵：

> 这一任命……表明，在我们的社会等级里，即使高级的职位，肤色也不再是排斥的理由了……只有最有能力的人才能成功。那些冥顽不化、无视文明的人将待在社会的底层，世界上所有国家都是如此。

1886年波多诺伏（后来的达荷美）国王的儿子和几十个亚洲学生在殖民大学就读。从1889年直到1914年，该大学的“土著部”每年都接受大约20

名非法裔学生。显然这要归功于法国文明教化使团的理念，就像 1872 年出生在格雷旧奴隶交易市场一间简陋屋子里的布莱兹·迪阿涅，也能到殖民地的海关工作并步步晋升。在英属非洲，这样的升迁要难很多——实际上，几乎是不可想象的。1914 年，迪阿涅成为法国国民大会中第一个黑皮肤的非洲人（无混血种族），对于一个塞内加尔奴隶的孙子来说，这是了不起的业绩。与当时其他欧洲帝国的特征相比，毫无疑问，法帝国在制度上是最自由的。在达喀尔市街头流传着庆祝迪阿涅成功的沃罗夫歌谣，简明地概括了新的政治形势："黑绵羊（已经）打败了白绵羊。"

对法帝国主义最为出神入化的一段反讽之语出自 1922 年一个叫"阮爱国"的人，他从地球另一边的印度支那，给法国另一殖民地总督写了一封信。"尊敬的阁下，"他在开头这样写道（其真名是阮必成），他流利的法文得益于在顺化国立学校的日子：

> 我们十分了解你对土著居民的慈爱；在所有的殖民地里，安南人尤其受到青睐。在你的总督下，安南人民知道了真正的繁荣和确切的幸福，一种看到他们的国家星罗棋布般日益增多的烈酒店和鸦片屋的幸福，还有行刑队、监狱、"民主"和所有现代文明改善过的玩意儿，加在一起使得安南人成为亚洲人中最先进的、人类当中最幸福的。这些善行让我们免于想起其他人的苦难，诸如强行征兵和贷款、血腥镇压、废黜并流放国王、亵渎圣地等。

这位写信给总督的阮爱国在后来领导越南独立运动时使用了另一个化名"胡志明"，他不仅通晓法语，在自己的越南独立宣言中，他还准确恰当地引述了 1791 年的《人权宣言》，类似例子还有取得奠边府战役决定性胜利的武元甲（他是胡志明同一个公立中学的校友），也曾经通过钻研拿破仑战争来学习战争艺术。这就是文明教化使团不可避免的命运，他们在输出滚球游戏和长棍面包的同时，也输出了革命传统。独立的象牙海岸、尼日尔、达荷美和马里的总统都是威廉 · 庞悌学校的毕业生，还有塞内加尔的总理，这不是巧合。

法国文明使团除了要面对所有这一切之外，还有一个威胁着他们生命的敌人——疾病，这也使得非洲撒哈拉以南的广大地区对欧洲人来说几乎是不可居住的。一个半世纪前，西方国家人的寿命很短。1850 年英国的出生人口预期寿命仍然仅为 40 岁，而现在为 75 岁。而在非洲，婴儿死亡率和早产儿死亡率更是高得惊人。19 世纪中期，塞内加尔的人口平均寿命可能低至 25 岁。所以非洲成了西方文明第四个撒手锏的终极试验场，实践现代医药延长人类寿命的力量。

无国界医生

西非绝对是白人的坟场，欧洲人殖民非洲的整盘计划几乎就此被扼杀在摇篮里。欧洲人在非洲所冒风险的力证是格雷岛上给 21 名法国医生所立的纪念碑，他们在 1878 年黄热病的爆发中死去。热带疾病给法国殖民当局的民事部门带来了沉重的打击。从 1887 年到 1912 年，984 名任职官员中共有 135 名死在了殖民地（16%）。通常，从殖民地退休的官员要比服务于大城市的同行早死 17 年。即使到了 1929 年，住在法属西非的 16 000 名欧洲人中，也有近 1/3 每年平均要住进医院治疗 14 天。英属非洲的情况要稍好些。在整个大英帝国中，英国士兵在塞拉利昂的死亡率最为严重，比英国国内士兵的死亡率高出 30 倍。如果像这样的死亡率持续下去的话，欧洲必然会放弃对非洲的殖民。

和所有良好的殖民地当局一样，法国人保留了完备的记录。在达喀尔的国家档案馆里，你仍然能够发现曾报告过的、每一次侵扰法属西非的疫病爆发的各种详情：塞内加尔的黄热病、几内亚的疟疾、象牙海岸的麻风病。健康公告、健康法律、健康使团，似乎健康是法国人的一个心结。必须找到一个方法来防控这些疾病。正如鲁伯特·威廉·鲍耶斯爵士 1910 年所说，在热带地区是否还有欧洲人的存在归根到底就是在于（获胜的）是："蚊子还是人类"。用约翰·L·托德的话来讲："帝国主义的未来取决于显微镜。"但是关键性的进步不可能在西方大学和药剂公司那非常干净的实验室里做出。

1903 年 9 月，讽刺杂志《笨拙》发表了一篇患失眠症的人写的致热带病学生的颂诗：

> 你们这些勇敢的科学人，
> 你们这些敢于在巢穴中逗弄细菌的人，
> 听听我离别时的请求吧！
> 请穿过浓密的森林，
> 找到非洲嗜睡病的细菌，
> 把它送回我的老家！

想象一下科学工作者穿过丛林，这并非虚幻的图景。热带疾病的研究人员在最遥远的非洲殖民地建立了实验室，1896 年建于圣路易斯的实验室就是最早的一批。养在那儿的动物被注射了试验疫苗：82 只猫被注射了痢疾疫苗、11 只狗被注射了破伤风疫苗。其他的实验室致力于研究霍乱、疟疾、狂犬病和天花。这些工作所根据的是 19 世纪五六十年代路易·帕斯特有关细菌理论的创新。

帝国激励了欧洲一代医药创新者。1884 年在亚历山大，德国细菌学家罗伯特·科赫——他早已将炭疽和结核杆菌分离了——发现了霍乱弧菌，这种传播霍乱的细菌，在前一年杀死了科赫的法国竞争者路易 · 蒂利埃。1894年在中国香港大爆发后，另一个法国人亚历山大 · 耶金确定感染了导致腺鼠疫的细菌。在印度从事医疗工作的医生罗纳德 · 罗斯，第一次完整地解释了疟疾的病原学，以及疟蚊在传播疟疾中的作用；他本人也深受此病之害。驻扎在爪哇的三名荷兰科学家克里斯蒂安 · 艾克曼、阿道尔夫 · 福德曼和盖瑞特 · 格里金斯，分析出脚气病是因为碾净的稻米中某种元素不足造成的(缺少维生素B_1)。意大利人阿尔多 · 卡斯特拉尼在乌干达的研究中发现，采采蝇中的锥体虫原生动物是嗜睡病的元凶。在达喀尔的帕斯特学院，让 · 雷格瑞特的研究团队第一次成功地分离了黄热病毒，并发明了一种疫苗，很容易操作，无须消毒针和注射器，后来经过改进能生产所谓的达喀尔划痕疫苗(或称佩尔蒂埃–杜里厄疫苗)，它也能为防范天花提供保护。这些集中于19世纪80年代到20世纪20年代的突破，让欧洲人以及殖民计划留在了热带地区，证明了它们的关键性。非洲和亚洲已经变成西方医药巨大的试验室。研究越成功，就越能找到更多的药物（像在秘鲁发现的抗疟疾特效药奎宁），西方帝国就能扩散得越远，有了它们，人生就能获得更长久的至高利益。

在非洲的殖民化起先局限在沿海的居民区。但是，随着西方另一项突破——机械化运输的到来，殖民化可以延伸至内陆地区。像达喀尔到马里的巴马科这样的铁路，对于西方的帝国主义计划是极其重要的。1880年法国公共工程部长查理 · 德 · 弗雷西奈宣称：沿着交通线路，文明得以传播并扎根，铺展在我们面前的非洲需要我们的特别关注。随着1895年法属西非联邦的成立，其版图从廷巴克图延伸到尼日尔，治下的非洲人超过1 000万人，修建铁路也成为法国统治的主旨之一。按照联盟第一任总督厄尼斯特 · 胡姆的话来说：

> 我们希望真正地将文明扩展至广大无垠的地区，这也是我们卓有远见的政治家和我们勇敢的士兵及探险者传承给我们的土地……实现这个目标的必要条件是创建四通八达的交通，完善的运输系统能够弥补原始交通工具的不足，正是这样的不足让这个国家处于贫穷落后的状态……没有铁路，真正的经济活动甚至不能想象。因此作为一个文明国家，我们应采取行动，这既是迫于自然环境的举措，也是唯一有效的举措……现在每个人都相信，没有铁路，我们非洲殖民地的物质和精神文明就无法进步。

铁路帮助欧洲人将统治强加于非洲内地，但他们也传播了其他东西：不仅有花生和树胶的贸易，而且有西方医学知识。因为没有公共健康的改善，铁路将会传播疾病，增加流行病的危险。这就是19世纪医生无国界的模式。其益处常被类似甘地这样的人忽视，他们始终认为欧洲帝国没有救赎的一面。

在推翻了非洲本土的权力结构之后，要推翻的是当地的盲目崇拜。如今，贾佳克村引人注目，是因为村里有不少于三名传统医生，其中一位老年妇女名叫汉·迪奥普。来自方圆数英里的老百姓来此找她求医。2010年我访问贾佳克村时，她告诉我她能治愈任何病，从哮喘到失恋，用的是草药和少许的预知能力。这种药非洲人如果没有用几千年，起码也用了几百年。这就是非洲的寿命预期仍然大大低于西方的一个理由。用草药和咒语对付多数热带疾病通常无效。

1897年法国殖民当局禁止了巫医。7年后，他们进一步草拟计划，创建了第一个非洲国家健康机构——本土健康援助部。法国人不仅将他们自己的公共健康体系延伸到整个法属西非，总督胡姆将军还在1905年2月发布了一道命令，为当地人建立了一个免费的医疗保健服务体系，这在法国也没有。从此，当地的“健康哨”向法国治下的所有非洲人提供现代医药。1884年居里 · 菲力总理在国民大会发言，总结出了一个新的基调：

> 先生们，我们必须更大声、更诚实地说出来！我们必须公开地说，事实上较高的种族有权凌驾于较低的种族……我重复一遍，高级种族拥有这个权利是因为他们肩负着责任。他们有义务教化低等种族……先生们，在过去几个世纪的历史中，这些义务常被人误解；当然，在西班牙士兵和探险者将奴隶制引入中美洲的时候，作为一个较高种族人群，他们没能尽到自己的义务……但是，在我们这个时代，我主张欧洲国家以慷慨、高贵和真诚履行这一崇高的教化责任。

这与英属非洲日益青睐的间接统治方式非常不同。用经验丰富的殖民地行政官员及殖民大学校长罗伯特 · 德拉维涅特的话说：

> 达喀尔共和国的国家代表，是法国共济会和激进社会主义党的一名成员，将在非洲当地做一位有权威的总督，他将运用独断专行的统治方法引领土著人走向进步……许多行政官员想用我们在法国大革命时期对待封建领主的方法对付这些封建地主（即当地首领），即为了我们的目的，不是消灭他们，就是利用他们。英国官员对封建领主更具同情心，这是贵族对贵族的尊重。

在1908~1915年任法属西非总督的威廉 · 庞迪眼里，非洲传统习俗是横亘在其人民和他意欲传播的文明之间的主要障碍。庞迪宣称，部落首领“就是寄生虫”。一名20世纪20年代的殖民地官员回忆：“我们没有把封建领主太当回事儿，我们发现他们相当可笑。法国大革命后，我们不能想象再回到中世纪。”德拉维涅特持相同观点。在他梦想的革命帝国中，英雄是“黑人农民”，这也是他1931年获奖的小说标题。按照殖民部部长马留斯·穆太特的话来说，法国政策的目的就是“考虑把《人权和公民宣言》的伟大原则运用到海外国家”。

今天，很容易将这样的野心归为令人无法忍受的高卢人傲慢自负的产物。但毫无疑问的是，如同其他地方，西方帝国带来了真正的、可观的进步。在1904年引入强迫注射疫苗后，天花在塞内加尔急剧减少。1925~1958年，只有4年的发病案例超过每年400起。通过有计划地摧毁蚊子湿软的繁殖基地，隔离发病者以及免费发放奎宁，疟疾也得到了遏制。在引入了一种有效疫苗后，黄热病在塞内加尔也变得不太常发了。

对非洲的争夺已经变成一个代名词，指的是贪婪的欧洲人对整个大陆无情的瓜分。最为荒诞的是法绍达事件，当时敌对的法国和英国探险队汇集在苏丹东部城镇法绍达（现在的科多克），位于巴尔加扎尔省境内。法国人由让-巴普蒂斯特·马尚上校率领，他们梦想中的法国线是从达喀尔到吉布提（那时是法属索马里），连接尼日尔河和尼罗河，从而建立起一个牢不可破的从塞内加尔到红海海岸的连锁法控区域。英国人由赫伯特·基奇纳爵士（后来为勋爵）带领，他们把控制苏丹看成是构筑英国线的重要一环，以便形成从开罗到好望角南北贯穿的英线。1898年9月18日，就在这两条线交汇点上，他们摊牌了。尽管参与人数少得可怜，马尚只带了12名法国军官和150名土著步兵，而所争斗的核心地带也只是布满芦苇、烂泥和死鱼的荒凉泥沼，但这里却将英法两国带至战争的边缘。

对非洲的争夺也是对科技知识的争夺，既是合作的，又是竞争的，对土著人和欧洲人都有毋庸置疑的好处。细菌学家是另一种类型的帝国英雄，他们常常冒着个人的生命危险找寻治疗疾病的良药，其勇敢不亚于士兵、探险者。如今，任何一个真正怀有帝国野心的欧洲国家，都不能没有一所热带医药学院：1887 年在巴黎创建了帕斯特学院，后来就有了伦敦和利物浦的热带医学院（1899 年），以及位于汉堡的船运和热带病学院（1901 年）。

但是取得的成绩总是有限的。到 1914 年，塞内加尔农村卫生站的医生不足 100 个。即使到 1946 年，在整个法属西非也仅有 152 个卫生站。在法属刚果，斯坦利普尔（后来的布拉柴维尔）卫生站估计要服务 8 万人，而它一年的预算只有 200 法郎。当作家安德雷 · 纪德 1927 年访问那里的时候，人们告诉他，如果“要向医疗机构索要药品，一般在经过没完没了的拖延后，只会送来碘酒、苏打硫酸盐和硼酸”，这种“可怜的赤贫”让“原本很容易检测出来的疾病……继续肆虐甚至恶化”。这只是经济现实的一部分。法国自身离全民医疗保健还有很长的距离，于是也就无法送医生和疫苗前往偏远的塞内加尔或刚果的内地。同时这也关系到优先级的问题。西方研究机构一般更关心影响欧洲人最甚的疾病，也就是疟疾和黄热病，而非洲人的最大杀手霍乱和嗜睡病就要退居其次了。

最初的法国文明还是坚持革命理念，追求普遍公民权的。而随着法帝国的扩大，这一理念也淡化了。理论上，一个西非属民还是可以变成法国公民的。但在实践中，只有很少人被认为是合格的（例如，一夫多妻就被认为是不合格）。到 1936 年，法属西非 1 500 万总人口中，除 4 个沿海市镇之外，只有 2 136 个法国公民。在居住上，种族隔离成为标准（例如，在达喀尔就把欧洲人的“高原”和非洲人的“聚居区”分开），理由是非洲人是传染性疾病的携带者。教育也限于少数“中间阶层”精英。法国人一度还追求种族同化，但现在医药科学建议分开。这合乎盛行的观点，即和同化相比，“联合”更为现实，（援引殖民地理论家路易 · 维农的话）这是因为“1789 年的准则和非欧洲人保守主义之间的对抗”。

与热带病的抗争不仅发生在培养皿里，也同样发生在非洲的城镇和乡村。当腺鼠疫侵袭塞内加尔时，法国当局的反应是冷酷无情的。感染者的家被烧掉；居民强迫迁移并在武装看守下被隔离；死亡者被草草埋在杂酚或石灰里，而这有违穆斯林传统。在这场斗争中，非洲人认为他们更多的是受害者而非受益人。在达喀尔，爆发了大规模抗议、骚乱；在塞内加尔，爆发了人类历史上第一次大罢工。

医药科学的规则是要采取严厉的措施来遏制疫情，但当时的科学也为粗暴对待非洲人提供了欺骗性的理由。非洲人不只是对医药科学无知，按照优生学理论，他们是一种劣等种族。没有哪个地方能像快速崛起的新兴的德帝国那样，将优生学这门伪科学，这个细菌学突变出来的半个兄弟的邪恶影响力发挥到令人发指的地步。

沙克岛的骷髅

当20世纪的黎明到来时，德国是西方文明的前驱。德国的教授们赢得了诺贝尔科学奖金中最大的一份：从1901年到1910年，占了总奖金的33%，随后的10年这一数字达到29%。德国的大学引领了世界的化学和生物化学。雄心勃勃的毕业生从欧洲各地汇集到哥廷根、海德堡和图宾根，仰视着一个个德国科学巨人。帕斯特后，罗伯特·科赫以细菌学的主导力量出现。另一个德国人——埃米尔·冯·贝林——是破伤风和白喉抗毒素的开发者之一，为此他被颁以诺贝尔奖和铁十字勋章。另两个德国科学家——弗里茨·绍丁和埃里克·霍夫曼，发现了苍白密螺旋体是梅毒的起因。保罗·厄里奇是洒尔佛散的发明者之一，这是治疗梅毒的第一种有效药。

但是，这样特别的科学成功有它阴暗的一面。潜伏在真科学里的是一种伪科学，它声称人类不是单一的、大体同质的种类，而是有划分、有排序的，从雅利安“优秀种族”一直往下划分，到不值得以智人相称的黑色种族。还有比德国获得的非洲殖民地更好的地方来验证这些理论吗？非洲又变成了另一个实验室，这次是种族生物学。

每个欧洲大国都以其特有的方式来争夺非洲。正如我们已经看到的那样，法国人喜欢建铁路和卫生中心。英国人更多的是去挖金子、猎寻幸福的峡谷，他们也建设教会学校。比利时人把刚果变成了一个巨大的奴隶国家。葡萄牙人没有什么特别的作为。德国人则是宴会的迟到者，对于他们而言，殖民非洲的目的之一是对种族理论进行大试验。当然，早先的殖民国家也有一种天生的优越感。按照“社会达尔文主义”的理论，非洲人在生物学上是低等的，在先进的白色“雅利安人”对非洲的开发中，这是个恼人的障碍。但是没有人比德国人更残暴地将此理论转化为殖民实践，地点是西南非洲，即今天的纳米比亚。

1884 年德国人首先对西南非洲荒凉的海岸宣称主权。一年以后，海因里希 · 恩斯特 · 戈林被任命为帝国专员，他是更为有名的赫尔曼 · 戈林的父亲。到西奥多 · 莱特温 1893 年被任命为该殖民地第一任总督时，德国的目的已经变得很清楚了：剥夺当地土著赫雷罗人和纳马人的土地，让德国农民住下来。该政策在保罗 · 冯 · 罗赫巴赫有影响的著作《德国殖民经济学》中被公开加以鼓吹。这个计划在当时看上去充满了科学的合法性，就像欧洲人正在进行的抗击热带病斗争一样。

1851 年，查尔斯 · 达尔文的堂兄弗朗西斯 · 盖尔顿在皇家地理学会的帮助下，曾来到这个贫瘠但可爱的国家。回到伦敦后，盖尔顿报告，他曾见到“足够多的原始种族，这些材料可让我余生思考不尽”。盖尔顿对赫雷罗和纳马的观察后来为他研究人类进化提供了素材。正是盖尔顿在人类遗传方面所做的人体测量学工作，为由他命名的“优生学”学科打下了基础，即通过血统甄选来改善人类基因库[①]。这就是对公共健康问题的最终解决方案：培育出能抵挡病原体攻击的超人的优秀种族。需要特别注意的是，类似盖尔顿这样的工作在100年前属于科学前沿，因为在当时，种族主义不是什么反动意识形态；科学上无知的人对它的信奉就像今天的人们对全球变暖人为说的认同。到20世纪下半叶，随着种族间的基因差距被证明相对较小，而种族内的变异却相当大，优生学和相关的“种族卫生学”概念才最终被摒弃。

一个世纪前，西方几乎没有人怀疑白人优于黑人。白人认为就是如此。而种族理论更让这臭名昭著的种族不平等变得理所当然，这种不平等后来在美国南部发展成制度化的种族隔离，以及南非的“种族隔离政策”。在德属西南非洲，黑人被禁止骑马，必须向白人敬礼，不能在人行道上行走，不能拥有自行车或去图书馆。在殖民地的初级法庭，一个德国人的证词相当于7个非洲人的证词。殖民者因谋杀和强奸罪只需罚款，而非洲人则要即刻被绞死。正如一个传教士评论的，“一般的德国人看不起当地人，就像自己是高一级的首主教（他们最喜欢用狒狒一词来称呼土著人），并且对待他们就像对动物一样”。在19世纪，英国人和法国人在他们的殖民地废除了奴隶制，体现出些许进步，而德国人却没这样做。

然而，赫雷罗人和纳马人不是种族理论中孩子般的人。赫雷罗人是强悍的牧民，在广袤的纳米布沙漠和卡拉哈里沙漠之间的牧场上放牛，经验丰富。纳马人能征善战，是技艺高超的骑手和射手，就像东部的布尔人一样。看到荷兰人和英国人在南非的所作所为，他们深知德国人会做些什么。在世纪之交，令人震惊的牛瘟爆发严重削弱了赫雷罗人的经济地位。结果，他们不得不将土地出售给德国殖民者。由于德国商人的收债方式过于蛮横，他们

① 盖尔顿在晚年写了小说《无名国》，描绘了一个信仰优生学的人组成的乌托邦世界，在这里，人的繁衍权取决于测试结果，而“那些不合格的人若擅自生子，则被视为犯罪”。

和赫雷罗人之间的紧张关系也在加剧。赫雷罗人要抵制明目张胆的抢劫，特别是在一系列极端恶劣的暴行，包括一名德国殖民者谋杀了（企图强奸）他们一名部落首领的媳妇之后。

一位名叫泽恩的年轻人作为分区主官助理，在划定土著人新保留地边界的文件上伪造了赫雷罗头人的签名，导火索就这样被点燃。1904 年 1 月 12 日，在萨缪尔·马哈雷诺的领导下，赫雷罗人起来反抗，杀死了奥克哈贾地区能找到的每一个有行动能力的德国男人，但是有针对性地放过了妇女和儿童。超过 100 名德国殖民者被杀死。作为回应，德国皇帝威廉二世派遣阿德里安·迪特里希·罗塔尔·冯·特洛塔将军，指示他“以任何必要的方式……来恢复秩序”，而特洛塔选择了最恶劣的方式来处理这件事。

德国的殖民化理论家比起他们法国或英国同行来有过之而无不及，因为他们提出，对于“不好的、文化上笨拙的、掠夺成性的（土著人）部落”有必要进行“真正的灭绝”。特洛塔将此理论付诸实践。他发誓要用“绝对的恐怖主义”来“摧毁反叛的部落，让其血流成河”。在向赫雷罗人发表的寒气逼人的政令中，他将德国种族理论在实践中意味着什么表达得淋漓尽致：

> 我是德国的大将军。我要告诉你们赫雷罗人的是，你们这些赫雷罗人不再处于德国羽翼之下（也就是说，不再是德国的属民了）……你们这些赫雷罗人现在必须离开这片土地，它属于德国人了。如果你们不这样做，我就要用大炮驱逐你们。你们任何人只要踏上德国的土地就要被枪打死。我不会抓妇女或病人，但我会在他们的头人后面驱赶他们，不然我就要用枪杀死他们。
>
> 这就是我向赫雷罗人说的话。
>
> 伟大的德国皇帝属下的大将军
>
> 特洛塔

1904 年 8 月 11 日，靠近沃特伯格高原的哈马卡里战役与其说是战斗，不如说是一场大屠杀。赫雷罗人被集中到一个大的营地，他们在这里曾为以前的德国部队送行，他们等待着和平谈判。但是特洛塔包围了他们，向他们发动了致命的炮击，接着用马克西姆机关枪将男女老少杀死。正如他事先设想的那样，幸存者逃往贫瘠的奥玛何克沙漠，用他的话来说，这是“他们的劫数”。沙漠边缘的水源被严密把守。按照西南非洲总参谋部一份官方报告称：“德国机枪没有杀尽的赫雷罗人，将被无水的奥玛何克灭绝。”特洛塔也是同样地直截了当：“我认为像这样的民族应当被消灭。”

德国人不只是依赖沙漠来实现种族灭绝。没有参加起义的赫雷罗人被殖民卫队的“清洗巡逻兵”追捕，这些巡逻兵信奉的是“清洗、绞杀、枪击，直到他们全部死亡”。那些没有被当场杀死的人，主要是妇女儿童，却被关进了 5 个集中营。后来，纳马部落的人也加入了反德暴乱，但错误地相信了德国人缴枪不杀的承诺，放下了自己的武器。德国的集中营与英国人在南非布尔战争中设立的不同。那里正进行着一场游击战争，目的是为了切断布尔的供给线；糟糕的卫生状况造成的意想不到的后果是惊人的死亡率。在德属西南非洲，战争已经结束了，集中营成为死亡营。最臭名昭著的集中营在靠近吕德里茨的沙克岛上。

这个集中营位于岛的最远端，最大限度地暴露在风中。没有足够的遮蔽物、衣服和食品，犯人们被强迫建造防波堤，站在齐腰深的、冰一样冷的水里。那些在劳作中踉跄的人会被卫兵挥舞着粗皮鞭无情地抽打。1905 年 9 月，一个名叫奥古斯特 · 库尔曼的传教士访问了该岛。他惊恐地看到一个精疲力竭的妇人只是为了爬着去找水，就被致命地射中了大腿和胳膊。从 1906 年 9 月到 1907 年 3 月，沙克岛上的 1 795 名犯人中，共有 1 032 人死亡。最后的死亡率接近 80%。起义前，赫雷罗人有 8 万，此后仅有 1.5 万人幸存。纳马人曾有 2 万，1911 年人口普查时剩下不足 1 万人。集中营里的纳马犯人只有 1/10 活了下来。随着赫雷罗人和纳马人的土地被悉数没收，根据 1905 年 12 月的一份帝国政令，德国殖民者的数量到 1913 年增加了两倍，达到近 15 000 人。幸存的赫雷罗人和纳马人只比奴隶稍好些，但最微小的过失都会招致一顿毒打。

西南非洲土著居民的苦难并未就此终结。似乎还嫌已被大量杀死的人数不够多，德国人以“种族卫生”的名义对赫雷罗人和纳马人实施进一步的试验。至少有一名医生在西南非洲对集中营的犯人进行了致命的试验。1906 年，为了所谓的种族生物研究，对犯人进行了多达 778 例尸体解剖。随后，标本颅骨还被送回德国进一步研究。令人发指的是，他们还强迫女性犯人用玻璃碎片将颅骨刮擦干净。

众多德国科学家对时髦的种族新领域非常感兴趣，尤金 · 费舍尔博士就是其中之一。他听说西南非洲有一种混血种族，叫做雷欧巴斯巴斯特斯，受此吸引，他在当地花了两个月时间给他们从头量到脚，并仔细地看了他们的面相。1913 年，他出版了自己的研究成果，鼓吹这是奥地利人格里高尔 · 门德尔提出的基因遗传理论运用于人类的第一次尝试。“这些杂种”——他这样称呼他们，在种族上优于纯黑人，但劣于纯白人。因此，混血儿们可以发挥的作用是担任殖民地警察或低级官员。但应避免任何进一步的种族混血：

我们对这点确定无疑：那些吸纳了低等种族血统的欧洲人——只有狂热分子才否认黑人、霍屯督人和其他人（比白人）低一等——无一不为此付出代价，他们的精神（和）文化已经沦落。

此时，在德属西南非洲已经有许多法律反对跨种族通婚。

并不是德国的每个人都赞同这样的观点。德国社会主义者和天主教徒对于他们自认的文明祖国在非洲的所作所为提出了抗议。即使是殖民经济学家保罗·罗赫巴赫也谴责特洛塔的种族灭绝政策，指出没有非洲劳力，西南非洲就无法发挥作用。但是，恼人的问题依旧存在。西南非洲是否会成为将来更大规模的种族灭绝的试验场？如同康纳德在其小说《黑暗之心》中所言，这是不是一个非洲将欧洲人变成野蛮人，而非欧洲人教化非洲的范例呢？真正的“黑暗之心”在哪里？在非洲？在欧洲人中，谁视其为种族伪科学的实验室，将它列为破坏西方文明出口的毒瘤？

对非洲人滥施暴虐，定将遭到可怕的报复。由于种族理论太过恶毒，不可能把它仅限制在殖民地内部。随着新世纪的降临，它回到了欧洲老家。西方文明将要遭遇其最危险的敌人：它自己。

1914 年开始的战争不是一些吵闹的欧洲国家之间的战争，它是世界帝国之间的战争，是西方文明内部的战争。这也是西方裹挟着自身毁灭种子的第一个征兆。在这场战争中，不同于以往冲突的是，西方放出撒手锏来对付自己。工业化经济提供了机械化毁灭的手段，现代医药也在整个血腥战争中扮演了自己的角色。

没有哪个地方的交通问题比非洲还要严重，缺乏四通八达的铁路和可依赖的驮畜，只剩下一个解决方法：人。超过 200 万非洲人活跃在第一次世界大战中，几乎都是在搬运供给、武器和伤员，尽管他们远离佛兰德斯战场，但这些被遗忘的附属品和欧洲最前线的士兵一样，经历了地狱般的时刻。他们不仅吃不饱，而且加班工作；一旦离开原来的居住地，他们就像他们的白主子一样对疾病相当敏感。在所有被雇为搬运工的非洲人中，近 1/5 死亡，他们许多人是痢疾的受害者，这种疾病蹂躏了战场上的所有殖民军队。在东非，服役英军的 3 156 名白人在岗位上死亡，其中死在敌人手上的不足 1/3。但是如果加上黑人军队和搬运工，整个损失超过 10 万。

正如我们所见，分享文明是白人为统治非洲经常宣扬的基本思想，而战争——在德国所有的殖民地都打响（包括多哥、喀麦隆和东非以及西南非洲）——让这种说法成为了笑料。“在我们身后，我们留下了被摧毁的田野、仔细搜寻过的仓库，而在不久的将来，就是饥馑。”路德维希 · 德普写道，他是德国东非军团的一名医生，“我们不再是文化的代言人；我们的足迹打上了死亡、劫掠和扫荡一空的村庄等记号，就像在三十年战争中我们自己和敌人军队所干的一样。”

第一次世界大战的多数战场处于僵持状态。英法联军必须瓦解德军在西线的严密防线，德军作为防御方占得优势，这种优势也为后来历史上最大规模的包围战提供了条件。特伦蒂诺和艾松佐前线同样僵持不下，意大利人无法击退奥匈联军。东方的战事更为机动，但在这儿德国人也占了上风，尽管他们的哈布斯堡盟军犯了大错。为了打破僵局而开辟加里波利、萨洛尼卡、美索不达米亚新战线的努力，也只落得悲惨结局。没有什么神奇武器会带来原子弹那样的效果；毒气被广泛使用，威力虽大但不是决定性的；潜艇可以破坏英国的进口贸易但不能阻断它。到 1917 年春天，随着消耗战苦苦地进行，法国的前景黯淡。2 月份，俄国的叛乱和革命给了德国取得东线胜利的希望。美国尽管从 4 月 6 日开始与德国处于正式交战状态，但要在西线发挥重要的军事作用，至少还要 6 个月。另外，在凡尔登战役（1916 年）中遭受巨大损失后，法国政府面临严重的人力短缺问题。法国比世界其他地方更早地对家庭规模实行了控制——也许是因为法国妇女对性了解较深，她们较能接受避孕措施——因此，年轻的法国人比德国人要少很多。到 1917 年 3 月，已经有 130 万法国人被杀或被俘。简言之，法国战时的损失近乎英国的两倍。几乎 1/8 的从 15 岁到 49 岁的法国人失去了他们的生命。“血税”，即义务兵役，事实上相当沉重。

人们容易忘记在 1870 年到 1940 年间，法国在三场对德国的战争中失败了两次。1917 年似乎也到了输掉第一次世界大战的边缘。法国应当到哪里寻求帮助呢？回答是非洲。正如我们所见，虽然法国的大多数非洲属民被认为不符合享有法国公民权的资格，但在扛枪保卫祖国上倒被认为是符合资格的。然而不管在任何地方——塞内加尔、法属刚果、法属苏丹、达荷美和象牙海岸——非洲人都拒绝回应母国的召唤。从一个母亲对一名法国军官的抱怨中可以反映出这种集体情绪："你已经拿走了我所有的一切，现在你又要拿走我唯一的儿子。"多数人认为征召入伍相当于"必死"的判决。看来能够解此困境的唯一人物是布莱兹 · 迪阿涅，第一个被选入法国国民大会的非洲人。现在，他愿意回到塞内加尔去当一名光荣的征兵中士吗?

迪阿涅看到了与乔治 · 克莱蒙梭总理做交易的机会。他认定，任何来参战的非洲人都应给予法国公民身份。西非应当建设更多的医院和学校。老兵应当免除税负，并得到体面的养老金。迪阿涅打电报给他在达喀尔的同事，如果他要求的条件得不到满足，就抵制征兵。

在法国国民大会的首次演说中，迪阿涅曾说："如果我们能来这儿立法，我们就是法国公民，如果我们是的话，我们也会要求像所有法国公民那样在军队服役。"这是一个巧妙的诉求，它贴合了法国大革命的思想传统，法国大革命的理想就是建立一个有武装力量的国家，国家的每个公民享有自由、平等和博爱的权利，也有拿起枪来保卫国家的神圣义务。克莱蒙梭被说服了。"那些在炮火下倒下的人，既不是作为白人倒下，也不是作为黑人倒下，"他宣称，"他们是作为法国人，为了同一面旗帜倒下的。"

作为参军的鼓励，法国公民权的许诺被证明是惊人的成功。至少 63 000 名西非人回应了迪阿涅的召唤，超过了法国人要求数目的两倍多。总之，来自法属西非和赤道非洲的 164 000 人在战争期间成了欧洲的战士，占了来自整个法帝国的 50 万强大殖民军的相当部分。作为一名应征者，奈马蒂 · 姆巴耶回忆道："他（迪阿涅）告诉我们，法国已经和德国人开战了。他说，'你们是法国人的朋友。当他有难时，你们必须去帮助他们。法国人已经请求（你们）去帮助他们打仗。'"大多数志愿者热情很高，证明他们去服役很"高兴"，去打仗很"幸福"，在军队里会觉得很"自豪"。登巴·姆波普是急于为法国而战的一员：

> 我非常高兴，因为我不知道战争究竟什么样。我很好奇，我想知道战争是什么样的，当一名士兵是什么样的……（想到）我要去找寻新的感觉了，我很高兴。我不知道。

很快他就知道了。

他的指挥官查理·芒金将军认为他对非洲人略知一二。芒金曾是马尚法绍达探险队的一员。1910年，作为一名雄心勃勃的年轻中校，他和一群科学家游历了西非，他还带了增加招募的命令。芒金对最新的种族科学比较熟悉。在用一系列的伪科学方法检查了新兵后，他的考察队得出结论，多亏了非洲人未开发的神经系统，非洲士兵才会比欧洲士兵更不害怕，更不觉得疼痛。所以，在炮火下，他们更为坚定。1917年，芒金将其理论付诸实践。在他的领导下，姆波普和他的同伴被用来对付西方最精良的军队，这一战争机器就是德帝国军队。

黑色的耻辱

1917年4月，登巴·姆波普和他在法国殖民军战友们，隶属于查理·芒金将军的第六军和丹尼斯·杜谢尼将军的第十军，在女士路上面对着德国汉斯·冯·伯恩将军麾下第七军团的坚固堡垒阵地，女士路这个路名是因为18世纪路易十五国王的两个女儿曾经在上面走过。1814年3月，拿破仑的撤退士兵曾沿着同一条路与进犯的奥地利和俄国军队作战。这是德军西线防御阵地的关键。

法军司令罗伯特·尼维尔将军信心满满，认为他会在西线取得期待已久的突破性胜利。法国人修了300英里长的新铁路线，为此次攻势提供了872趟列车载重的军需品。总共有超过100万的兵力聚集在一起，严阵以待，准备攻击，战线长达25英里。多日的炮火攻击料想已经把德军打酥了。于是，在4月16日早晨6点，殖民军冲向山头，由于下雨和雨夹雪，地上已是烂泥一片了。芒金把塞内加尔士兵摆在攻击的第一波，用心显而易见：保存法国人。按照殖民军团第58团团长德比厄中校的话来说，非洲人“从头至尾是优秀的攻击部队，它保存了白人士兵的生命，白人躲在后面攫取他们的胜利果实，对他们攻克的阵地进行善后”。

从德军战壕里，瑞恩霍德·埃查克上尉惊恐地看到：

> 这些为法国效命的塞内加尔黑人就像屠宰场上的牛。几百只战斗的眼睛，坚定、凶狠、夺人魂魄。他们冲来了，先是单个、分散的。他们像可怕的乌贼的触须一样探路，像力大无穷的魔鬼的爪子一般急切饥渴。就这样，他们冲得更近了，时而消失在他们卷起的烟尘里，忽隐忽现。这些强悍狂野的人像黑豹一般龇着牙。他们怪异的，圆睁着的、燃烧着的、充血的眼睛令人望而生畏。
>
> 他们冲上来了，像一堵坚固的、滚动着的黑墙，起起落落，摇摇摆摆，密不透风，一望无际。
>
> “近距离瞄准！单发射击！选好目标！”我发出的命令尖利而明晰。
>
> 第一批黑人头向前地全身倒在我们盘根错节的铁丝网上，翻着筋斗

就像马戏团里的小丑。整个队列被打散了。残腿断臂、泥泞的土地、飞溅的碎石，都搅和在狂野的无序之中。黑云犹豫着，不稳了，队列靠拢，又越来越近地向前滚动了，无法阻挡，排山倒海，势如破竹！

一堵弹墙突然猛烈地扫向近在眼前的进攻者和铁丝网。一片震耳欲聋的锤击声和咔嗒声，破裂声和敲击声，震耳欲聋、让人神经受不了的噪音，把一切都打入了地狱。我们的机关枪打向了黑人！

就像一只无形的手挥向敌人，把他们打倒在地，击打他们，把他们撕扯成碎片！黑人们单个地、成行成列地、成堆地倒下了。身体互相挨着、前后靠着、上下摞着。

战役开始前11天，德国人实际上已经从一名被俘的法军军士那里获得了详细的进攻计划。为了防范法军的炮火，他们挖了很深的取名龙穴的石坑，用来做炮弹掩体。当步兵进攻时，德国人拿着最新型的运动机关枪，早已严阵以待。仅第一天，进攻部队就遭遇40 000人的伤亡。到了5月10日，1/5的法国士兵非死即伤。至于登巴 · 姆波普，炮弹碎片让他丧失了作战能力，在整个战争期间，欧式的野蛮展现无遗。非洲士兵大失所望，有些人加入到随后席卷法军的大规模哗变中，迫使政府撤换了尼维尔。8月，塞内加尔殖民军第61营的200名士兵——人称马拉弗斯营，以它的指挥官名字命名——拒绝沿女士路进入阵地。就像营中一个士兵简短抱怨的：“马拉弗斯营一点也不好。没有休息，总是打仗，总是杀黑人。”几个哗变者受到军事法庭的审判，4个被判处死刑，但没有哪个判决被真正执行了。

尽管布莱兹 · 迪阿涅抗议对其国人的滥用，他还是很快就回到塞内加尔继续寻找新的兵员，这一次他得到了一个保证，参军不仅仅意味着公民身份，而且还有十字战斗勋章。1918年2月18日，克莱蒙梭在一群参议员面前陈请恢复招兵，他的话清楚地阐明了法国人是怎么看待塞内加尔人的：

> 尽管我对这些勇敢的黑人充满了极大的敬意，我还是宁愿用10个黑人的命换一个法国人的命，因为我认为法国人已经伤亡过重，应该尽量避免他们的牺牲。

共有33 000名西非人死于这场战争，占参战的西非人数的1/5。法国士兵的相应比例不足17%。作为对比，英军中印度部队的阵亡率是英国士兵的一半。

战争是地狱。当帝国的吟游诗人鲁迪亚德·吉卜林1915年访问西线的法军阵地时——就在他的儿子在鲁斯战役中阵亡前没多久——他见识了这场美其名曰文明战争的真实情况：

> “同样的工作。总是同样的工作！”（一名）军官说，“从这儿沿着这条沟，你可以走到海边或是瑞士，你会发现到处都在干同样的事情。这不是战争。”
>
> “这要好多了，”另一人说，“这是在吃人。他们来了，布满了战壕，然后他们死了，一个接一个地死了；他们送来更多的人，那些人也死了。我们当然在做同样的事，但是，看！”
>
> 他指向黄色海滩沿线人为点起的大朵的烟云：“那是文明的前沿。这些野蛮的德国佬（指德军）成为所有文明的敌人。我们追求的不是旧式战争的局部胜利，我们要打击的是强盗行径，所有的强盗行径（原文如此）。眼下你已经见微知著了。”

但是战争也能够成为人类进步的推进器。正如我们所见，欧洲国家间连绵不断的争斗有助于科学革命取得巨大的进步，而绝非阻碍。从1914年到1918年，帝国之间的战争也是如此。西线的屠场就像是给医药科学设置的一个巨大而骇人的实验室，在外科学上取得了重大的进步，更不必说精神病学了。皮肤移植术和伤口的抗菌冲洗法被发明出来。尝试了最早的输血。英国士兵第一次全部注射了抗伤寒疫苗，受伤的士兵定期注射抗破伤风针。

但是，这些进步并没有给殖民军带来什么好处。他们不是被打死在壕沟里，就是大批死于肺炎。为什么？按照法国医生的话说，他们这个种族容易受到肺炎的感染。

欧洲人到非洲去，宣称他们要给它带来文明。然而即使是法国人，虽然抱有一些良好愿望，灌输给那里的西方文明思想也只是有限的一点儿。而荒凉的地形和部落的抵制，将欧洲人最残暴的一面释放了出来，最为臭名昭著的是德国殖民地，当然其他国家也用过类似的手段。全面战争时的做法先是用在了赫雷罗人身上，然后又引进回欧洲，加上新一代工业化武器，造成了破坏性极强的后果。在最后的一场黑暗骗局中，非洲人又被引诱至欧洲，在这场战争最愚蠢的攻势之中白白丢掉了性命。

这场发生在非洲的战争给欧洲带来的影响之深远亦如非洲。曾参与对赫雷罗人大屠杀的保罗·埃米尔·冯·莱托-沃贝克将军，也在东非指挥了与英军的战役。战争结束后，莱托-沃贝克回到了德国，但时间不长，他和他的士兵又看到了战事。眼见他们的祖国将要爆发革命，他们开进了汉堡，清除德国左翼分子的威胁。内战不仅发生在德国大城市，战火也烧到德国的东部边境，由老兵弗朗茨·扎维埃·里特·冯·埃普和赫曼·艾尔哈特指挥的自由军团，向布尔什维克和斯拉夫民族主义者发动了战争，好像他们除了皮肤颜色与非洲部落不一样，没有什么与非洲人不同。对于埃普和艾尔哈特，这很自然，他们二人在对赫雷罗人和纳马人的战争中都曾是军官。

尽管种族理论家尤金·费舍尔最终在论战中沦为输家，但他的这一领域在“一战”时期却是硕果累累。随着德国殖民军建立起德国战俘营，他们也为奥特·雷奇这样的种族专家提供了方便而新鲜的样本。费舍尔与埃尔文·巴尔和弗里茨·伦斯合写的《人类遗传和种族卫生》于1921年出版，很快它就成了快速发展的优生学领域里的一本标准著作。阿道夫·希特勒1923年慕尼黑政变失败后，在被囚禁期间读到了这本书，并在《我的奋斗》里提到了它。对希特勒来说，很少有什么能比战后驻扎在莱茵的塞内加尔士兵让德国妇女怀孕这件事更可怕的了。这就是臭名昭著的“黑色的耻辱”，它造出的“莱茵杂种”是阴谋污染雅利安种族血液的鲜活例证。费舍尔是1927年在柏林新创建的威廉国王学院人类学、人类遗传和优生学方面的主任，他的影响既深远又邪恶。他后来出任了盖世太保第三特别委员会的科学家之一，该委员会策划并实施了对“莱茵杂种”的强迫绝育。他学生中的约瑟夫·门盖勒负责对奥斯维辛的犯人进行臭名昭著的非人试验。

由于许多前殖民地的德国士兵加入到纳粹党阵营，于是把非洲集中营里出产的理论用于纳粹对东欧的“殖民”也变得顺理成章，而种族灭绝政策就产生了大屠杀。负责德国空军的帝国元帅是西南非德国殖民官的儿子，这并非巧合。《没有生存空间的人民》（1926年）一书的作者汉斯·格里姆，曾在南部非洲生活过14年。1939年希特勒任命的柏森省长维克多·波特切曾在德属喀麦隆担任文职官员。他是一位寻求“在帝国东部从事建设工作，就像他们曾在非洲干过的那样”的纳粹官员。这些都不是巧合。纳粹总意图“从殖民的角度”，“通过殖民的手段”，对东欧兼并的领土进行“经济剥削”。

东欧殖民和非洲殖民主要的差别在于，在东欧，被殖民者和殖民者有着相同的肤色。“之前没有哪个白种人的国家被强加上这样的条件。”尤金·艾德礼写道，他是最早对纳粹德国的统治发表评论的人之一。但纳粹轻易地解决了这个问题，这要归功于他们的种族理论擅长歪曲事实的高超手段。对党卫军头子海因里希·希姆莱来说，斯拉夫人都是“蒙古种”，必须代之以

“雅利安人”，以便在东方创建一个新的“金发省份”。对希特勒来说，俄国人可以简单地等同于“红种人”。如果说奥斯维辛集中营达到了对异族人民施行国家暴力的巅峰，那么对赫雷罗人和纳马人的战争无疑就是向这个方向迈出的第一步。

帝国也有好坏之分，这点通常被那些对帝国主义进行一刀切评价的学者所忽略。为了解法帝国在两次世界大战的间歇期的行为模式特点，不妨看一下《黑色的旅行》，这是雪铁龙汽车公司在20世纪20年代拍摄的纪录片。1924年10月，当乔治–马利·哈德特和路易·奥德安–杜布赫依乘坐半履带式汽车踏上雪铁龙中非探险之旅时，他们可不只是想卖掉更多的汽车，也是为了宣扬法国对非洲的仁政，这次宣传甚至延伸到了“未知的赤道森林”。这是一场“文明战利品”的庆典，影片里既有“白人巫师”的科学把戏让非洲人啧啧称奇的镜头，也有森林里“奇怪的小侏儒”（俾格米人）一闪而过的镜头。影片结尾是法国三色旗骄傲地飞越整个非洲大陆，从阿尔及尔到达喀尔，从布拉柴维尔到马达加斯加。对于这种表现法帝国主义勃勃雄心的老套手法，想加以讥讽并不难。但这种雄心也不是没有正面的结果。正如我们所见，塞内加尔的平均寿命稳定增长，从30岁到了40岁，提高了10年，这种进步与法国殖民密不可分。

法帝国健康转变的时间点和步伐

	塞内加尔	突尼斯	阿尔及利亚	越南	法国
健康转变的起始时间	约1945	1935	约1940	约1930	约1795
每年增长的寿命	0.63	0.68	0.70	0.67	0.25
初始平均寿命	30.2	28.8	31.2	22.5	28.1
1960年平均寿命	39.6	45.8	45.2	42.6	69.4
2000年平均寿命	52.3	72.1	71.0	69.4	78.6
达到65岁的年份	—	约1985	1987	1987	1948

阿尔及利亚和突尼斯就有类似的改善。更好的医疗护理，特别是婴儿死亡率和早产儿死亡率的降低，是为什么1945年以后法属非洲人口开始快速增长的原因。在印度支那，是法国人建设了两万英里道路和2 000英里铁路，开发煤矿、锡矿和锌矿，并建起了橡胶园。1922年，大约两万名越南人获得了法国公民身份，虽然在300万的人口当中仍占少数，但也并非微不足道。在法属西非，1946年公民权扩大到100万非洲人，5年后则进一步升至300万。在德国治下，喀麦隆饱受嗜睡症之苦，但在法国治下，这一疾病基本根除。

与之相对，在刚果进行殖民的比利时是所有在非洲进行殖民的帝国中最为恶劣的国家。而第三帝国称得上是在欧洲实行殖民的帝国中最为邪恶的国家，它的行径令人发指，它是19世纪提出的文明殖民这一理念的反证，那些受它短期控制的国家出现了社会倒退。正如希姆莱在1942年9月筹划的那样，第三帝国的目标是使“德意志民族”在数量上从83 000 000人增长到120 000 000人，并将在德国征服的所有土地上重新安置——从捷克斯洛伐克、波兰到苏联。他们将去那里，在崭新的壮丽的省份里繁衍生存，这些省份可以命名为英格拉姆之类。高速公路和高速铁路将连接起“一串珍珠”，珍珠是那些坚固的德国边远居民点，这串珠链将伸展至顿河、伏尔加河，最终甚至到乌拉尔山。用希姆莱的话说，德国对“东方”的征服将是“世界所能见到的最大规模的殖民”。

实际上，纳粹德国实行的殖民是史上最为失败的殖民。始于1938年、将国土拓展到1871年疆界以外的行动在1942年底达到顶峰，此时帝国囊括了欧洲1/3土地和近一半居民，244 000 000人。但是到了1944年10月，当苏联红军踏进东普鲁士时，一切都烟消云散，第三帝国也成为历史上最短命的帝国之一，同时也是最恶劣的帝国之一。第三帝国如此转瞬即逝，我们当然可以把主要原因归咎于军事。一旦第三帝国卷入一场不仅有英帝国，还有苏联和美国的战争，它的灭亡也就注定了。但第三帝国之所以失败，另外还有一层内在原因。

从简单的人口统计数据观点来看，事实上，让8 000万德国人主宰欧洲大陆的计划并非难以置信。在理论上，德国统治乌克兰要比英国统治乌塔普拉德西容易。一个原因是，基辅离柏林要比坎普尔到伦敦近得多。另一个原因是，1941年德国人在乌克兰的许多地区如同解放者一样受到真心欢迎。但是德国人完全没能利用这些优势。

“傲慢专横的第三帝国德军”，身着华丽的制服趾高气扬地四处游走，甚至对于受着外国压迫的当地德裔，他们也没伸以援手，反而予以疏离。更糟的是，他们让新属民挨饿并以此为荣。“我要把所有的东西都从这个国家抽走。”在埃里克·科赫被任命为乌克兰主管时，他这样说道，“我到这儿不是来散布福音的……”戈林曾说，如果非日耳曼人“因饥饿身亡”，他“不会有一丝怜悯”。巴巴罗萨行动后，红军战俘受到的待遇是这种非人道行为的力证。到1942年2月，起初捕获的3 900 000人只有1 100 000人幸存。这些战俘被成群地关在铁丝网围住的俘虏营里，遭受着营养不良和病痛的折磨而被弃之不理。纳粹还不满足于让被征服的人挨饿，他们还津津有味地向他们施加非人的暴力，从肆意毒打（因未向希特勒致敬或致敬时神情不恭，根据他们的喜欢来执行），到工业化的大屠杀。显然，这是放大版的赫雷罗式行径。

一些德国人看到了这样做的愚蠢。1944年2月，高莱特·阿尔弗雷德·弗劳恩菲尔德说：

> 对这个国家（乌克兰）所采取的残酷野蛮行为，它的观念和方法是几个世纪前用于对付有色奴隶的；是对人性的公然藐视，这种蔑视不仅表现为对人身的侵害，而且表现为各种场合的言论……所有这一切表明他们在对待异族上已失去理智，其后果只能是……灾难性的。

正如东方事务部的一位官员所说，这是“错误行事的杰作……不到一年，一个亲德的、热烈迎接我们的民族，就成为了敌后游击队员，逃进了森林和沼泽”。

除了自负、无情和残酷之外，还有彻头彻尾的愚蠢。早在1938年，一名德国国防军的参谋就评论帝国在新近获取的苏台德区“管理愚钝无能”。阿尔弗雷德·罗森博格的东方事务部很快就被戏称为“骚乱部”。党卫军渴望对帝国建立一些集权化的管理，但希姆莱和他的手下甚至在重新安置800 000个日耳曼人问题上都弄得一团糟。负责杀害成千上万的苏联犹太人的忠实的指挥官奥特·奥兰多夫叹道，希姆莱的特长就是“组织混乱”。但是纳粹德国功能障碍的最终责任不在罗森博格或希姆莱身上，而在于他们的领导人。毕竟，是希特勒掌管着第三帝国。（战争期间颁发的650份主要立法命令中，只有72份不是以他的名义颁发的。）正是希特勒本人在入侵苏联不久后说道：“考虑到东方占领区幅员辽阔，要想以现在的兵力确保这些地区的安全的话，不能通过法庭上的判决对抵抗进行惩罚，而只能让占领军散播恐怖，摧毁人群中每个妄图抵抗的意志。”希特勒青睐的安定占领区的方法就是“开枪打死每个看上去可疑的人”。在维纳·贝斯特（第三帝国中对帝国统治尚有一点清醒认识的少数人之一）眼里，希特勒是一个毁灭专家，他的野蛮帝国不可能长久。

从许多方面看，纳粹德国是最后一个某种邪恶观念的化身，这种邪恶观念到1945年退出了历史。而在这之前的几个世纪以来，这种观念却相当盛行：似乎要想致富，就要奴役别的民族，侵占他们的土地。在生存空间一词被创造出来的很久以前，正如我们所见，欧洲帝国为了找到新的地方去居住、新的人群去征税而争斗不休，在他们之前是亚洲、美洲和非洲的帝国。但是在20世纪进程中，一个逐渐明朗的观点是，一个工业国家没有殖民地也可以发展得很好。事实上，殖民地或许还成为某种不必要的负担。经济学家赫尔穆特 · 舒伯特 1942 年在写作中指出，德国真正的未来是依靠“长期并且数量逐渐增加的外国劳工”，成为“一个大的工业区”。东方的德国化不太可能；但随着劳动力持续从农业转向工业，德国的东方化则颇有机会成为现实。战时紧迫的经济证明了这一点。到 1944 年底，大约 500 万外国人在老帝国的工厂和矿山里被强制干活。讽刺的是，梦想保持种族纯粹的德国自身成为一个多民族的国家，虽然只是个奴隶国家。战后替代东欧奴隶的是土耳其和南斯拉夫“客籍工人”，但这并未改变此经济论断。现代德国实际上不需要“生存空间”，它需要活生生的移民。

法帝国并没有犯下像纳粹德国这样难以饶恕的野蛮罪行。否则它也不会在第二次世界大战后重提当年的主张，它甚至重申了老掉牙的同化论的抱负，重新冠以“法国联盟”的称号。从 1944 年的布拉柴维尔会议到奠边府和阿尔及利亚暴动的两次失败经历了 10 年，这也超过了希特勒大德意志帝国总的持续时间。但是，傲慢自大的文明殖民也在世界大战中得到了可怕的报应，因为所有欧洲帝国之间对抗所使用的方法，都是他们在对付非洲人时使用过的（尽管残暴的程度不一）。医药科学尽管在战争中似乎是对付疾病的普世救星，最终也受到了种族偏见和伪科学的优生学的滥用，甚至将一些医生变成了刽子手。到 1945 年，“西方文明”真的更像是一个矛盾的措辞，就如同甘地所言。战后年代里欧洲帝国的迅速瓦解看上去是一个正当的裁决，不论大多数前殖民地是否已经作好了自治的准备。

在脱离了这个可怕的毁灭时代后，一种新型的文明出现了，它所围绕的中心不是殖民，而是消费，这是个值得我们思考的现象。到 1945 年，是西方放下武器、拿起购物袋的时候了，脱下军装，穿上蓝色牛仔裤吧。

CIVILIZATION

第五章

消费

我们必须做的是改变我们的帝国与我们的人民，使我们的帝国如同欧洲诸国，使我们的人民如同欧洲人民。

井上馨

视其伟大发明与民主甚于《圣经》的西方世界，会站出来反对这个终结了卡尔斯民主的政变吗……或者，我们是否可以得出这样的结论：民主、自由与人权并不重要，西方世界所需要的只不过是让世界其他地区像猴子一样地模仿它？西方世界能容忍与其迥异的敌人所实现的民主吗？

奥尔罕 · 帕慕克

消费社会的诞生

1909 年，受日本之行鼓舞，法国犹太裔银行家、慈善家阿尔伯特·卡恩[①]开始着手制作一本有关世界各地人民的彩色照片簿。卡恩说，此举的目的在于“创建一种照片库，用以记载 20 世纪初人类在地球表面居住及开发的情况”。卡恩“地球档案”中的 7.2 万张照片与 100 小时的影片使用新发明的彩色照相胶片工艺进行制作，向人们展示了来自 50 余个国家的各式服装与时尚，令人目不暇接：爱尔兰语地区极其贫困的农民，保加利亚衣冠不整的被征入伍的士兵，阿拉伯令人望而生畏的酋长，达荷美一丝不挂的武士，印度戴花环的王公，印度支那轻佻的女祭司，以及神情漠然的美国西部牛仔。今天看来，多少会令人感到讶异，但是在那个年代，的确是人如其衣。

一个世纪后的今天，卡恩的项目几乎已无意义可言了，因为在这个时代，世界各地大多数人的着装大致相同：相同的牛仔裤，相同的运动鞋，相

① 卡恩是哲学家亨利·柏格森的学生，因“大萧条”破产，这也使其宏伟的摄影项目告终。

同的T恤衫。只有在极少数几个地区，人们仍保留着自己的民族特色，其中之一便是秘鲁农村。在安第斯山脉的山区，盖丘亚族妇女仍然穿着颜色鲜艳的衣服与披肩，戴着色彩亮丽的小呢帽，上面时髦地别着装饰用的部落标志。只是这些并非盖丘亚族的传统服饰。这些服装、披肩与帽子实际上起源于安达鲁西亚，在图帕克·阿马鲁战败之后，于1572年由西班牙总督弗朗西斯科·德·托莱多强制实行。真正传统的安第斯女性服装构成如下：用腰带将束腰外衣固定在腰部，束腰外衣的上面穿披风，披风用扣针固定牢。盖丘亚族妇女今天的穿着是这些早期服饰与西班牙统治者规定的服装相结合的产物。风行于玻利维亚妇女之间的圆顶硬礼帽出现则更晚，于英国工人抵达修建该国第一条铁路之时兴起。因此，目前安第斯男士们崇尚美国休闲装的时尚潮流只不过是服装西化这一悠长历史中的一个最新篇章。

我们的服装究竟有何魔力，令其他民族无法抗拒？像我们一样穿着就是为了成为和我们相像的人？显然，这不仅仅关乎服装，而是关乎涵盖了延伸至音乐及电影的整个流行文化，更不用说软饮料与快餐了。这种流行文化承载着一个微妙的信息。它关乎自由：按照自己的喜好去穿、去吃或去喝的权利（即使结果表现为大家的做法基本相同）。它关乎民主——因为只有那些人们真正喜欢的消费品才会被最终生产出来。当然，它还关乎资本主义——因为公司必须依靠出售物品谋取利益。然而，由于一个非常简单的原因，服装处于了整个西化进程中的核心位置。很久以前，被历史学家们称之为“工业革命”的那场伟大经济变革，就发端于纺织品制造，这场革命使人们的物质生活水平取得了巨大飞跃。在一定程度上，它是早期“科学革命”带来的技术革新浪潮引发的大规模生产所创造的一个奇迹。但是，如果没有以对廉价服装弹性需求趋于无限大为特征的动态消费社会的同步发展，“工业革命”就不会在英国发端，更不会蔓延至西方世界的其他地区。工业化的魅力之处就在于，它使工人同时具有了消费者的身份，不过，这常常被当代评论家们所忽略。“工资奴隶”也会去购物；最底层的无产阶级有不只一件衬衫，他们还渴望拥有两件以上的衬衫。

今天，消费社会已经渗透到了方方面面，以致人们很容易会认为它一直以来就存在着。然而实际上，它只不过是推动西方世界领先于世界其他地区的较为近期的革新之一。其最为显著的特点就是有着看似让人无法抗拒的吸引力。不同于在西方殖民地通常被强制实行的现代医学（正如我们上一章所见），在世界其他地区，消费社会颇受欢迎，被广为采纳。其结果就是现代史上最伟大的悖论之一：旨在为个体提供无限选择的经济体制，最终却导致了人类的同质化。

人们往往歪曲了“工业革命”，误认为广泛的技术革新同时也改变了多种经济活动，但事实并非如此。工业化的第一阶段被牢牢锁定在纺织品领域。典型工厂是棉纺织厂，如位于佩斯里的棉纺厂。作为苏格兰工业鼎盛时期的纪念馆，该厂今天依然被保留着。①

究竟发生了什么？一个简单的答案是：17 世纪既已开始加速增长的英国人均经济产量，在 19 世纪的某一时刻像火箭一样一飞冲天了。由于回溯计算国内生产总值、国民收入等当时不存在的经济指标极为困难，所以对于确切的时间，各学者间也是意见不一。一种比较权威的估算是，平均人均国民收入年增长率在 1760 年至 1800 年低于 0.2%，1800 年至 1830 年提高到 0.52%，1830 年至 1870 年则升至 1.98%。尽管按照 21 世纪的标准，所有这些数据都处于极低水平，但其影响是具有革命性的。以前从未有过如此持续

① 该厂由创建于 1812 年的克拉克公司（并为肯尼斯 · 克拉克成为绅士学者提供了途径）建造。今天我们所知的该棉纺厂建于 1886 年，其建筑风格是杰里米 · 边沁所一直推崇的功利主义。如同英国纺织业中的大多数工厂，因为一直处于不盈利状态，在日本竞争压力之下，该厂于 1968 年关闭。

加速的经济增长，而且这种增长一直在持续，而且增速甚至更快。1960年，英国人均富裕程度几乎超过1860年其曾祖父辈的6倍。尤为引人注目的是，这种增速伴随着英国劳动力从农业转向其他行业（不仅是制造业，还有服务业）。早在1850年，英国仅有1/5的职业人口从事农业。而同一时期，即使是在低地国家，这一数字也通常接近45%。到1880年，从事农业生产的英国人少于1/7；到1910年，这一数字则变为1/11。总增长数字掩盖了这种变化的显著性。尽管工业革命传播了几十年，它仍有很强的地域性。例如，在格洛斯特郡，几乎不见工业革命的踪影。在烟雾弥漫的兰开夏郡，工业革命却有目共睹。苏格兰高地则未受到工业革命的丝毫影响，这也是维多利亚时代的英国人之所以学着爱上在约翰逊博士这一代看来只不过是阴森荒地的原因。相比之下，格拉斯哥却因贸易与工业转而变成了大英帝国的第二大城市，其烟囱所排放的臭气更甚于其劲敌爱丁堡。

工业革命被刻画为“工具浪潮”。当然，正是科技革新才使土地、劳动力与资本（即生产力要素）的生产力有了关键性的提高。劳动力与资本这两个生产要素于19世纪在量上有所增长①，但真正重要的是质的提升。生产总产量已超出了工人与工厂的合计增量，这是事实。在供应方面，工业革命追求的则是效率。詹姆斯·哈格里夫斯发明的珍妮纺织机（1766年），理查德·阿克莱特发明的水力纺纱机（1769年），塞缪尔·克伦普顿发明的走锭纺纱机（1779年），埃德蒙·卡特莱特发明的以蒸汽为动力的纺织机（1787

① 从18世纪40年代至18世纪90年代，英国人口飙升超过了1/3；到19世纪60年代，其人口超过原来规模的3倍多。结婚平均年龄由26岁降至23岁。未婚妇女越来越少，非婚生育越来越多。格雷戈里·克拉克认为，富人子女较穷人子女的寿命更长这一倾向是对工业革命很好的注解，因为“中产阶级价值观与经济取向最有可能通过繁殖优势得以传续……节俭、审慎、协商与辛勤工作正渗透进挥霍无度、暴力、冲动与好逸恶劳的社会之中”。不过，据推测，富有的法国人与意大利人的子女也同样比贫穷人家的孩子更为成功。

年)，及理查德·罗伯茨发明的自动走锭精纺机（1830 年）：所有这些发明都是为了使每工时可以纺出更多的纱、织出更多的布。例如，珍妮纺织机可以使一名工人同时转动 8 锭棉纱。由于这些革新，英国棉花生产的单位价格从 18 世纪 90 年代中期到 1830 年大约下降了 90%。铁的生产与蒸汽发电领域同样也取得了重大突破。詹姆斯·尼尔森发明了鼓风炉，并于 1828 年获得专利。这一发明极大地改善了由亚伯拉罕·达比于 1709 年发明的焦炭熔炼工艺。达比的科尔布鲁克代尔熔炉年产铁量由 1709 年的 81 吨，跃升至 1850 年的 4 632 吨。同样，虽然 1705 年由托马斯·纽克曼发明的蒸汽机几乎没有得到实际运用，但在詹姆斯·瓦特为其添加了一个分离冷凝器之后，蒸汽机被大大改良了，而理查德·特里维西克的高压蒸汽机则更为先进。如果要产生一马力小时的能量，纽克曼的蒸汽机需要燃烧 45 磅煤。而要达到同样的能量，19 世纪后期的蒸汽机则仅需要燃烧比 1 磅还要少的煤。到 1870 年，英国所有蒸汽机所产生的功率达到 400 万马力，相当于 4 000 万人在工作，如果要填饱如此庞大的劳动力人群的肚子，则将需要英国小麦总产量的 3 倍。然而，这其中没有一项如 17 世纪重大科学突破那样需要精深的学识，尽管博尔顿与瓦特的伯明翰月亮社成员身份（在伯明翰月亮社众多杰出人物之中，也包括先驱化学家约瑟夫·普利斯特里），展示了两个革命之间的联系非常紧密。工业革命更多的是一个累积、渐进的改进过程，有时这些改进甚至是由受过极少科学教育的人们来完成的。这一时代的人们不再谈论骑兵战马，而是在博尔顿与瓦特的索霍工厂车间里辛劳工作。严厉的瓦特所体现的革新精神与热情洋溢的博尔顿所展现的创业精神，是工业革命核心的典型性合作关系。

1776 年，博尔顿对詹姆斯·博斯威尔说：“先生，我在这里出售的，是全世界都渴求的东西——动力。”但是，世界为何渴望动力呢？如果工业革命仅仅代表布、铁与机械动力年产量的大幅增长，则其将变得毫无意义可言。同等重要的是快速发展和拓展的消费社会，对这些产品日益增长的真正需求。如果说科技革新推动了供应面的发展，那么人类对衣服似乎永不满足的追求则推动了工业革命需求面的发展。对人类这一偏好的刺激最大的，当属东印度公司从17世纪开始对印度布料进行的大规模进口了。（对中国瓷器的进口对陶器需求产生了类似影响。）家庭主妇们想要这些东西，并相应地改变着她们的行为，调整着她们的预算。企业家们则试图使用新的技术来仿制这些进口货物，以取代它们。

棉花的确是英国经济奇迹中最为重要的部分。纺织行业在英国国民收入中约占1/10，棉花生产在效率上实现了最为快速的提升。曼彻斯特的工厂与奥尔德姆的作坊成了改革的焦点。值得关注的是，英国的棉花生产有相当大的比重不是用于国内消费的。在18世纪80年代中期，棉花出口仅占英国出口总额的约6%。到19世纪30年代中期，这一比例已上升至48%，其中，大量的棉花被运往了欧洲大陆。过去，历史学家们一直在争论，技术浪潮与消费社会两者哪一个更早出现在英国。在欧洲大陆，则不存在这样的疑问。欧洲人首先培养好了对工厂生产的廉价布料的鉴赏力，之后他们又学会了如何自己生产这样的布料。

工业化何以首先发生在英国呢？英国消费社会并不比其他西北欧国家先进很多。英国科学知识的水平与普及也没有明显的优势。18世纪，英国经济其他领域所取得的进展一直令人瞩目，如农业、银行业与商业，但为什么这些将引发生产力的飞速发展——提高对棉花、铁与蒸汽生产的投资却仍不明确。有人提议，对于英国早期工业化的解释一定可以在政治或法律领域找到答案。例如，据说，普通法对公司的成立起到了促进作用，同时为债权人提供了优于大陆法系的保护，如渊源于《拿破仑民法典》的那些大陆法系。当然，正如我们所见，在17世纪，尤其是在18世纪，体制优势的确使英国超越了其他想要成为帝国的国家。但是，为什么议会主权原则或普通法的发展对博尔顿与瓦特所产生的激励作用，要强于欧洲大陆上与它们相似的体制呢？这就难以说清了。

在18世纪，对印度白棉布征收关税可能使英国的制造商们拥有了某种优势；无独有偶，类似的保护主义政策后来为美国培育了抵御英国竞争的新兴工业。为什么英国的棉花出口在19世纪上半期出现剧增？大卫·李嘉图的比较优势理论[①]并不是唯一的理由。除此之外，这似乎也不能说明英国的（或者，就此而言，美国的）政治或法律制度对于工业的发展较荷兰、法国或德国更为有利。在同时代人的眼中，在英国工业腾飞至关重要的几十年中，英国政治与法律制度的状况对于新兴工业的发展是非常不利的。善于辩论的激进派代表人物威廉·科贝特，将议会、王室与伦敦城之间的互动关系特征描述为“旧式腐败”。在《荒凉山庄》（1852~1853年）中，查尔斯·狄更斯将大法官法庭描绘成了荒诞、低效、阻碍财产纠纷解决的法庭；而在《小杜丽》（1855~1857年）中，他讽刺的目标是“兜圈子办公室”——一个想方设法阻碍经济发展的政府部门。直到1824年《泡沫法案》（1720年）

---

① 比较优势是指一个国家以比另一个国家更低的机会成本、相对更高的效率生产一种商品或提供一种服务的能力。李嘉图著名的例子是英国与葡萄牙之间的贸易。在葡萄牙生产酒与布比在英国生产可能更省力，成本也更低。而在英国，酒的生产要比布的生产更艰苦，因此成本也更高昂。因此，如果葡萄牙专注于生产其具有最大比较优势的酒，英国人自己只生产布，则双方均可获益。葡萄牙人用其多余的酒换取英国人多余的布。比起自己生产，贸易使葡萄牙人获得了更多的布，而英国人则获得了更便宜的酒。当这一理论被运用于爱尔兰时，则产生了灾难性的后果。由于其专注于为英国市场提供肉类生产，这导致了其对于解决农村劳动力温饱的马铃薯的过度依赖，因此，极易因这种蔬菜的疫病——马铃薯晚疫病菌而遭受打击，这一病菌于19世纪40年代中期爆发。按照李嘉图的理论，英国政府拒绝发放紧急食品以缓解饥荒，百万人因之死亡，这证明了托马斯·马尔萨斯而非李嘉图的正确。托马斯·马尔萨斯是《人口原理》（1798年）的作者，他在该作品中预言了此类灾难的发生。幸存的爱尔兰人因向外输出而减少，他们多数去了美国。

被废除，股份制公司才变得合法化，但是如马歇尔希监狱（《小杜丽》对此作了非常生动的描述）等债务人监狱却一直持续至《破产法》（1869 年）通过。此外，值得提及的是，维多利亚时代议会通过的有关纺织业的许多法律均旨在限制工厂主的经济自由，突出了对童工的尊重。

工业革命在英国的发生，缘于英国在两个方面显著异于西北欧其他国家。第一个方面，其劳动力比欧洲大陆的更为昂贵——或者，实际上，比任何有记录的地方的都更为昂贵。在 18 世纪下半叶，巴黎工人的实际工资（基于根据消费物价调整的银币）仅为伦敦工人的一半以上。米兰的实际工资仅为伦敦水平的 26%。中国与南印度的工资水平甚至更低，但这并不是因为相对于欧洲小麦的生产，亚洲稻米具有更高的生产效率。第二个方面：英国煤矿资源丰富且易开采，因此，价格要比位于英吉利海峡另一边的国家便宜很多。19 世纪 20 年代至 60 年代，英国煤矿的年产量翻了两番，而每吨价格则下跌了 1/4。总之，在对技术革新的追求上，这些差异解释了英国企业家之所以比其欧洲大陆的同行更为积极主动的原因。用低廉的煤作为燃料的机器取代昂贵的人力，在任何其他地方都没有在英国更有意义。

正如之前的法国大革命，英国的工业革命传遍了整个欧洲，但这次是和平的征服。那时，伟大的革新者们基本无法保护我们今天所称的知识产权。因此，在欧洲大陆及大西洋对岸，新技术以惊人的速度被模仿和复制。第一个真正意义上的棉纺厂，是位于德比郡克罗姆福德的理查德 · 阿克莱特的织布厂，建于 1771 年。7 年之内，其翻版就出现于法国。而对于 1775 年瓦特蒸汽机的模仿，法国人则仅用了 3 年时间。到 1784 年，这两样东西都有了德国版本，这在很大程度上要归功于工业间谍活动。美国人有着能够自己种植棉花以及开采自己煤矿的优势，工业革命进度则稍显缓慢：其第一个棉纺厂于 1788 年出现于马萨诸塞州的鲈鱼河；其第一台蒸汽机出现于 1803 年。

比利时人、荷兰人与瑞士人紧随其后。1825年，在第一辆蒸汽机车开始在史托顿及达灵顿铁路上牵拉车厢之后，这种模式被不断重复着。只不过，这一发明抵达德国用了12年，传到瑞士用了22年，与之相比，其跨过大西洋则仅用了5年时间。随着技术效率的提高，技术具有了经济上的吸引力，即使在劳动力低廉、煤矿稀缺的地方。从1820年到1913年，全世界纱锭数量的增长速度是世界人口增长速度的4倍。但是，英国以外地区纱锭的增速是英国增速的两倍。生产力的提高与需求的增长都十分迅猛，全世界棉花工业总产值增速是总锭数增速的3倍。在1820年至1870年，有少数西北欧及北美国家达到了英国的增速；实际上，比利时与美国的增速更快。

到19世纪末，工业化在两个宽广的地域内进行得如火如荼：一个在东北美洲延伸，以马萨诸塞州的洛威尔市等城镇为中心；另一个则从格拉斯哥延伸至华沙，甚至远到莫斯科。1800年，7/10的世界最大城市仍然位于亚洲，北京在规模上依然超过伦敦。到1900年，仅有一座世界最大城市位于亚洲，其余则均位于欧洲与美洲。这在很大程度上是“工业革命”的结果。

英国式工业城市在全世界范围内的蔓延使一些观察家备受鼓舞，同时也让一些观察家感到了惊恐不安。正如在《物种起源》（1859年）里所承认的，查尔斯·达尔文便是一位受到了鼓舞的观察家。借助于工业革命中的生活体验，他一直“作好准备来欣赏为生存而进行的斗争”。达尔文对于物竞天择说的许多记述都同样非常适用于19世纪中叶纺织业的经济世界：

> 所有的有机生命都面临着激烈的竞争……因为新产生的个体永远多于可能存活的个体，所以在任何情况下，都存在着为生存而进行的斗争。这种斗争可能存在于个体与同物种的另一个体之间，也可能存在于个体与不同物种的个体之间，或是存于个体与生存的物质条件之间。任

何一个有机生命都不得不为了生存而斗争……因为物竞天择完全通过累积微小的持续不断的有利变化来发挥作用，所以它不可能孕育出巨大的或突然的改变……

从这个意义上来讲，历史学家们从达尔文的角度来解读工业“进化”也似乎合理。正如后来经济学家索尔斯坦·凡勃伦与约瑟夫·熊彼特所说的，19世纪的资本主义是真正的达尔文体系。这种体系的特征是：看似随意的突变、偶然的物种形成以及特异的幸存，或者，用熊彼特那句让人印象深刻的话说——“创造性毁灭”。

然而，恰恰是工业革命所带来的这种多少有点无规则的市场波动，在同时代人们之间引发了恐慌。在我们上一章所描述的公共医疗卫生取得重大进展之前，工业城市的死亡率一直比农村更为糟糕。此外，以工业生产过剩和金融恐慌这些周期性危机为标志的，远非常规的新“经济周期”的到来，其对人们所产生的影响通常要强于经济平均增速的渐进增长。尽管从长远来看，工业革命明显改善了人类的生活，但从短期来看，它却似乎使事情变得更糟。在威廉·布莱克为《弥尔顿》所作序言的插图里，在其他众多阴郁的形象之中，有一幅特写，其中的人物皮肤黝黑，举着一段已被血浸透了的棉纱[①]。对于作曲家理查德·瓦格纳而言，伦敦使“阿尔贝里希的梦变成了现实——雾之国、主宰世界、活动、工作、每一个地方都充斥着蒸汽与雾气的压迫感”。英国工厂地狱般的形象赋予了他描述《莱茵河的黄金》中侏儒地下王国的灵感，也给了他确定多音槌重复断音节奏这一整个《指环》套曲主乐调之一的灵感。

① 文中的“黑暗的撒旦磨坊”很可能是指阿尔比恩面粉厂。该厂由博尔顿与瓦特在1769年建于伦敦，于1791年毁于火灾。

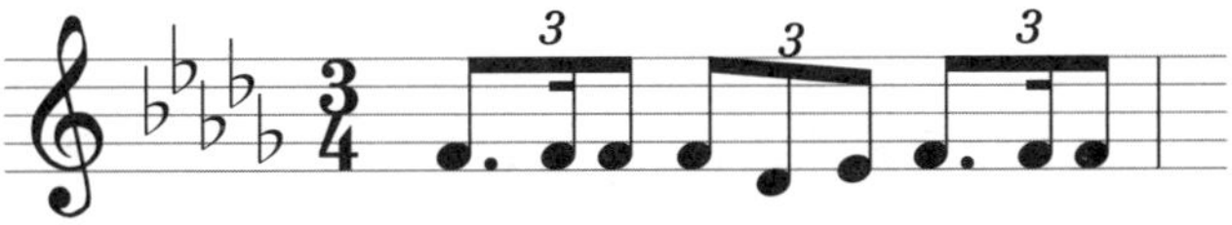

深深浸淫于德国文学与哲学的苏格兰作家托马斯·卡莱尔第一个明确了工业经济的致命缺陷，即工业经济将所有的社会关系统统简化为了他在其散文《过去与现在》中所说的“金钱关系”：

世界以极度高涨的热情追求完成工作——完成比以往任何时候都多的工作，但它却一直无暇考虑对于工资的分配，而是任其按“弱肉强食”、“供求”、“自由放任”及其他无根据的法则与非法则进行分配。我们称之为“社会”，它绝对的分离与隔绝得到了公认。我们的生活不是相互帮助，而是相互敌视，只是披着正当的诸如“公平竞争”一类外衣的“战争法则”。我们已完全忘记，“现金支付”不是人们之间唯一的关系……它远非人与人之间的唯一纽带！神圣如人类生命本身的法律与义务才是真正深刻的，其深度远远超出了供给与需求。

“金钱关系”这个短语使来自莱茵的叛教犹太裔律师的儿子备感欢欣，以至于他和他的合著者（一个伍珀塔尔棉纺厂主的继承人），擅自将其用在了他们于1848年革命前夕所出版的振聋发聩的“宣言”之中。

共产主义的创始人卡尔·马克思与弗里德里希·恩格斯是众多工业社会的激进批评者中的两位，他们的成就在于：他们为一个替代性社会秩序设计了第一个内部一致的蓝图。既然这是持续了将近一个半世纪的西方文明内部分裂的开端，那么停下来思考他们的理论渊源就显得非常有价值。马克思主义融合了黑格尔的哲学（认为历史过程是一个辩证的过程）与李嘉图的政治经济学（假定资本收益率递减与低工资“铁”律），它还继承了卡莱尔对工业经济的强烈反感。

马克思是一个不修边幅的人，是一位杰出的辩才，他一生中大部分时候是靠恩格斯的接济度过的。

马克思主义的精髓在于，它认为工业经济注定会产生由作为资本所有者的资产阶级与没有财产的无产阶级所构成的让人无法忍受的不公平的社会。资本主义不可避免地要求资本集中到越来越少的人手中，同时使其他人沦为工资奴隶，即仅支付“为了保证劳动者作为劳动者可以勉强生存的绝对必要数量的生活资料”。在《资本论》（1867 年）第一卷第 32 章中，马克思预言了这一必然结局：

> 随着那些掠夺和垄断这一转化过程的全部利益的资本巨头不断减少，贫困、压迫、奴役、退化和剥削的程度不断加深，而……工人阶级的反抗也不断增长……
>
> 生产资料的集中和劳动的社会化，达到了同它们的资本主义外壳不能相容的地步。这个外壳就要炸毁了，资本主义私有制的丧钟就要敲响了，剥夺者就要被剥夺了。

我们必须先承认马克思及其门徒们正确的方面。不公平的确因“工业革命”加剧了。从 1780 年到 1830 年，英国每位工人的产值增长超过了 25%，但工资却仅仅涨了 5%。上层人口国民收入分配的比重由 1801 年的 25% 提高到了 1848 年的 35%。在 1820 年的巴黎，被划分为“业主与食利者”（以投资为生）的人约占人口比重的 9%，但他们却拥有 41% 的已登记财富。到 1911 年，他们所拥有的份额已升至 52%。在普鲁士，前 5% 人口的国民收入分配比重在 1854 年时为 21%，到 1896 年升至 27%，到 1913 年升至 43%。很显然，在整个 19 世纪，工业社会的发展越来越不公平。后果可想而知。

例如，在1892年汉堡霍乱流行之时，年收入少于800马克的人的死亡率比年收入超过5万马克的人的死亡率要高13倍。不一定非要成为马克思主义者，才会对工业社会的不公平感到震惊。在威尔士出生的工厂主罗伯特·欧文曾在1817年创造了“社会主义”这个术语。基于合作生产与乌托邦式的村庄——如他在苏格兰奥比斯顿与印第安纳新哈莫尼所建的那些村庄，他构想了一个替代经济模式。即使爱尔兰唯美主义者、才子奥斯卡·王尔德也认识到纯文学的创作根基是社会苦难：

> 这些就是穷人：在他们中间，没有优雅的举止，没有言谈的魅力，没有文明……因为他们的集体力量，人类收获了大量的物质财富。但人类收获的仅仅是物质财富，穷人本身绝对不重要。他们仅仅是某种力量极小的一个组成部分，这种力量并没有尊重他们，而是挤压着他们。实际上，更希望他们被压服，因为在这种情况下，他们会更顺从……鼓动家们爱管闲事，喜欢进行干涉。他们来到某个感到相当满意的社会阶层中，在中间撒播不满的种子。这就是鼓动家们的存在绝对有必要的原因。如果没有他们，我们在不成熟的状态下就不会取得走向文明的进步……但是事实是，文明需要奴隶。希腊人几乎做到了。除非有奴隶去做那些令人讨厌、令人害怕、枯燥无聊的工作，否则文明与沉思将几乎无法实现。但人类奴隶制是错误的、危险的、不道德的，世界的未来要靠机器奴隶制，依靠对机器的奴役。

然而，王尔德所害怕、马克思所热切期待的革命在料想其应该实现的地方没有实现。相比于社会两极分化，1830年与1848年的动荡更是食品价格短期内猛涨与金融危机共同作用的结果。随着欧洲农业生产率的提高、工业就业的增加以及商业同期振幅的减小，革命的风险也有所降低。无产阶级细分为拥有技能的“工人贵族”与具有恶习的流氓无产阶级，而不再被统一称为“劳苦大众”。“工人贵族”主张罢工，主张对革命进行集体协商，从而获得更高的实际工资。“流氓无产阶级”则热衷于杜松子酒。可敬的工人阶级有了自己的工会组织与工人俱乐部。

《共产党宣言》针对产业工人所开具的处方对他们没有丝毫的吸引力。马克思和恩格斯呼吁：废除私有财产，废除遗产继承，信贷与通讯中央集权化，所有的工厂与生产工具国有化，废除城镇与乡村之间的区分。相比之下，19 世纪中叶的自由主义者需要的则是立宪政体、言论自由、新闻自由、集会自由、通过选举改革获取更多的政治代表权、自由贸易及在缺乏国家自主（“地方自治”）的地方实行国家自主。1848 年动荡后的半个世纪里，在这些方面他们有了不少收获。1850 年，仅法国、希腊与瑞士设有选举权，1/5 以上的人口可以进行投票。而到 1900 年，有 10 个欧洲国家都设有选举权，英国与瑞典同这一标准也相去不远。更广泛的代表权促进了保护低收入群体利益立法的发展。英国的自由贸易意味着低廉的面包，而廉价的面包加上因工会压力而日益上涨的名义工资，则意味着工人取得了显著的实际收益。1848~1913 年，伦敦建筑工人的实际日工资翻了一番。更为广泛的代表权还使税收取得了长足的进步。在这方面，1842 年英国处于了领先地位。这一年，罗伯特 · 皮尔爵士出台了和平时期所得税政策；到 1913 年时，税率为每一英镑缴纳 14 便士。1842 年之前，几乎所有英国税收收入均来自消费税、关税和国内货物税这些累退性的间接税收，这种累退税对于越富有的人来说，所征的税额占其收入的比例就越小。到 1913 年，英国税收收入中的 1/3 则是来自相对富裕人群的直接税收。1842 年时，英国中央政府对教育、艺术与科学几乎分文未投。1913 年时，对于这些方面的投资则占了支出的 10%。到这时，英国已经继德国之后推出了针对老年人的国家养老金制度。

虽然在资本主义制度下，财富变得高度集中了，而且直到20世纪，迈入第二个25年后，财富还是保持着这种高度的集中。但是，因为实际工资的提高与税收的递减性越来越少，收入差距开始缩小。工人也是消费者。因此，试图压榨他们的工资，使其降至只能维持生存的水平是毫无意义的。相反，对于大多数资本主义企业来说，没有比他们自己的雇员更大的潜在市场了。美国的情况越来越足以说明这一点。尽管以牺牲印度纺纱工和织布工为代价，但纺织生产的机械化并未将大众置于“经济贫困”的困境，而是为西方工人创造了越来越多的就业机会。棉花与其他物品的价格下降了，这使西方工人用一周的工资可以买到更多的物品。最大的影响则莫过于西方与非西方世界之间这个时期的工资与生活水平差距急剧拉大。甚至在西方世界内部，工业化先锋与农村落后地区的差距也在急剧拉大。17世纪早期，一位伦敦非熟练工的实际工资（已根据生活费用进行了调整）与米兰非熟练工的实际工资之间，并没有如此大的差别。然而，从18世纪50年代直到19世纪50年代，伦敦人都一直遥遥领先。在欧洲，当这种巨大的差距达到高峰时，伦敦的实际工资是米兰的6倍。19世纪下半叶，随着意大利北部的工业化发展，这种差距开始缩小。到第一次世界大战前夕，这种差距的比例更是缩小到了3 ： 1。德国与荷兰的工人们也从工业化中受益，尽管在1913年，他们仍落后于英国工人。相比之下，中国工人的工资也一直比较低。在大城市工资最高的地方，建筑工匠每天的工资约合3克银子，而且在18世纪没有增长，在19世纪与20世纪初仅有些许提高（约5~6克银子）。1900年后，广州工人的状况有所改善，但这种改善微不足道；四川的工人则依然极其贫困。与此同时，伦敦工人以银子折算的工资则从1800年至1870年的18克，涨至了1900年至1913年的70克。将维持家庭开销的费用计算在内，在整个19世纪，中国工人的平均生活水平有所下降，尤其以太平天国起义期间下降最为迅猛。的确，中国的生活成本要比西北欧更低，但那时的伦敦人与柏林人吃的是面包、乳制品与肉类组成的异常丰富的食物，喝的是各种美酒，而大多数东亚人却只能以去壳米与小粒谷物艰难度日。尽管如此，与18世纪的2 ∶ 1这一比例相比，到20世纪20年代，伦敦与北京在生活水平上的差距已经扩大到了大约6 ∶ 1。

1846年3月17日，由著名意大利作曲家朱塞佩 · 威尔第所创作的一部新歌剧在威尼斯凤凰歌剧院首次公演。严格说来，威尔第实际上在出生时是一位法国人，因为他所出生的村庄当时处于拿破仑统治之下，已与帕尔玛与皮亚琴察公国的其他部分一起被法国吞并，所以他出生时的正式登记名为约瑟夫 · 福图尼诺 · 弗朗索瓦 · 威尔第。威尼斯也被法国征服了，但是于1814年又被移交给了奥地利。哈布斯堡王朝的军队与官僚体制不得人心，这也正是意大利人占绝大多数的观众对下面歌词的反响躁动而狂热的原因：

Tardo per gli anni, e tremulo,
È il regnator d'Oriente;
Siede un imbelle giovine
Sul trono d'Occidente;
Tutto sara disperso
Quand'io mi unisca a te...
Avrai tu l'universo,
Resti l'Italia a me.

（年老体衰的/是东方帝国的统治者；一个少年蠢材坐在西方帝国的宝座上；/全将驱除/只要你我携起手来……/你可以统治整个世界/但意大利只属于我。）

这是罗马特使艾齐奥在罗马城被洗劫后唱给阿提拉的歌词，这些话是对民族主义情感几乎不加掩饰的煽动。

无可否认，民族主义有自己的宣言。朱塞佩·马志尼可能是最像这种民族主义所孕育出来的理论家。正如他在1852年敏锐观察到的，革命“已呈现出两种形式；一种是对所有人都同意的称之为社会性的探寻，一种是对民族性的探寻”。“复兴运动”中意大利的民族主义者们——

> 斗争……如波兰、德国与匈牙利所做的那样，为了国家与自由；为了题写在一面旗帜上向全世界宣布的话语——他们活着、思考、爱，并为造福全人类而劳动。他们讲同一种语言。他们保持着对血缘关系的敬仰，他们跪在相同的坟墓前，他们因相同的传统而欢欣；他们要求没有障碍地自由结社，不受外国支配……

对于马志尼而言，这是简单的：“欧洲地图必须重新布局。”他认为，将来的欧洲地图上将整齐地排列着11个民族国家。然而，说起来容易做起来难，这也正是民族主义所喜欢的模式具有艺术性或体育性，而非计划性的原因所在。在如希腊里加斯·费雷奥斯这些作家的通俗诗歌里（“1小时的自由足以胜过40年的受奴役与被监禁”），或在德国学生联谊会激动人心的歌声中（“千真万确，莱茵河上的士兵坚定地站着”），甚至在苏格兰与英格兰于1872年圣安德鲁日举行第一次世界国际足球赛（结果0：0）的运动场上，民族主义均被表现得淋漓尽致。当在政治边界、语言边界与宗教边界上不能达成一致时，越来越多的问题就产生了，最为突出的莫过于波罗的海、巴尔干半岛与黑海这个致命三角地带的疆域问题。从1830年至1905年，有8个国家实现了独立或统一：希腊（1830年）、比利时（1830~1839年）、罗马尼亚（1856年）、意大利（1859~1871年）、德国（1864~1871年）、保加利亚（1878 年）、塞尔维亚（1867~1878 年）以及挪威（1905 年）。但是，美国南部人民争取独立国家地位的努力却失败了。亚美尼亚人、克罗地亚人、捷克人、爱尔兰人、波兰人、斯洛伐克人、斯洛文尼亚人与乌克兰人也是如此。匈牙利人同苏格兰人一样，在双重君主政体里，仅仅扮演着协助管理帝国的次要合伙人的角色。至于罗马吉普赛人、辛提人、说卡舒比语的人、索布人、温德人、瓦拉几人、锡基族人（Székelys）、喀尔巴索–卢森尼亚人（Carpatho-Rusyns）与说拉登语的人这些种族语言迥异的人们，没有人认真思考过他们政治自治的能力。

在建立国家的过程中，无论成功还是失败，最终都与现实政治有关。它使加富尔伯爵卡米洛 · 奔索将意大利的其他地区变为了皮德蒙特–萨丁尼亚殖民附属地，它同样使俾斯麦–雪恩豪森公爵奥托 · 爱德华 · 利奥波德 · 冯 · 俾斯麦维护了普鲁士君主政体的特权，使其成为了联邦德意志帝国内最强大的制度。俾斯麦在其《回忆录》中写道：“我从未有过怀疑。”

> 德国政治的关键是，其应该出现在君主之中、朝堂之上，或是斗争领域，而不应该只是出现在政治评论家的评论之中（不管是国会还是媒体）……德国现状的棘手问题……只能通过武力解决；既然如此，无论是从普鲁士霸权的角度还是从将德国统一作为主要目标的民族角度，为了民族事业，必须设立普鲁士国王，并为之建立普鲁士军队：两个目标共同扩展……王室一直都比媒体与国会更为强大……为了使德国的爱国主义更为积极有效，就必须提倡忠君思想……将自己视为普鲁士人、汉诺威人、符腾堡人、巴伐利亚人或黑森人，比以德国人自居更能激发（德国人民）强烈的爱国主义精神。

从奥地利统治的由 39 个成员国组成的德国联邦，到普鲁士统治的由 25

个国家组成的德意志帝国，这一转变是俾斯麦的壮举。普鲁士在1866年击败奥地利与德国联邦的其他成员国时，所发生的一切并不被看做是一场统一战争，而是被看做德国内战中北方对南方的胜利，这是因为许多说德语的人们被从新德国驱逐出去了。直到将国内的自由党对手挫败，俾斯麦才取得了完全的胜利。俾斯麦是如何挫败其对手的呢？首先通过引入普选权使他们失去在新帝国国会（帝国议会）中的席位，之后又于1878年借助自由贸易使其分裂。而为此付出的代价则是使德国南方人拥有了两个强有力的重要位置：天主教中央党在帝国议会中举足轻重的位置，与德国南方各国在上院（联邦参议院）的联合否决权。

“如果我们想维持现状，有的事情就必须作出改变。”这是约瑟夫·托马齐·迪·兰佩杜萨历史小说《豹》（1958年）中最为有名的一句话。这句话被反复引用来概括意大利统一暗藏的保守特性。但是新的民族国家并非仅仅维护处于困境但拥有土地的欧洲上层集团所钟爱的特权。像意大利或德国这样由多个独立小国组成的实体，为其所有公民都提供了大量福祉：规模经济、网络外部性、交易成本下降，可以更有效地获得法律、秩序、基础设施与医疗卫生等公共产品。新的国家能使欧洲大工业城市这个滋长霍乱与革命的温床最终得到安全。贫民窟拆除了，林荫大道非常宽广，教堂也变得更大了，公园浓荫覆盖，有了体育馆，尤其重要的是有了更多的警察——不仅仅是乔治·奥斯曼男爵为拿破仑三世重新打造的巴黎，欧洲的首都均经历着这些变化。所有新国家都有着恢弘的建筑；即使被击败的奥地利，在重新打造成“皇家”奥匈帝国上也是争分夺秒，其建筑特征体现在维也纳环城大道周围的石头上，但是在这些建筑背后的本质才是重要的东西。学校建成了，这可以更好地将标准化的民族语言不断灌输进年轻人的头脑。军营建立了，这可以更好地训练高中毕业生去捍卫自己的祖国。铁路在收益性值得怀疑的地方被修建了起来，在有需要的时候，这可以更好地将部队输送到边境。农民可能成为法国人、德国人、意大利人或塞尔维亚人，这完全取决于他们碰巧出生在哪里。

矛盾的是在这个以民族主义为特征的时代，服装样式却不断趋于统一。毫无疑问，军装似乎应继续保持民族特色，这样，在战斗最激烈的时候，即便通过外形，也可以将一名法国兵与德国兵或英国兵区分开来。然而 19 世纪的军事革新大大提高了火炮的精准度与威力，同时采用了无烟火药，所有这些都迫使 18 世纪与 19 世纪鲜艳的外套向毫无光彩的制服转变。1879 年盎格鲁–祖鲁之战后，英国人开始使用卡其布，后来美国人与日本人也开始使用这种布。1908 年，俄国人也选择了卡其布，但是颜色更灰些。意大利人选择了灰绿色，德国人和奥地利人则分别选择了土灰色和青灰色。随着军队规模的扩大，从经济上进行考量，也需要进行简化。军人的着装变得朴素。

男性平民们也宣布摒弃前几代人的纨绔作风。相对于 18 世纪的时尚，由英国摄政时期的博 · 布鲁梅尔所构思出来的套装本身就是一种简化。此后这一潮流势不可当地向着资产阶级的觉醒这一方向发展。企鹅状单粒纽扣“纽马基特”男礼服大衣，取代了布鲁梅尔的燕尾服与阿尔伯特亲王所青睐的高领双排扣大衣。现在这种礼服仅见于炫耀的婚礼之上。马甲的用料则从丰富多彩的中国丝绸演变为黑或灰色的毛料。马裤被长裤取代；长筒袜则被平淡的黑色短袜取代，几乎从人们的视线之中消失。衬衫一律全是白色。领子的种类似乎越来越少，最后只剩下赛璐珞鸡翅领，搭配着一成不变永远为黑色的领带。帽子的种类也是越来越少，最后只剩下了常礼帽。而且，帽子的颜色也是黑的。似乎整个社会都行进在觉醒之路上。

当然，在维多利亚时代，女性服装的种类极其丰富并且很复杂。而穿着工装服的无产阶级与穿着破旧裤子的穷人，则有着不同的统一标准。不过，在民族主义方兴未艾的时代，维多利亚时期的着装统一这个事实的确令人费解，它席卷了整个欧洲，并远远超出了美国东海岸。看起来“国际歌”仅仅只在资产阶级衣着标准这个层面发挥了作用。事实上，工业时代出现这一现象不足为奇，它是机械化的结果。

1850 年，伊萨克·梅里特·辛格搬到马萨诸塞的波士顿居住，在奥森·菲尔普斯的车间里，他发现了他们正在制造的机器所存在的缺陷：针必须是直的，不能弯曲；梭子须为横向；所有的缝纫工作均由脚而非手来完成。于是，辛格缝纫机于该年诞生了。辛格同 5 位女性共生育了 24 个孩子，其中一位女性以重婚罪起诉了他，这迫使他逃离了美国。同许多 19、20 世纪的企业家一样，特别是同服装与化妆品行业[①]的企业家一样，辛格拥有犹太血统。而且，他改变了世界，使世界变得更好。

辛格公司（也就是后来的辛格制造公司）完成了詹姆斯·哈格里夫斯于不到一个世纪前开始进行的机械化服装生产进程。现在，即使将几片碎布缝在一起这样的工作，都能用机器来完成。但这一突破的革命性本质很容易被仅仅缝过几粒纽扣的一代所忽视。毫无疑问，辛格是一个爱恋女性的男人，但有哪一个男人比他对人类的回报更多？正是因为辛格，原来耗费几个小时艰苦劳动才能缝制好的裙摆仅需几分钟便可做好，后来则只需几秒钟。辛格缝纫机的历史完美阐释了工业革命的渐进特征，正因效率的提高，“后浪”不断推动着“前浪”。继缝纫机取得最初的突破之后，新的革新层出不穷：1856 年出现的“龟甲”型号、1858 年的“蚱蜢”型号、1865 年的“新家庭”

① 下面这份名单本身就是对此很好的说明：唐娜·凯伦、卡尔文·克莱恩、雅诗·兰黛、拉尔夫·劳伦、海伦娜·鲁宾斯坦、李维·施特劳斯。下面这份百货公司名单也一样：亚伯拉罕与施特劳斯百货、波道夫·古德曼百货、布鲁明代尔百货、梅西百货、内曼·马库斯百货、塞克斯百货、西尔斯百货，当然不要忘记还有英国服装零售商玛莎百货。

型号及1880年电动99K型号。至1990年，在产的缝纫机共有40种型号。到1929年，则已增至3 000种型号。

19世纪的其他革新很少能像缝纫机那样发展得如此迅速。辛格以惊人的速度从位于百老汇458号（后来是149号）的纽约总部向外扩张，在巴西、加拿大、德国、俄国与苏格兰均设有制造工厂，成为全世界首批真正的全球品牌之一。在巅峰之时，其位于克莱德班克的基尔博伊工厂占地面积达100万平方英尺，雇用的工人达1.2万人之多。1904年，其全球销售每年已超过130万台。到1914年，这一数字已翻了一番多。其品牌标志（“S”包裹着一位正在缝纫的妇女）随处可见，甚至将出现在珠穆朗玛峰的峰顶（根据公司广告撰写人的说法）。圣雄甘地有过一次罕见的对现代文明的认同，他承认它是“少数几个曾发明的有用的东西之一”，要知道这种褒奖出自一个对现代医药都鄙视的人之口。

辛格是美国优势的例证。美国不仅像它一直以来那样吸引着世界上天生的冒险家们，而且这些冒险家们足够促成真正无与伦比的内部市场。从1870年到1913年，美国超越了英国。1820年，英国的人口一直是美国的两倍。到1913年，却颠倒过来了。从1870年至1913年，美国的人口增长率要比英国高出80%。到1900年，美国占世界生产总值的比例为24%，已占很大比重，而英国仅为18%。到1913年，按照人均产值计算，美国甚至成为了世界第一大工业经济体。更为重要的是，美国的生产率呈超越英国之势（尽管直到20世纪20年代才得以真正实现）。而且，正如英国工业化的情况一样，棉花与纺织品在美国“镀金时代”处于最重要的位置。在第一次世界大战前的数年中，产自美国南部各州的原棉仍占美国出口的25%，但大多数美国布料的生产只用于满足国内消费需要。1910年，英国棉制品净出口额达到4.53亿美元，而美国的仅为850万美元。不过，也许最令人感到诧异的统计结果是，那时的第二大棉制品出口国是一个非西方国家，它是非西方世界中第一个思考如何成功与西方世界进行竞争的国家。这个国家就是日本。

西化

到 1910 年，世界经济以前所未见的方式一体化了。铁路、轮船航线及电报这些将整个世界连接起来的纽带，几乎全是由美国发明或为美国所拥有的。西方使世界变小了。如果将美国所有的铁路首尾相接，其长度为地球周长的 13 倍。人们可以乘火车从凡尔赛去海参崴旅行。螺旋桨、铁皮船体、复合式发动机及表面式冷凝器这些轮船不断取得的改进，使得穿越海洋比穿越陆地时间上更快、成本上更便宜。“毛里塔尼亚”号（1907 年）的吨位是“天狼星”号（1838 年）的 46 倍，而其发动机马力要比“天狼星”号大 219 倍。因此，“毛里塔尼亚”号要比“天狼星”号在速度上快 3 倍多。它载着超大货物横穿大西洋只需用 9 天半的时间，而不是“天狼星”所需的 16 天。航运费用从 1870 年至 1910 年下降超过了 1/3。用火车将一吨棉制品从曼彻斯特运至仅 30 英里远的利物浦需要 8 先令，而用船将相同的货物运至比那还要远 7 250 英里的孟买则仅需要 30 先令。布料航运成本仅占货物总成本的不到 1%。苏伊士运河（1869 年）与巴拿马运河（1914 年）的开通使世界进一步变小。前者将伦敦—孟买航线的距离缩短了 2/5 多，后者则将从东方到美国西海岸的航运费用缩减了 1/3。到 19 世纪 60 年代末，得益于古塔波胶涂层的发明，海底电缆得以铺设，电报可以从伦敦传到孟买或哈利法克斯。1857 年，印度民族大起义的消息传到伦敦用了 46 天——以每小时 3.8 英里的有效速度传输。1891 年，日本浓尾大地震的消息传到伦敦则仅用了 1 天——以每小时 246 英里的有效速度传输，比前者要快 65 倍。

劳动力以跨越国境的方式进行流动，这是前所未有的。从1840年到1940年，多达5 800万欧洲人移民到了美洲，5 100万俄国人移民到了西伯利亚、中亚与中国东北，5 200万印度人与中国人移民到了东南亚、澳大拉西亚或印度洋沿岸。多达250万南亚与中亚人移民到了美洲。1910年时，美国人口的1/7出生于国外，这一纪录到现在仍未被打破。资本也在全世界范围内流动。英国将数额巨大的资本输往世界其他地区，成为“世界银行家”。或许，同时代的人们应该赞赏英国的“储蓄过剩”，而不是抱怨英国的帝国主义。在1872年、1887年及1913年这些海外投资热潮的巅峰时期，英国活期存款余额超过了国内生产总值的7%。英国公司准备出口的不仅限于棉花，还有生产棉花的机器与购买棉花所必需的资本。

然而，或许首波全球化最为突出的表现是服装。具有鲜明西方特色的着装样式以非凡的速度风靡了世界各地，让传统装束成为了历史。可以肯定的是，这并非辛格制造公司公开宣称的目标。为了1892年（新大陆发现400周年）芝加哥“大哥伦比亚”世界博览会，辛格委托制作了36种被称为“世界服饰”的商业名片系列。这些卡片描绘的是各种肤色的人们身着各自的传统服饰，兴高采烈地使用着辛格缝纫机。从匈牙利罩衫到日本和服①，任何一种服饰都能用辛格缝纫机独特金属臂下的针进行缝制。波斯尼亚人与缅甸人同样受益于伊萨克·梅里特的发明创造；实际上，从阿尔及利亚到祖鲁兰的每一个人都受益于此。因此，辛格缝纫机成为送给暹罗国王、巴西佩德罗二世与日本裕仁天皇等外国君主的首选礼物，这不足为奇。然而，到这里，事情却变了味。这些心怀感激的接受者们并未将他们的辛格缝纫机用于缝补其传统的服装，而是用于了一个完全不同的目的，即仿制与穿着西式服

① 实际上，和服不需要缝纫机所达到的这种严密的缝合。

装。对于男人来说，重要的新服饰是礼服大衣、硬领白衬衫、毡帽与皮靴；对于女人来说，则是紧身内衣、衬裙与抵踝的长裙。

1921年，两个皇室与帝国的继承人——未来的昭和天皇日本裕仁皇太子与未来的爱德华八世威尔士王子爱德华——比肩而站摆出姿势照相。他们将要继承的王位在地域上来说几乎远得不能再远了。然而，现在他们却都穿着萨维尔街服装店亨利·普尔裁缝店[①]的款式，穿着几乎别无二致。大婚前，日本皇太子在伦敦疯狂购物。亨利·普尔的代表早已坐船赶到直布罗陀为其量尺寸，并将这些获取的尺寸提前打电报发到伦敦。亨利·普尔该年的分类账中有大量以裕仁的名字订立的订单：军服、刺绣背心、晚礼服及晨礼服。清单中有一句话非常具有代表性："一套高档山羊绒西装，一套蓝布西装，一套条纹法兰绒西装。"裕仁远不是唯一定制整洁的英国西装的外国政要。从埃塞俄比亚的末代皇帝海尔·塞拉西，到俄国的末代沙皇尼古拉二世，在亨利·普尔的地下室里保存着成千上万个为这些顾客设计的西装纸样。普尔最忠实的顾客则是库奇比哈尔王公吉特德拉·纳拉扬，其一生中购买的定做西装超过了1 000套。无论哪种情况，目标都是相同的，即把自己打扮成一个十足的英国绅士而绝不是穿着"世界服饰"。发人深省的是，日语中的西装一词为sebiro，即"萨尔维街"。即使时至今日，东京最时髦的西装设计也为英款，因此字面意思为"英国商店"的Eikokuya品牌颇受欢迎。东京都中央区银座眼光敏锐的崇英者们，仍青睐一番馆——该店由从英国萨维尔街上学艺归来的裁缝所创立。

日本在衣着方面的改革可以追溯到19世纪80年代。以文明开化与富国

① 亨利·普尔的父亲詹姆斯·普尔于19世纪初开始在伦敦做裁缝。他于1828年在老伯灵顿街4号建立了自己的营业场所，该营业场所还有一个位于萨维尔街32号的入口。他开始制作军服。他的儿子为平民设计的球服极受欢迎，获得了意外成功。

强兵为名义，明治时代的帝国上层人士脱去了武士装与和服，穿上了仿欧洲的西服与裙装。这一举措主要是受到了明治时期的大臣岩仓具视所率领的代表团对美国与欧洲进行的两年之旅的启发。岩仓具视不得不承认，在经过多个世纪的闭关锁国之后，“我们的文明在很多方面都不如他们”。1853~1854 年，在美国海军准将马修 · 派里来势汹汹的“柚木舰”的威逼之下，日本被迫进行贸易，日本经济重新对外开放。也正是从这时起，日本开始努力求索西方世界远远富于且强于世界其他地区的原因。这种寻求灵感的游历西方世界的做法非常普遍，但仅仅是提出了更多的疑问。这是由于他们的政治制度吗？这是由于他们的教育制度吗？这是由于他们的文化吗？抑或是由于他们的着装方式吗？由于无法确定地回答这些问题，所以日本决定不去冒险。他们照搬一切。从 1889 年普鲁士式的宪法到 1897 年英国黄金标准的采用，日本的所有制度均依据西方的模式进行了重新制定。军队像德国人那样操练，海军如英国人那样航行。日本国立中小学也采用了美式体系。日本人甚至开始吃一向禁忌的牛肉，有些改革者竟然提出舍弃日语而学习英语。

不过，最为明显的变化当属日本人的外表了。这种变化始于 1870 年正式禁止在宫中染黑牙齿、刮眉。大约在同一时间，大臣们开始按照西方样式理发。1871 年的一项帝国法令要求高级官员们穿套在高领白衬衫外面的欧式礼服大衣。到 1887 年，这种装束成为所有公务员的统一着装。一年以后，根据其致力于改革的顾问们的建议，一直把自己关在房间里的明治天皇第一次出现在公众的视野之中。他穿着（根据奥地利大使的说法）“一件奇怪的欧式制服，既像水手，又像大使”，那是一件饰有许多金色穗带的燕尾服。海陆空三军武装力量也被要求采用欧式制服。新的海军服是根据英国皇家海军式样进行制作的，而新的陆军服最初则是根据法国陆军服式样进行制作的，后来又转成了普鲁士式样。1884 年，尽管和服在非公开场合依然存在，但那时上流社会的日本女性已开始穿着西式服装，在新建成的鹿鸣馆[①]迎接外国宾客。甚至孩子们的服装也被西化了。在高级私立学校男孩们的制服采用了普鲁士式制服之后，20 世纪 20 年代女孩们的制服也采用了这种款式的制服(而且从那时开始至今没有太多改变)。对于新的西方式样的追逐，没有人比明治维新主要元勋之一的大久保利通更热情了。曾经的照片上，他如一位挎剑的武士，穿着飘逸的长袍骄傲地盘腿而坐，西化之后，他身穿剪裁精致的黑色燕尾服，手拿一顶大礼帽，笔直地坐在椅子上。1872 年，当大久保利通所率领的代表团抵达英国时，《纽斯卡尔日报》报道说："这些绅士们穿着普通的晨服，若非他们的肤色与具有东方特色的外表，几乎很难将他们与其英国同伴们区分开来。"17 年后，在日本新宪法正式通过的当天，天皇穿的是欧洲陆军将军制服，其配偶穿的是迷人的蓝色与粉红色相间的晚礼服，政府大臣们则穿的是带金色肩章的黑色军服。

有些人对这种对西方模式的模仿感到厌恶。实际上，一些西方漫画家将西化了的日本人描绘成了大猩猩。同时，这种自卑的元素也令日本传统主义者们感到反感。1878 年 5 月 14 日，在前往一个于东京赤坂宫举行的内阁会议的途中，大久保遭到突袭，被 7 名武士残忍谋杀。对其咽喉的致命一击非常有力，以致剑刺穿脖子插在地上。大村益次郎改革西化了日本军队。他是传统主义暗杀者们的另一个明治时代的牺牲品。在 20 世纪 30 年代前，这些暗杀者们频频对亲西方大臣们进行威胁。然而，日本无路可退。尽管日本人仍然信仰武士道，但大多数日本人已接受了大久保的主张，即如果日本想要

---

① 在由英国人乔赛亚 · 康德所设计的鹿鸣馆里，日本上流社会的人们穿着长舞裙与长礼服，踏着最新的欧洲音乐节拍跳着方舞、华尔兹、波尔卡与玛祖卡。讽刺的是，在日本对西方文化进行全盘吸纳的时候，西方也在流行对日本艺术的追求（即使凡 · 高也短暂地信奉过这种艺术），尽管这一过程要短暂得多。

从在贸易协约与国际法中获得普遍平等对待开始，实现与欧洲及美洲帝国的平起平坐，则西化必不可少。根据一位非常了解日本的西方观察家的说法，日本人的动机是非常合理的：

> 他们的伟大志向是：被视为男人、被视为绅士、被视为与西方人平等的人。他们知道，如果他们穿着过时的服装，他们或他们的国家绝不会被认真对待。不久，我们发现了服装上的变革，这种变革不仅发生在士兵与武士的身上，而且发生在所有的政府官员身上，甚至发生在日本天皇本人身上……这种服装上的改革有力地使日本作为兄弟国家平等的一员受到全世界的认可。

日本人明白西方的服装对于发展来说是一个多么强大的推动力。就此而言，这已远远超出了一个外部改革的内涵。它是历史上人类取得的重大突破性进展之一，因为日本成为第一个见证了工业革命变革力量的非西方国家。

在新服装标准传播的同时，日本的纺织业也取得了快速发展。从1907年到1924年，日本纱厂的数量从118家增至232家，翻了一番，纱锭的数量增长了两倍多，而织机的数量则增长了7倍。到1900年，纺织工厂所雇用的工人占了所有日本工厂工人的63%。10年之后，日本成为亚洲唯一的线、纱与布的净出口国。实际上，它的出口量那时已超过了德国、法国与意大利。日本纺织工人是那时亚洲最富产生效率的工人。从1907年到1924年，日本棉业每位工人的产量增长了80%。正如安达银杏1887年的画作《贵女裁缝之图》清楚显示的那样，纺织劳动力绝大多数是年轻女性，她们的平均年龄仅为17岁。诸如钟渊这类的日本公司，它们的繁荣一直持续到“大萧条时期”，利润超过资本的44%。凭着不仅穿着西式服装而且制造西式服装，日本打破了西方世界对于现代制造业的垄断。

正如西方世界一样，日本的工业突破一个接着一个。由英国人设计的日本第一条铁路于 19 世纪 70 年代初在东京与横滨之间建成。不久，从东京的银座区开始，该国具有特色的城市开始架起电报线、路灯、铁桥，并用砖墙替代纸壁。四大企业财阀在经济中的主导地位开始初露头角。它们是：三井、三菱、住友与安田。很快，在英国的指导之下，日本人由购买汽机车转而生产汽机车①。到 1929 年，在一个世纪中大部分时间都处于领先地位的纺织机械生产商奥尔德姆普拉特兄弟，却在向丰田自动织机的日本发明人支付技术使用费。

在亚洲，没有一个国家如日本一样以如此大的热情接纳西方的生活方式。相反，在英国统治下的印度表现出来的则是民族主义者们为保存印度穿着方式进行的自觉抗争。从甘地的腰带到尼赫鲁的无领夹克，再到后来英迪拉 · 甘地的纱丽，无一不表现出这种抗争。这种对西方标准有象征意义的排斥是可以理解的。英国的保护主义与生产力已经摧毁了印度传统手工生产纺织业。然而，与日本人不同，印度人对于工业革命中技术的吸纳与运用表现迟缓。这也是 19 世纪历史中众多令人费解的问题之一。英国人并未谋求对其新技术的垄断，相反，他们在整个帝国内广泛传播。印度人认识纺织厂、蒸汽发动机及铁路这些事物的时间要比日本人早很多。到 20 世纪初，纺织设备在亚洲的价格与在欧洲大陆的价格一样便宜。煤也是如此。亚洲的工资成本为英国的 16%，亚洲工厂的工作时间不像英国工厂那样受到法律的限制，原棉的获取在距离上比英国更近。然而，工业发展并未在印度腾飞，同样，也未在中国（其劳动力成本甚至更低）腾飞。对此的解释是，尽管印度与中国的劳动力便宜，但这一优势被极低的生产率抵消了。使用完全相同的

① 帮助日本人于 1893 年在神户制造出其第一台机车的是理查德 · 特里维西克的孙子理查德和弗朗西斯 · 特里维西克。他们是明治时代日本如饥似渴吸收其专业知识的所谓的活机器。

设备，一个美国工人的生产效率平均要比一个印度工人的生产效率高6~10倍。英国与美国的专家们为此提供了从固有的种族劣势到糟糕透顶的旷工与怠惰等各种不同的解释。“很显然，每个地方都几乎没有监管，即使有监管也极其不力，完全缺乏纪律。”一位到孟买一家工厂进行参观的美国人失望地表示。“空的纱锭与松散的线轴或绕线筒在脚下滚来滚去，废料与线轴一堆堆乱堆着。提篮男孩，甚至一些年纪更大的工人，一伙伙聚在一起咀嚼印度大麻与朱南。大部分由马拉地人担任的监工们则懒散地来回溜达。”在现代对此的解释或许是因为糟糕的工作条件：作为常态存在的通风不良与超时劳动，还有气温因素与对兰开夏郡与洛厄尔来说陌生的疾病。但这很难解释日本作为一个亚洲国家在生产效率方面所取得的惊人发展。到20世纪30年代后期，日本已经迫使15%的孟买纺织厂关闭。

当然，英国服饰所代表的不仅仅是经济的现代化。没有什么能像精心定做的服装那样清晰地体现英国阶级体系的微妙等级了。这是一个你理所当然以其服装的剪裁来判断一个人社会地位的世界。但是，对于裕仁，对于整体日本人来说不幸的是，这也是一个理所当然地以其肤色及体貌特征来判断一个人价值的世界。

就在裕仁带着定制的西服回到日本的时候，未来的英国国王爱德华八世与其朋友爱德华·达德里“疯癫的”梅特卡夫少校去参加了一个化装舞会。他们都装扮成了“日本苦工”。就他们而言，如此装束恰似日本人穿着西装一样荒诞不经。事实上，在给情妇的一封信中，爱德华称裕仁为“十足的猴子”，说日本人民“类似兔子”。在裕仁长大成人的时期里，日本这个国家对西方世界的现代化满心佩服，同时又对西方世界的傲慢自大充满了愤恨。要想被平等对待，看起来日本必须获得西方的基本要素，成为一个“帝国”。这并未用很长时间。1895年，日本欧式海军在威海卫全面打败落后的中国北洋舰队。在那一时期的插图中，作为胜利者的日本人看起来几乎是十足的欧洲人（甚至于包括面部表情）；而中国人的穿着则是一副失败之相，袖子过于宽大，还梳着辫子。而这仅仅是个开端。让日本人感到失望的是，他们被迫只能接受现金赔偿，而不是获得作为战利品的领土。日本人开始认识到，他们的欧洲楷模可能不愿给予他们平等的帝国地位。日本外相井上馨直言不讳地说：

> 我们必须在东海上建立一个新型的欧式帝国……如何才能使独立自治的大胆精神与态度深入到我们 3 800 万人民的心中呢？在我看来，唯一的办法就是使他们与欧洲人进行碰撞，以使他们亲身体会到麻烦，认识到他们的劣势，汲取西方蓬勃发展的意识……我认为，要达到此目的就必须实现日本人与外国人之间真正自由的交往……唯有如此，我们的帝国才能在条约方面获得与西方国家平等的地位。唯有如此，我们的帝国才能独立、繁荣与强大。

1904 年，随着争夺中国东北的日俄战争爆发，日本人与西方人之间的第一次冲突正式到来了。日本在海上与陆地上所取得的胜利向世界传递了一个信号：西方的霸权地位并非神授。凭借着恰当的体制与技术——更不用说恰当的服装了——一个亚洲帝国足以击败一个欧洲帝国。一位经济预言家于 1910 年已经预测到，在 20 世纪结束之前日本可能甚至将赶超英国。实际上日本真的做到了。1980 年，日本人均国内生产总值第一次超越英国。不过令人遗憾的是，1910 年到 1980 年的发展轨迹并非直线前行，而是跌宕起伏，充满了波折。

从赤贫到致富

正如我们所看到的，第一次世界大战是运用手腕在海外实现自己目的的帝国之间的一场斗争。第一次世界大战推翻了 4 个王朝，并粉碎了它们的帝国。美国总统伍德罗·威尔逊是将其国家卷入一场重大海外战争的 4 位民主党官员中的第一人。他试图将这场战争重塑为各民族争取自决权的战斗。当然，这一观点绝不会被英法帝国所认同，尽管是美国的财力和人力把这两个几近弹尽粮绝的帝国从战争中解救出来。不仅捷克人、爱沙尼亚人、格鲁吉亚人、匈牙利人、立陶宛人、拉脱维亚人、波兰人、斯洛伐克人及乌克兰人预感到自由就要到来；阿拉伯人与孟加拉人亦是如此，更不用说南爱尔兰人了。然而，到 1939 年年底之前，除了爱尔兰和芬兰之外，战后出现的民族国家中没有一个获得真正意义上的独立（匈牙利可能除外）。马志尼的欧洲地图出现后不久，便如昙花一现般消失了。

列宁的另一种战后设想是建立横跨整个欧亚大陆的苏维埃社会主义共和国，而第一次世界大战的特殊经济环境推进了这一设想的实现。因为各国政府都在一定程度上通过发行短期债务换取中央银行的现金——简言之就是印钞——来筹集战争资金，所以战争中通货膨胀的势头开始增强。而如此众多的男人都参了军，所以劳动力的匮乏使大后方的工人们能够追求更高的工资。到 1917 年，在法国、德国与俄国，有无数工人参加了罢工。继西班牙流感之后，俄国的布尔什维克主义席卷了全世界。和 1848 年城市秩序被打破一样，只不过这一次波及更远，远至布宜诺斯艾利斯、孟加拉、西雅图和中国上海。然而，除了俄国之外，这一时期其他地方的无产阶级革命几乎均告失败。在一场残酷的国内战争之后，布尔什维克取得了胜利。

在东面，布尔什维克的传播几乎没有停止。在西面，它却没有越过维斯瓦河，也未能越过南高加索地区。苏联红军华沙城外兵败（1920 年 8 月）、在安纳托利亚的希腊人被驱逐（1922 年 9 月），以及法西斯主义者向罗马进军（1922 年 10 月），标志着一个新时代的到来，当然也标志着一种新气象的到来。

除了墨索里尼穿着翼形领三件套与高筒靴外，那些参加了“向罗马进军”这一宣传噱头的人们均身着由黑衬衫、马裤和及膝皮制马靴所组成的临时制服。这样做的目的就是要使第一次世界大战中具有男子汉气概的战争美德在和平时期得以继续发扬，在野外街头的反左翼小规模战斗就是行动的第一步。保持一致之说蔚然成风，但也不过是缺乏严明军纪的服装上的一致。正如许多新闻图片所显示的那样，这次著名的“行军”也更像是散步。第一位将红色衬衫作为政治运动要素的是意大利民族主义者朱塞佩·加里波第。到 20 世纪 20 年代，染色上衣对于右翼来说是强制性的。正如我们所见到的，意大利法西斯主义者选择了黑色，而德国国家社会主义冲锋队则选择了殖民地的褐色。

如果不是因为“大萧条”，此种运动可能会默默无闻地退出历史。经历了 20 世纪 20 年代初的通货膨胀后，20 世纪 30 年代初的通货紧缩则沉重打击了威尔逊对于欧洲的认识（基于国民认同与民主）。美国资本主义危机经历了股市重挫 89%，产值锐减 1/3，消费品价格下降 1/4，失业率超过 25%。并不是所有的欧洲国家都受到如此严重的影响，但没有一个能够幸免。因为各国政府争相提高关税保护本国工业——美国《斯穆特-霍利关税法案》将进口棉产品的有效从价税率提到高 46%——所以全球化很轻易地就被破坏了。1929~1932 年，世界贸易锐减了 2/3。大多数国家组合性地实施了债务拖欠、货币贬值、贸易保护主义关税、进口配额与管制、进口垄断与出口奖励。似乎，民族主义国家迎来了黎明的曙光。

但这是一种错觉。虽然美国经济似乎面临崩溃，但主要原因是联邦储备委员会所实施的糟糕透顶的货币政策，这种政策摧毁了银行体系的半壁江山。而作为工业进步主要推动力的革新，在 20 世纪 30 年代并没有放缓。新的汽车、收音机及其他耐用消费品数量激增。新型公司开发出新的产品，如杜邦（尼龙）、露华浓（化妆品）、宝洁（Dreft洗衣粉）、美国无线电公司（无线电与电视）与IBM（会计机）；也在不断发展与传播完全新型的企业管理。没有一个地方的资本主义创造力比在好莱坞这个电影产业的故乡所见到的更令人感到惊叹了。1931 年，当美国经济陷入莫名恐慌之时，大制片厂发行了查理 · 卓别林的《城市之光》、霍华德 · 休斯的《头版》及马克斯兄弟的《恶作剧》。虽然前 10 年的禁酒实践完全失败，催生了有组织犯罪这种完全新型的状况。但是，它却对电影制片厂更为有利。同样是在 1931 年，观众们成群结队地去看由詹姆斯 · 卡格尼与爱德华 · 罗宾逊共同出演的两部很棒的警匪片：《国民公敌》与《小恺撒》。当美国白人发现美国黑人几乎拥有所有最好听的音乐时，现场演奏、录制与广播音乐业务也同样有了创意。爵士乐在艾灵顿公爵大乐团的摇摆乐中达到了巅峰。即使汽车生产线停顿时，该乐团依然推出了一首首流行乐曲：《芳心之歌》（1930 年）、《Creole Rhapsody》（1931 年）、《给我摇摆，其余免谈》（1932 年）、《久经世故的女郎》（1933 年）与《孤独》（1943 年）。艾灵顿这个奴隶的孙子用芦苇与黄铜作为乐器（以前从未被如此用过）来模仿从圣歌到纽约地铁的一切东西。他的乐队常驻于“哈莱姆文艺复兴”核心的“棉花俱乐部”。当然，为了和他的贵族绰号相符，艾灵顿总是衣着整洁，穿着萨维尔街的精品男装。

总之，资本主义并没有灭亡，在当时，它成了管理不善与其所必然产生的不确定性的牺牲品。那个时代最聪明的经济学家约翰 · 梅纳德 · 凯恩斯嘲笑证券交易所是“赌场”，将投资者的决策比做报纸上的选美比赛。在“大萧条”行将结束之时当选的总统富兰克林 · 罗斯福猛烈抨击“不道德的货币兑换商”。罪魁祸首是中央银行的银行家们。他们开始时因实行过度宽松的货币政策使证券交易市场出现泡沫，在泡沫破灭之后，他们又实行紧缩政策（未能适当地放宽）。1929~1933 年，占总数 2/5 的近 1.5 万家美国银行倒闭。因此，货币供应量严重减少。随着价格暴跌 1/3，从高峰降至低谷，实际利率增长超过了 10%，压垮了所有负债的机构与家庭。凯恩斯总结通货紧缩的负面影响说：

> 对于很大程度上依靠借入资本运营的现代企业来说，这样的通货紧缩必将不可避免地使之陷入停滞。每个从业者能做的就是暂时停业；每个正在考虑开支的人能做的就是尽可能拖延订单。他们会将资产变现，从风险中撤出，不再从事经济活动，待在乡间，静候承诺中的现金升值。对通货紧缩的预期很可能非常糟糕。

如何摆脱通货紧缩的困境呢？随着贸易陷入停滞与资本输入冻结，凯恩斯所主张的通过借款筹资来扩大政府公共工程开支的建议是有道理的。它还有助于放弃金本位制（据此，各种货币有固定的美元兑汇率），从而通过贬值刺激出口（尽管贸易越来越多地在区域性联盟内部进行），并使利率降低。然而，议会制政府在推行这些政策后仅仅取得了一点点起色。而当威权主义的政体实施工业扩张与重整军备计划时，失业率以最快的速度回落了。这也正是“社会主义”（苏联）与“国家社会主义”（德国）所提供的解决方案显得优于两大以英语为母语的经济体之处。苏联在 1929 年至 1932 年实现了工业生产的增长，这在当时世界上来讲是独一无二的。对于经济部长雅尔玛 · 沙赫特所造成的现状，希特勒不久便失去了耐心。他模仿斯大林的“五年计划”起草了“四年计划”，而没有因为国际收支平衡问题放缓重整军备的步伐（简言之，德国国家银行缺乏黄金来支付外贸逆差）。这两大政体展开了公然的竞争，介入西班牙内战中的对立双方，在 1937 年巴黎世界博览会上建立相互对立的展馆。如果对处于这两个极权主义高塔之巅的强壮巨人进行认真彻底的审视，会发现有两个重大的区别：共产主义超人是一对夫妻，穿着朴素的工装裤和一件宽松的衬衫；雅利安超人则是两个裸体的男子，唯一奇怪的是雅利安人裸体画是无性别特征的。自古代希腊人开始，裸体一直是西方艺术不可分割的一部分，提醒着人们，我们不穿什么通常和我们穿着什么一样重要。自文艺复兴以来，西方的艺术家们热衷于描绘各种裸体女性的形象，产生了一批色情描写的杰作，如爱德华·莫奈的《草地上的午餐》（1863 年）与《奥林匹亚》（1863 年）。这两部作品分别是为对乔尔乔内《暴风雨》（1506 年）与提香的《乌尔比诺的维纳斯》（1538 年）致敬而作。但是纳粹的裸体则男性是有悖情理的肌肉粗大僵硬，而女性是平胸平臀。

斯大林与希特勒都承诺通过实行民族主义与社会主义的结合来推动经济的增长、提高就业。他们都兑现了。1938 年，美国经济产值仍比 1929 年经济危机高峰前的水平低 6%以上；德国的产值则增长了 23%；如果关于“净物质产品”的官方数据值得信赖的话，苏联的产值增长甚至更高。早在 1937 年 4 月，德国的失业人数降到了百万大关以下，而仅在 4 年前这一数字还是 600 万。到 1939 年 4 月，德国的失业人数已少于 100 万，相当于处于充分就业状态。而美国则远远落后于此，即使有人通过将那些从事联邦紧急救援工作的人也计算在就业人口之内对官方数字进行了调整，也依然无济于事。按照现代定义进行计算，1938 年的失业率仍为 12.5%。问题是，极权主义的发展并没有带来生活水平的显著提高。经济模式并不是真正意义上的凯恩斯主义，它没有运用增加公共开支通过消费支出的乘数效应来刺激总需求。相反，计划经济动员人力去进行重工业、基础设施与武器装备的建设，并通过强制储蓄来为这些工作进行融资。因此，消费停滞。人们工作，然后得到工资，但是因为商店里可以买到的东西日益减少，除了把钱存进储蓄账户外，他们几乎别无选择。这样，他们的钱就进入了为政府提供资金的循环之中。在纳粹党人的宣传中，满眼都是富裕的核心家庭形象：食物丰盛，衣着时尚，驾驶着崭新的大众甲壳虫轿车飞驰在高速公路上。同时，统计数据也显示，随着从1934年开始加强重整军备，纺织业生产出现停滞，进口出现下降。几乎没有平民拥有汽车。第三帝国一年比一年更难获得像咖啡这样的进口日常必需品。到1938年时，如果德国人想要看起来精明能干，则他们需要穿制服。全黑的党卫军制服由卡尔·迪比奇与瓦尔特·黑克设计，由胡戈·波士[①]生产，被誉为最邪恶的优雅服装。这是法西斯主义时尚的巅峰。

党卫军存在的理由、整个国家社会主义存在的理由，是破坏而非消费。正如在被人们称为《霍斯巴赫备忘录》的文件里所明确表明的，希特勒的经济模式必须获取“生存空间”——对毗邻的领土进行兼并，以获取德国不能再靠进口获得的原材料。因此，通过重整军备来强行达到充分就业的经济模式，比以往任何时候更可能导致战争的发生。鉴于军事技术条件的成熟，20世纪30年代末，由希特勒经济模式演化而成的战争成为极具破坏性的事件。早在1937年，不论是在德国与意大利飞机对西班牙共和党人的阵地进行俯冲袭击的格尔尼卡，还是在日本人空袭破坏严重的上海，均显示了空中轰炸可以造成巨大灾难的威力。空中军事力量是旨在引发士兵与平民恐慌的一种恐怖武器。在陆地，坦克和其他形式的机械化火炮则解决了第一次世界大战中的突出问题：机动性差，“一战”的这种特性因此也让堑壕战的优势得以显现。就人的生命而言，“闪电战”的代价则要高昂得多。在“闪电战”中牺牲的不只是暴露在外的士兵，更多的则是平民，这些平民显然构成了第二次世界大战伤亡人数的大多数。

从表面上看，第二次世界大战发生在4种不同类型的西方文明之间：国家社会主义、苏联的共产主义、欧洲的帝国主义（日本人也已施行）与美国

---

① 胡戈·波士位于梅青根的公司已于1930年因“大萧条”破产。在加入纳粹党的次年，他不久就确立了“希特勒运动”制服主要供应商的地位。

的资本主义。起初，第一种文明与第二种文明联合力量反对第三种文明，而第四种文明保持中立。1941 年是极其关键的一年，在这一年，纳粹分子袭击了苏联人，日本人则袭击了美国人。这之后，便是由德国、意大利与日本组成的轴心国，包括其仓促征服的帝国与几个逢迎跟随国，与由苏联、大英帝国、美国组成的三巨头以及所有其他人（盟军喜欢自称为“同盟国”）之间的对战。然而引人注意的是，随着这个破坏事业的工业化达到白热化阶段，各国的手法出现了大趋同。所有主要的参战国都进化出高度集中的国家机构，按照非市场机制、根据既定的高度复杂的计划去安排分配人力与物资这些资源。所有参战国的个体自由都要置于取得全面军事胜利与迫使敌人无条件投降这一目标之下。所有参战国的军事人口比例都达到前所未有高点。他们将平民人口集中的地方视为合法的军事打击目标。他们都歧视他们所控制疆域内的特定平民群体。即使日本人对中国平民及盟军战俘所犯的罪行，与希特勒的“犹太人问题的最终解决办法”相比，也可以说是小巫见大巫。

似乎每个人都穿上了军装。到 1944 年，6 个最大的参战国有超过 4 300 万的军事人口（几乎所有的男人）。对于所有参战国来说，总数肯定超过了 1 亿人，也就是说达总人口的 1/5 到 1/4，这一比重远远大于在此之前或之后现代历史上的任何一个时期。参加兵役的苏联公民达 3 400 万人，德国人达 1 700 万，美国为 1 300 万，日本为 750 万，整个大英帝国有几乎 900 万忠诚的子民参加兵役。来自这些国家的年轻男子没穿国家发放服装的是少数。因此，世界纺织业的很大比重让位于军装的生产。然而，身着这些制服的人们所做的行为却迥然不同。大多数德国人、日本人参与了这种或那种形式的致命的有组织暴力行为。大多数美国人与英国人都在战线后方，只有倒霉的少数人参与了战斗。对德战争的胜利，是英国的情报、苏联的人力与美国的资本共同作用的结果：英国人破解了德国人的密码，苏联人杀死了德国士兵，而美国人则将德国城市夷为平地。对日战争的胜利尽管不完全但主要归功于美国。其曼哈顿计划（以其于 1942 年在曼哈顿工程区启动而命名）制造出三颗结束战争、改变世界的原子弹。1945 年，一颗原子弹被用于在新墨西哥州进行试爆，而另两颗则分别投向了日本的广岛与长崎。

受到阿尔伯特 · 爱因斯坦警告罗斯福说德国人可能会第一个研发这种武器的启示，受到英国人发现同位素铀-235 裂变属性（美国人对其重要性的认识比较迟缓）的推动，原子弹可以说是纯正的西方成就。发明它的科学家们具有多种国籍：澳大利亚、英国、加拿大、丹麦、德国、匈牙利、意大利、瑞士以及美国。许多（特别是奥托 · 弗里施与爱德华 · 特勒）是来自欧洲的犹太难民，这不仅仅反映了自法国大革命[①]后的解放以来犹太人在知识生活的各个领域所发挥的巨大作用，同时还反映了希特勒反犹太主义这种德国战争时期的行为所付出的代价。将原子弹确定为西方文明最伟大的发明之一可能看起来有点儿奇怪。尽管原子弹极大地提高了人类的杀伤能力，但是它的实际效果却是缩小战争的规模与降低战争的破坏性，从避免了对日本进行血腥的海陆空入侵开始，这种效果就显现出来。可以肯定的是，原子弹并没有使常规战争消失。20 世纪 40 年代刚一结束，另一场飞机与坦克的大型血战便在朝鲜爆发了。而原子弹与破坏力更甚于它的于 1952 年（苏联一年以后研制成功）试爆的氢弹，使美国与苏联不敢贸然进行正面冲撞，从而对这场战争与所有后来的冲突起到了抑制作用。所有由这两个超级大国发动的战争都是针对“代理方”的，有时则是通过“代理方”进行的有限战争。尽管

① 在 20 世纪西方尤其是美国的思想文化生活中，犹太人所发挥的作用是巨大的，与其人口比例相比不成比例，这表明犹太人有着先天的文化优势。约占世界人口 0.2%、美国人口 2%的犹太人，却获得了 22%的诺贝尔奖、20%的菲尔兹数学奖，及 67%针对 40 岁以下经济学家的约翰 · 贝茨 · 克拉克奖。此外，犹太人还获得了 38%的奥斯卡最佳导演奖、20%的普利策新闻奖与 13%的格莱美终身成就奖。

核战争的风险绝不为零，但从事后来看，全面战争时代已经随着日本的投降结束了。

如果曾经的“冷战”变成白热化的战争，则获胜的很可能是苏联。苏联的政治体制使其足以能够承受战争的巨大损失（第二次世界大战苏联的死亡率占战前人口比例比美国高出50倍）。此外，苏联还有一个非常适合大规模生产尖端武器的经济体制。实际上，到1974年，苏联已经拥有了可以生产战略轰炸机与弹道导弹的超大规模的兵工厂。在科学上，他们仅仅落后一点点儿。此外，在思想武装上，他们的意识形态在所有第三世界中要比美国更具号召力。实际上，苏联真正赢得的是“第三世界的战争”的说法是颇有道理的。只要有重大阶级斗争的地方，共产主义就会盛行。

不过，“冷战”证明的只是黄油多于枪支，球类运动多于炸弹，并没有太多的武装冲突。即使20世纪50年代与60年代,大规模的军队仍要比20世纪40年代的小很多，一直生活在大决战恐惧中的社会不得不继续过平民百姓的生活。到1948年，美国军事人口比例已由1945年的峰值8.6%降到了1%以下，而且自此以后，即使是在美国对朝鲜与越南进行干预的高峰时，这一比例也没有超过2.2%。苏联则更为军事化，不过其军事人口比例也从1945年7.4%的战后峰值有所回落，而1957年后则一直保持在2%以下。苏联存在的问题很明显：美国所提供的平民生活形式比苏联的更具吸引力。这不仅仅是因为美国拥有资源丰富的先天优势，也是因为集中经济计划不能满足消费需求，尽管它对核军备竞赛的成功不可或缺。计划经济者最能胜任的是为唯一的顾客——国家——设计并提供终极武器，但是计划经济者无法满足处于不断变化中的亿万个体消费者的愿望。这是凯恩斯的夙敌奥地利经济学家弗里德里希·冯·哈耶克的众多见解之一。他曾在《通往奴役之路》（1945年）中警告西欧要抵制住在和平时期实行计划经济的妄想。而美国立足于满足（与刺激）消费需求的市场经济模式，凭借着战时贯彻始终的最大规模的财政货币刺激政策而重获活力，同时也凭借着地理位置而免于全面战争的破坏，它最终被证实是不可战胜的。

一个简单的例子就说明了这一点。战前，大部分服装都是根据裁缝丈量的尺寸进行制作的，而生产上千万套军装的需要则推动了标准尺寸的应用。实际上，人类的身体比例跨度并不大；人类的身高与体宽均呈常态分布，这就意味着大多数人都是中等左右的身材。1939~1940 年，大约 1.5 万名美国妇女参加了由美国农业部国家家政局组织的一次全国性调查。这是有史以来针对女性身体比例进行的第一次大规模科学调查。从每位志愿者身上提取的测量数据共计 59 种。这次的调查成果于 1941 年在第 454 期《美国农业部生态学杂志》一篇题为“女性的服装尺寸与款式结构”的文章中予以公布。标准化尺寸使平民服装以及制服可以进行批量化生产，并以成衣的形式出售。短短几十年的发展，在服装业，只有处于社会上流的富人才会定制衣服：男人的服装在萨维尔街定做，女人的高级时装则在巴黎与米兰定做。

在战后的美国，消费社会成了一种大众现象，这大大消除了不同社会阶级之间的服装差异。这部分体现了战后生活水平的普遍提高。1928 年时，位于顶端的 1%的人口拥有收入的几乎 20%。从 1952 年到 1982 年，这一数字一直保持在 9%以下，低于按法国上层 1%人口进行计算的比例。返回家园的士兵们得到了更好的教育机会，并且开始在郊区建房。这股建房风潮被看成是生活质量的明显提高。于第二次世界大战后高峰期出生的美国人的父母们，是大量接触消费信贷的第一代。他们靠信贷买房，靠信贷买车，靠信贷买家用电器：电冰箱、电视机及洗衣机。1930 年，当“大萧条”来袭时，有半数以上的美国家庭拥有电以及一辆汽车、一台冰箱。到 1960 年时，约 80%的美国人不仅拥有这些设施，还拥有了电话。新耐用消费品的普及速度一直保持持续增长。洗衣机的发明可以追溯到“大萧条”爆发前的1926年。到39年后的1965年，美国半数家庭都拥有一台洗衣机。空调发明于1945年，拥有空调的家庭于29年后的1974年突破半数大关。衣物烘干机发明于1949年，拥有衣物烘干机的家庭于23年后的1972年突破半数大关。（洗碗机也发明于1949年，但是其发展则较慢，直到1977年拥有洗碗机的家庭才突破半数大关。）彩色电视机则打破了所有纪录：发明于1959年，仅14年后的1973年就有半数家庭拥有了它。到1989年，当“冷战”实际上已结束的时候，除了洗碗机外，2/3或以上的美国人都拥有了这些东西。他们还拥有了发明于1972年的微波炉与发明于1977年的录像机。之后，15%的美国人已拥有了发明于1978年的个人电脑，2%走在时代前沿的人拥有了移动电话。到20世纪末，所有这些发明均进入了半数家庭，包括互联网。

对于这一发展道路看起来可以实现的社会来说，苏联的吸引力很快消失了。美国全面援助西欧进行战后恢复。西欧很快重拾“大萧条”前的发展态势（尽管实际上“乔治·马歇尔计划”的最大接受者们的发展并不是最快）。法西斯时期，欧洲大部分的工会组织已被削弱，劳资关系也相应地不再如战前那般紧张。罢工时间变得更短（尽管工人的参与度提高了）。劳工行动仅在英国、法国与意大利还在不断持续增长。社团集体谈判、经济计划、凯恩斯主义需求管理与福利国家：西欧人采用了多种“疫苗”来抵御共产主义。1957年《罗马条约》的签署则又为其添加了一种新的“疫苗”：跨境经济一体化。实际上，到这时为止，来自莫斯科的威胁已基本消退。真正的经济奇迹发生在亚洲。在战后时期，不仅日本，而且中国香港、印度尼西亚、马来西亚、新加坡、韩国、中国台湾与泰国，均实现了经济持续增长，而且在大多数情况下是经济加速增长。在1950年至1990年这段时期里，亚洲占全球国内生产总值的比重由14%上升到了34%。至关重要的是，当世界其他地区经济放缓时，甚至在非洲与拉丁美洲遭受经济萎缩的情况下，亚洲经济在20世纪70年代与80年代依然保持着增长态势。韩国的表现尤为引人注目。这个人均收入于1950年时排名在加纳之后的国家，到1996年时经济已取得了长足的进步，并加入了经济合作与发展组织这个富国俱乐部。1973年至1990年，韩国成为全球增长最快的经济体。

东亚经济奇迹是“冷战”的关键。如果是越南而非韩国成为典范，换句话说，如果美国军事干预大部分都失败了，那么结果可能不容乐观。是什么创造了东亚经济的腾飞？首先，美国及其盟友（特别是在马来西亚进行干预的英国）能为接受军事干预的各国政府提供可靠的安全保障。其次，战后改革为经济增长奠定了坚实的体制基础，典型的例子就是1946年日本扫除封建主义残余与极大地均衡了财产所有权（明治时期的革命者所忽视做的）的土地改革。再次，美国所支持的日益开放的全球经济秩序使这些亚洲国家受益匪浅。最后，他们运用各种形式的国家导向来确保存款被引注到出口工业（当然，关键的第一级行业是纺织业）。消费社会不仅为东亚人提供了模仿的榜样，同时还为其低廉的布料提供了市场。

“亚洲四小龙”均以日本为榜样，通过棉制品这样的日常必需品出口，进行自身的工业化。但值得注意的是，它们能取得这样的成就几乎没有一个是因为曾经得到过民主政体政府的帮助。韩国在总统朴正熙（1960~1979年）与全斗焕（1980~1987年）的带领下进行了工业革命，而新加坡的李光耀与印度尼西亚的苏哈托本质上都是专制主义者（前者更为激进），专政党派则统治了中国台湾与日本。而1997年前的中国香港则一直是英国的殖民地。不过，无论哪一种情况，经济成功之后都因民主化而出现了经济滞缓。总之，东亚从苏联的磁场里脱离出来，因为它已经参与了美国的消费社会。而在伊朗、危地马拉、刚果、巴西、多米尼亚共和国和智利，情况则又完全不同，美国的干预更为短暂，情况甚至比古巴、越南、安哥拉与埃塞俄比亚这些苏联干预或援助效果更为明显的国家更为糟糕。

这种大众消费主义虽说俨然就是标准化的代名词，但它却能够与落拓不羁的个人主义相融合，这是西方文明最巧妙之处。它是怎么做到的呢？这个问题的关键又落在了这个词上：西方。苏联没能发明与传播彩色电视机或微波炉，这或许可以被原谅。但是，并不是所有消费社会的产品都具有复杂的技术。实际上，最为简单的莫过于发明于美国西海岸的一种工装裤。整个“冷战”时期最为让人难以理解的事情，或许就是为什么苏联生产不出一条像样的牛仔裤。

牛仔裤精灵

很久以前，通用服装在美国荒芜的西部诞生了。作为矿工与牛仔简洁的裤装，牛仔裤的历史就此开启。到20世纪70年代时，牛仔裤已经成为世界上最为流行的服装，并且从政治上来说，它成为了苏联经济体系存在弊端的有力象征。为什么？为什么苏联人不能像仿制原子弹那样仿制李维斯501系列牛仔裤呢？

正如我们今天所知道的，1873年，巴伐利亚出生的干货商李维斯·施特劳斯与雷诺的裁缝雅各布·戴维斯因使用铜铆钉加固了矿工“齐腰工装裤”上的裤袋而获得了专利，牛仔裤就此正式宣告诞生了。他们使用的面料是一种蓝粗棉布，这种面料由位于新罕布什尔州曼彻斯特的阿莫斯克亚格纺织厂使用经美国本土靛青染色的美国种植棉生产。李维斯牛仔裤最初的工厂位于旧金山，也正是在这里，那个为人们所熟知的皮革标牌在1886年被首次使用，标牌上是两匹马在撕扯李维斯裤子但终未撕开；1936年，李维斯牛仔裤又引入了红色旗标。蓝色牛仔裤制作成本低、易清洗、耐磨损且穿着舒适。但是，过去在英国人们常常穿的那种工装裤（最为著名的是大战期间丘吉尔也穿过）也是如此，以产自印度的布料命名的粗布工作裤亦是如此，为什么单单是甚至发给过许多国家监狱服刑囚犯的加利福尼亚牛仔裤主宰了世界时尚呢？答案就在于20世纪两大最成功的产业：电影与市场营销。

年轻的约翰·韦恩一改早期牛仔电影里精致流苏皮裤的装束，在《驿马车》（1939年）里穿上了普通牛仔裤，从这时起，电影就开始发挥其对牛仔裤征服世界的推动作用。之后，1953年，在《飞车党》里，马龙·白兰度穿的是牛仔裤与皮装；1955年，在《无因的反抗》里，詹姆斯·迪恩穿的是红夹克、白T恤衫及蓝色牛仔裤；1957年，在《监狱摇滚》里，埃尔维斯·普莱斯利穿的是黑色牛仔裤。这种粗犷的新形象借由市场营销人员的努力得到了进一步的加强。1954年，广告主管李奥·贝纳策划了身穿牛仔服、口吸香烟的牛仔“万宝路男人”形象。玛丽莲·梦露是较早穿牛仔服的人，在她首批模特表演照片中，就有一张以毫不光鲜的囚服为特色。起初人们在牛仔裤与青年的不当行为之间画上等号，牛仔裤由此成为关注焦点。早在19世纪30年代，摩门教领袖杨百翰就曾谴责纽扣式前裆的裤子为“通奸裤子”。1944年，《生活》杂志因为刊登了一张身穿牛仔裤的两位卫斯理学院女生的照片掀起了一场轩然大波。到李维斯牛仔裤的竞争对手李牌牛仔裤（Lee）采用了拉链的时候，牛仔裤激起性欲的名声就此确立（就与一个穿着紧身牛仔裤的人发生性行为的困难程度而言，这个结论有点稀奇古怪）。牛仔裤开始一路向前传播。开始时，牛仔裤出现在牧场工人与囚犯的身上；战争时期，成为防御工人必须要穿着的服装；战后年代，为飞车党所接受；之后，传到了西海岸，再之后传到常春藤盟校的学生们中间；20世纪60年代，逐渐发展到“垮掉派”作家、民间歌手与流行乐队中；最终继理查德·尼克松之后的所有总统都公开穿着牛仔裤。李维斯牛仔裤的发展蔚为壮观。1948年，公司售出400万条牛仔裤；到1959年，售出了1 000万条。从1964年至1975年，李维斯的销售额增长了10倍，突破了10亿美元大关。到1979年，其销售额已达到20亿美元。李维斯牛仔裤是少数成功的大品牌之一，其他牛仔裤品牌还包括李牌牛仔与牧马人（Wrangler）。

20世纪60年代与70年代，李维斯牛仔裤展开出口运动，证明了这些美式服装对于非美国人也具有同样的吸引力。对于全世界的年轻人来说，牛仔裤象征了一代人对于战后刻板服装传统风格的反叛。牛仔裤精灵飞出了瓶子，这个瓶子或许不仅仅是可口可乐饮料曲线状的独特玻璃瓶。李维斯牛仔裤实现其所说的“衣被天下”的目标看起来似乎只是个时间问题。1972年，《生活》杂志宣称“现在世界变成了蓝色牛仔裤的天下”。在海外扩张中，李维斯牛仔裤效仿了可口可乐。1886年，约翰·潘伯顿将从古柯叶提取的可卡因与从可乐果提取的咖啡因混合在一起，并对形成的混合物进行了碳化，结果就发明出了可口可乐这种褐色的碳酸液体。可口可乐甚至成功超越辛格缝纫机成为了一个国际品牌。早在1929年，可口可乐就已自称为“国际饮料”，在甚至包括缅甸在内的78个国家均有售。在缅甸仰光瑞德贡大金塔的入口，便可看到独特的斯宾塞体可口可乐标志，不过显得不太协调。第二次世界大战期间，可口可乐在6个战区成功经营了64个瓶装厂，甚至在1973年越南战争最为激烈的时候还在老挝建立了一个瓶装厂。

不过，对于李维斯牛仔裤或可口可乐等其他品牌来说，没有比“冷战”为整个欧洲拉上的“铁幕”更坚不可摧的屏障了。实际上，可口可乐的老板罗伯特·伍德鲁夫原则上拒绝参加在莫斯科举办的美国国家展，并当面指责了时任副总统的理查德·尼克松，因为在1959年7月的展览会开幕时，在尼克松与苏联领导人尼基塔·赫鲁晓夫电视演说之后，百事可乐竟成功地做到让赫鲁晓夫去测验其竞争对手的饮料。

按照“冷战”思维，“西方世界”与“东方世界”一直泾渭分明。东方世界的标志起于从德意志民主共和国开始至德意志联邦共和国结束的易北河，终于朝鲜民主主义人民共和国与大韩民国的边界。从中东到远东这个真正东方的立场来说，世界似乎只是被资本主义西方与共产主义西方这两个敌对的西方给瓜分了。掌权人物看起来基本相似。实际上，在许多方面，苏联渴望去模仿美国，生产相同的武器装备及相同的消费品。正如赫鲁晓夫在与尼克松“厨房辩论”中明确表明的，苏联人有志在每一件产品上都做到与美国匹敌。在服装上，这两个男人倒是相差无几。尼克松像是位严肃的加利福尼亚律师，穿着纯黑与纯白的服装，这简直是对他本该为之宣传的彩色电视技术的打击。赫鲁晓夫穿着淡颜色的西装，戴着淡颜色的帽子，看起来更像一个午餐时喝了过量马提尼酒的美国南部民主党众议员。

正如全世界的年轻人一样，苏联及其东欧卫星国的青少年们正迫切需求牛仔裤。所以，美国战后的主要竞争对手竟然没能仿制这种超级简单的服装，真的让人感到奇怪。有人认为，这可能是因为苏联人认为西方人对牛仔的狂热使得生活在太安逸了。虽然这样，但毕竟牛仔裤的制作要比普雷斯特裤子（李维斯 · 施特劳斯的又一发明，1964 年推出）容易得多。然而不知何故，苏联未能理解这种同样可以代表苏联工人勤劳美德的服装的魅力。相反，不久就紧密结合在一起的蓝色牛仔裤与流行音乐，成为了西方优越性的典型象征。而且，和核弹头不同的是，牛仔裤切切实实地投放到了苏联：李维斯牛仔裤于 1959 年在莫斯科展出，并于 1967 年再度展出。

如果你是一名生活在 60 年代“铁幕”笼罩下的学生，那么你不会想穿着看起来不像男童子军的少先队制服。你想打扮得和所有西方帅哥一样。斯蒂芬 · 沃勒曾是那个时代民主德国的一名学生。他回忆说：

> 刚开始，（在德意志民主共和国购买牛仔裤）是不可能的。牛仔裤被视为盎格鲁–撒克逊文化帝国主义的化身。穿着牛仔裤会遭到强烈反对。你买不到牛仔裤。但是，许多人让亲属从西方帮他们带过来……他们穿上牛仔裤，这惹恼了老师、雇主与大街上的警察。这导致西方商品交易的黑市的产生，这些商品看起来似乎对国家产生了威胁。

这就是对这种服装的渴求之情，苏联执法部门的官员们为此创造出了一个新名词——“牛仔裤犯罪”，指“在不惜以任何手段获取牛仔布制品的欲望驱使下而发生的犯罪行为”。1986 年，法国左翼哲学家、切 · 格瓦拉的前战友雷吉斯 · 德布雷说：“摇滚乐、影像、蓝色牛仔裤、快餐、新闻网络与电视卫星所蕴藏的力量，比整个苏联红军的力量都大。”到 20 世纪 80 年代，这种情况变得更加明显，不过，在 1968 年时却并非如此。

1968 年是以各种方式进行变革的一年，从巴黎到布拉格，从柏林到伯克利，甚至于北京。在“冷战”时期的两极格局中，最普遍的骚乱因子就是青年。在 1968 年后的 10 年间，年龄介于 15~24 岁的人口占总人口的比重如此之大，是在现代社会中相当罕见的。在美国，青年占人口的比重在 20 世纪 50 年代降至 11%，而在 20 世纪 70 年代则达到了 17%的峰值。在拉丁美洲和亚洲，这一比重则上升至 20%以上。同时，高等教育也在迅速发展，特别是在美国，这意味着比以往更高比例的青年男女上了大学。到 1968 年，大学生占整个美国总人口的比例达 3%以上，而这一比例在 1928 年时却低于 1%。在欧洲，高等教育的普及速度则较为平缓。这些战后高峰期出生的人年轻、数量庞大、受过教育、富足，他们完全应该感激为自由而战且为他们创造了机会的父辈，然而正相反，他们起来叛乱了。

1968 年 3 月 22 日，法国学生占领了法国第十大学 8 楼的教师休息室

(丑陋的钢筋混凝土校园被称为“疯狂的楠泰尔”)。到 5 月,包括来自名校索邦大学在内的数万名学生在巴黎街头与警察发生了冲突。工会抓住了这一机会向软弱的政府施压,要求提高工资,一场总罢工运动席卷了全国。在伯克利加利福尼亚大学,在柏林自由大学,甚至在哈佛大学,相同的一幕也在上演。在哈佛大学,民主社会学生会的成员占领了主席楼,工读生联盟成员冲进大学楼(临时更名为切 · 格瓦拉厅),驱逐了在那里工作的院长们。

从表面上看,这场学生运动针对的是越南战争。到 1968 年时,这场战争已经夺去了 3 万多美国人的生命,且失去了大多数民众的支持。此外,1968 年的人们还对非洲裔美国人的民权运动给予了支持,这场民权运动是典型的为了在美国南方实现种族平等、与种族主义势力作抗争的自由运动。1968 年喊出的都是马克思主义者的口号,从以色列到印度支那,几乎所有冲突都成了反对帝国主义的斗争。根据更为教条主义的学生领袖,如丹尼尔 · 龚本第与鲁迪 · 多茨克的说法,此举的目的是“在资本主义的中心起义”。愤怒的人们宣称:“直到用最后一个官僚的肠子将最后的资本主义绞死,人类才会幸福。”作为无政府主义者,情境主义者们则要求废除劳动本身,鼓励学生支持者们决不劳动。然而,有一个相当实际的需求很能反映革命的真正意图,这个需求就是男生能自由进出女生宿舍,因此产生这样的训谕:“要像解开你的前裆一样时常解放你的思想。”就像一位涂鸦艺术家说的:“我越想做爱,就越要革命。我越想革命,就越要做爱。”它鼓励女性大胆裸露,尺度之大至今都被视为禁忌。从迷你裙到比基尼,性革命则都与服装的减少变短有关。出生于澳大利亚的喜欢聚会胜过对党的热爱的女权主义者杰曼 · 格里尔宣称:“女性应拒绝成为资本主义国家的主要消费者的角色。”

具有讽刺意味的是,尽管照样谴责美国在越南的帝国主义,并象征性地打碎美国运通巴黎办公室的窗户,但 1968 年的人们仍长期沉迷于美国的流行文化。蓝色牛仔裤——现在被重塑成了低腰、喇叭腿——仍然是青年展示反叛精神的制服。唱片公司继续提供音乐磁带：滚石乐队的《街头斗士》（1968 年 12 月发行）与甲壳虫乐队的《革命》（1968 年 8 月由乐队自有的Apple唱片公司发行）——这两首歌曲对革命的成效都表示出了深深的怀疑。牛仔裤与乙烯基唱片成为20 世纪后期资本主义最为成功的产品之一。而且，正如在 20 世纪 20 年代，禁止政策——这次是针对麻醉剂——为“犯罪集团”提供了一种新机会。法国情境主义者们可能会对消费社会无情的物质主义和无处不在的广告进行猛烈抨击（比如居伊 · 德波将其斥之为景观社会），但是，那些在巴黎反对资本主义进行闹事的人则严重低估了他们本身从这种体制中所获得的福祉。除了偶尔会有鄙视享有特权的中产阶级“文人”的红脖子蓝领警察们挥舞警棍驱击，西方世界的政府一般允许学生自由抗议。实际上，大多数大学对于学生的要求均会让步。另一件有讽刺意义的事是，喜欢标榜“要爱，不要战争”的青年运动，最后却与太多的暴力有关：美国城市的种族暴动，西欧与中东凶杀率与恐怖主义的急剧上升。1968 年 7 月 23 日，随着巴勒斯坦解放组织劫持一架从罗马飞往特拉维夫的El Al飞机，新的时代开启了。不久，受到该组织领导人亚西尔 · 阿拉法特青睐的阿拉伯男子戴的方头巾，也变得与切 · 格瓦拉的贝雷帽一样时髦起来。

穿过 1968 年的“铁幕”就如同穿过了一面镜子。西欧人来到东欧会发现这里是如此熟悉。东、西欧的城市规划者们都犯了同样的错误，将市中心的人们赶到压抑粗糙的公寓楼里隔绝起来，这种建筑风格为战后建筑师们所追捧的粗犷实用的包豪斯风格。但是，一些熟悉的事物可能具有截然不同的含义。在布拉格，相较于共产党后面与两侧短的涤纶西装与红色领带的典范装扮，长发与牛仔裤同样更为该国的青年们所青睐。但是，它们之所以受到青睐，恰恰是因为它们可以使人们联想到资本主义西方。捷克人甚至称牛仔裤为得克萨斯裤。因为计划经济不愿生产这种服装，所以可以获取的唯一途径就是通过走私。梦想成为捷克甲壳虫的奥林匹克乐队[①]的主唱彼得·扬达就是通过这种方式得到了第一条李维斯 501 牛仔裤；尽管裤子太短了，但他的朋友们还是充满了羡慕。正如在巴黎一样，在布拉格，大学成为代与代之间冲突的爆发点。“垮掉的一代”青年诗人艾伦·金斯堡于 1965 年春访问了查理大学，但因其“淫秽且道德失范”的写作风格，于 5 月初被逐出。1967 年 11 月，在一次断电的时候，查理大学的学生们聚集在一起，手持蜡烛向布拉格中心前进。伊万·托斯卡是参与此次抗议活动的学生之一，他回忆道：

> 那时停电如此频繁——在第一次抗议中蜡烛是一个很有现实意义的象征——我们有蜡烛，但我们需要的是电灯。然而，“我们需要光”显然有着更为广泛的普遍意义：那是“光明”，是对当政者的“黑暗”发出的抗议，当时最高政治机构是捷克斯洛伐克共产党中央委员会。

1968 年 4 月，亚历山大·杜布切克开始推行经济与政治自由化的《行动纲领》。值得注意的是，其经济政策的重心从重工业转向了消费品。不过，莫斯科的苏联领导层将“布拉格之春”视为难以容忍的威胁。1968 年 8 月 21 日凌晨 4 时，苏联的坦克与军队包围了捷克斯洛伐克共产党中央委员会所在的建筑。受到愤怒人群的威胁，坦克开了火，打死了一名年轻男子。上午 9 时左右，军队摧毁了这幢建筑物。杜布切克逃往苏联，并幸运地从那里活着返回。在抵抗的活动中心温塞斯拉斯广场上，捷克人每天都围着 10 世纪受宣福礼的波希米亚公爵温塞斯拉斯的骑马雕像聚集在一起。在巴黎，学生

① 他们最流行的歌曲《龟》(*Zelva*)，其歌词明显受到了约翰·列侬晚期的启发：“如果你不注意海龟，它们会戏弄你。抓住海龟很困难，当它们在水里的时候。”

们向防暴警察投掷燃烧着的汽油弹。在布拉格，一名叫扬·帕勒克的捷克学生于1969年1月19日往自己的衣服上泼煤油并自焚。他于3天后死亡。在西方，学生们沉溺于马克思主义的学说，但是他们真正追求的则是自由性爱。在“铁幕”的另一边，赌注则变得更高，因为它关系到的是自由本身。

那么，为什么还不让捷克斯洛伐克的学生们拥有他们所想要的所有牛仔裤与摇滚乐呢？原因是消费社会对于苏维埃制度本身来说构成了一个致命威胁。消费社会是以市场为导向的，它对消费者自身的信号作出反应——他们对于牛仔裤的喜欢程度超过了对法兰绒裤子的喜欢程度，或者对于米克·贾格尔的喜欢超过了对伯特·巴卡拉克的喜欢。而且，它为满足这些喜好会占用更多的资源，这是苏维埃制度做不到的。党知道大家需要什么——褐色涤纶西装——并相应地把订单下给国营工厂。而另一种选择是具有内部颠覆性的。值得注意的是，民主德国当局把1953年的工人起义归咎于穿着“牛仔裤与得克萨斯衬衫”的西方煽动者。赫鲁晓夫可能渴望仿制彩色电视机，但他最不希望效仿的就是甲壳虫乐队。“苏联青年不需要这种刺耳的垃圾。”他宣称，“从萨克斯管（原文如此）到弹簧刀仅有一步之遥。”无论如何，为了使苏联人在“冷战”军备竞赛中能与富裕得多的美国人并驾齐驱，坦克必须优先于坎肩，战略轰炸机必须优先于电吉他。一位苏联批评家发人深省地指出：“耗费在舞池里的每一丝精力都能用于并且应该用于建设水电站。”这并没有阻止牛仔裤通过黑市商人走私进苏联。这些商人专门用皮帽与鱼子酱（过去西方游客到莫斯科后仅想买的两件纪念品）换牛仔裤。一条黑市上的牛仔裤可售得150~250卢布，而当时苏联人的平均月工资低于200卢布，一条普通国产裤的售价仅为10或20卢布。

随着“布拉格之春”的粉碎，东欧的共产主义制度看起来似乎无懈可击。而柏林被分成东柏林与西柏林看起来也成了一个永远的事实。不过，西方时尚的影响力证明是不可能被关在门外的，特别是当民主德国人能够收看联邦德国电视节目（他们早就收听到了西方无线电台广播）的时候。如安·卡特琳·亨德尔这样的设计师们已开始自己制作西式服装，并将这些服装放在汽车行李箱中进行出售。亨德尔甚至自己制作了牛仔裤：

> 我们试着用柏油帆布、床单或不是牛仔裤面料的面料来缝制它们。我们还试着对它们进行染色，但这也同样非常困难，你的手也会被染色……它们非常受欢迎，人们从我们的手中将它们“抢”走。

关键的一点是，现在西方消费行业的成功被其对手苏联惨淡的表现如镜子般映衬出来。苏联不仅于1973年后的增长趋于零（低于1%），而且其全要素生产率也在持续下降。一些国有企业对原材料的加工实际上反而使得原材料价值降低。正如哈耶克曾警告的，在（市场）价格的缺失下，资源被错误地进行了配置；腐败官员们限制生产，以最大限度地增加自己的非法所得；工人们假装工作，相应地，管理者们假装向他们支付工资。不仅工业资本存量，连人力资本存量也未能维持住；核电站坍塌，酗酒飙升。情况远远不是赫鲁晓夫曾威胁的那样在经济霸权上挑战美国，苏联的人均消费水平仅为美国相应水平的24%左右，充其量仅对土耳其构成威胁。同时，随着超级大国之间的关系向缓和与裁军发展，苏联大批生产导弹的能力显得异常没有价值。20世纪70年代的高油价是对这个制度施以的“缓刑”，而当80年代油价下跌时，苏联则变得几乎一无所有，除了硬通货债务——从恰恰是赫鲁晓夫曾信誓旦旦要“埋葬”的制度借来的钱。米哈伊尔·戈尔巴乔夫于1985年3月被任命为苏联共产党总书记。他以及东欧苏维埃国家均感到，除了实行经济与政治体制改革，别无他路可走。因为莫斯科出现的新口号“改革”与“开放”，东柏林强硬派们的处境变得困难——不仅要审查来自西方的出版物与报告，同样也要审查来自苏联的出版物与报告。

正如1848年与1918年的情形，1989年的混乱迅速传播。在华沙，波兰政府于1989年2月同意与自由工会“团结工会”进行对话；很快，波兰就开始为自由选举作准备。在布达佩斯，匈牙利共产党于5月决定开放与奥地利接壤的边境。约1.5万名民主德国人起程，经由捷克斯洛伐克去匈牙利“度假”，这实际上是通往西方的单向旅程。6月，“团结工会”在波兰选举中胜出，开始着手组建民主政府。9月，匈牙利共产党人仿效波兰同意进行自由选举。10月，当埃里希·昂纳克按照他的计划庆祝德意志民主共和国成立40周年时，先是几百人，后是几千人，然后是几万人，再之后便是成千上万人涌向莱比锡街头，开始时反复高喊“我们是人民”，后来改为高喊“我们是同一个民族”。

1989年11月9日，让一个东柏林记者团感到有点儿困惑的是，他们被通知“已经决定所有公民可以通过正式边境通道离开国家……立即生效”，这则消息促使东柏林人像洪水一样涌向边境检查站。尽管毫无准备，士兵们还是选择了不使用武力。到午夜时，所有的检查站都被迫开放，20世纪最大型的联欢之一已然开始，紧随其后的便是20世纪最大的购物狂潮之一。随着柏林墙的倒塌，“冷战”基本结束了。但直到1991年8月莫斯科政变失败与随后的苏联解体，在三大高加索共和国与5个中亚的“斯坦”以外，波罗的海国家、乌克兰与白俄罗斯成为独立的国家，“冷战”才真正宣告结束。

几乎没有人预见它的到来[①]。对一些人来说，它是“历史的终结”，是自

---

① 美国记者詹姆斯·P·奥唐纳在1979年1月联邦德国出版的《读者文摘》中的题为“柏林幽灵列车”的文章中提出的预言却准确得惊人。该记者在文章中预见到10年后柏林墙的拆掉，甚至于预见到墙体碎片会作为纪念品来销售。可悲的是，对于如此预见的回报是微不足道的，正如这一代无能呆板的“苏联问题专家”受到的惩罚也同样微不足道。政治预测这一行业的市场仍太过低效。

由资本主义模式的胜利。对于其他人来说，它是西方世界的伟大胜利，是罗纳德·里根、教皇约翰·保罗二世与玛格丽特·撒切尔这三位极富魅力的政治领导人的政治成就。第三种观点赞扬的则是民族主义。但是，较为准确的分析家是那位开始销售紧身“革命牛仔裤”生产线的意大利服装主管。最为重要的是，作为消费社会，苏联与它的卫星国均失败了。尽管明斯克仍期待着“帆布革命”，但2006年反对朽坏的权威主义政权的民众抗议采取了穿牛仔裤的形式并非偶然。

灰色服装与围巾

在毛泽东领导共产党取得革命胜利之初的1949年，中国是地球上色彩最为暗淡、单调的社会。最后一丝清朝的丝绸已不复存在了，大战期间为民族主义者们所青睐的西式服装也一去不复返了。在追求严格的平等中，大家都穿着灰色服装。然而今天，如果你走在一条有代表性的中国街上，映入眼帘的往往是各式各样、五彩缤纷的西式服装。所有主要城市的大幅广告牌兜售的都是从阿玛尼到杰尼亚这些西方品牌的高品质。正如其他所有的工业革命一样，中国的革命也是从纺织品的生产开始的。直到最近，在沿海经济特区所生产的大部分服装，都用于对西方的出口。现在，随着西方经济体因为经济低迷而需求有所下降，中国的政策制定者们所面临的主要挑战就是如何使中国工人减少储蓄、增加消费；换句话说，买更多的服装。

伊斯坦布尔是一个国际化大都市，西方文明的外在服装在这里的街头早已司空见惯。走过主要的购物街独立大街上，你就像到过地中海世界的每一个地方。但若去同一城市的其他地方，例如靠近苏丹·阿合麦特广场的法提赫，景致则截然不同。对于虔诚的穆斯林来说，女性服装的西方标准是不能接受的，因为他们发现这些标准远远超出了他们宗教的规定。这也是为什么在一个穆斯林占绝大多数的国度里，头巾、面纱与宽松的黑色罩衫再度流行并变得时髦的原因。

这表明土耳其在发展方向上的重大转变。正如我们在第二章中所见，土耳其共和国的缔造者凯末尔·阿塔图尔克着手西化土耳其人的着装方式，禁止在所有的国家机构工作人员穿着宗教服饰。于1982年当权的世俗主义军政府则重申了这一政策，禁止女生在大学戴头巾。然而，直到宪法法院于1997年明确裁定在包括中小学校和大学在内的学术场所戴头巾违反了宪法第二条的规定后，这一禁令才得到严格地执行。这一裁定体现了共和国的世俗性。（男生留长胡须也被宣布为是违反宪法的。）当大学与学校当局请来防暴警察实施这一裁定时，国家陷入了危机。1998年10月，超过25个省份的约14万人挽起手来形成了一条人链，对这项禁令以示抗议。在伊斯坦布尔，数千名女孩宁可选择缺课，而不摘下她们的头巾；一些人在她们的校门外举行守夜祈祷。在安纳托利亚东部的伊诺努大学，反对禁令的示威演变成了暴力冲突，最终导致200名示威者被捕。在东部城市卡尔斯，一些年轻女性甚至因为这件事情自杀，而一名支持这一禁令的法官于2006年5月在法庭上被枪杀。自2003年以来便由雷杰普·塔伊普·埃尔多安的“正义与发展党”执政的伊斯兰教政府，在2008年修订了宪法，允许在大学戴头巾。不料，这一决定被宪法法院推翻了。欧洲人权法院也赞同这一头巾禁令。

这件事情再次说明了我们的外在服装有多么深刻的意义。头巾或面纱仅仅是一种任何西方化了的社会根据表达自由的原则应该予以包容的个人信仰的表达吗？抑或是世俗社会应该禁止的由宗教所规定的性别不平等的过时象征？这个问题被伊斯兰教徒们（如记者尼哈尔·本吉苏·卡瑞克）表述为个人自由与人权的问题：

> 我们想要得到与不戴头巾的女性同样的对待。我们都是一样的，没有什么不同，我们想要被一视同仁地对待，希望能够拥有她们所享有的一切权利……我们只是想要不戴头巾的女性与戴头巾的女性之间的民主。

伊斯兰教的说法是，遮掩只不过是一个可供女性自由决定的没有害处的选择。他们说，面纱只是另一种形式的女性服饰，在伊斯坦布尔的商店里有各种颜色与样式可以选择，为了使面纱更为艳丽，还加上了闪闪发光的装饰品。当然，正如你在伊斯坦布尔大街上所见的罩袍，将穿戴者从头到脚裹在一片黑色里，仅留下一个细小的缝隙向外看——这种服装太过约束，以致法国国民大会于2010年投票完全禁止这种装束。这种服装的转变一直伴随着土耳其外交政策的变化并非偶然。一旦成为北大西洋公约组织的亲美骨干力量与欧洲联盟成员候选人，土耳其便将目光更多地转向了东方，与伊朗伊斯兰共和国展开伊斯兰世界领导权的争夺，不禁让人想起奥斯曼帝国的霸权岁月。

简言之（若你喜欢，也可长叙），人们穿什么至关重要。西方两个伟大的经济飞跃——工业革命与消费社会——在很大程度上都与服装有关：首先是效率更高地制造服装，之后是更为大胆的穿着。西方穿着方式的传播与西方生活方式的传播息息相关，正如伊斯兰世界对西方服饰的强烈抗议象征了全球伊斯兰教的复兴。伊朗革命者将西化者贬称为“fokoli”，这个词来自法语的“faux-col”（领结），今天德黑兰的男人们也都刻意回避领带。随着穆斯林社会在西欧的发展，如今在伦敦街头，戴面纱的女性像上海街头曼联足球队的队服一样常见。英国应该效仿法国禁止罩袍吗？

也许经过反思，你发现问题都问错了，因为它们暗示了西方文明所有的伟大成就——资本主义、科学、法治与民主——均可归结为购物这一点，此外别无深意。购物疗法未必是对我们所有问题的答案。也许，对于西方来讲，最终的威胁不是来自激进的伊斯兰主义或任何其他的外部因素，而是源于我们对自身文化遗产缺乏了解与信心。

CIVILIZATION

第六章

工作

基督教会走上末路，它会消失、萎缩，我无须多说，但我所说的话是正确的，而且将会被证明……我不知道哪样事物会先消亡，是基督教还是摇滚乐。耶稣本身没有什么问题，但是他的信徒们实在是驽钝平庸，在我看来，他们扭曲并毁了基督教。

约翰·列侬

过去20年来，我们已认识到，你们文化的核心是你们的宗教：基督教。西方社会文化生活的基督教道德基础使资本主义的出现成为可能。

中国社会科学院某研究员

工作伦理与文字伦理

正如我们所见，经过大约500年的历程，西方文明在世界范围内上升至非凡的统治地位。包括公司、市场和民族国家在内的西方制度结构，成为经济与政治竞争的全球标准，供其他国家与地区效仿。西方的科学改变了科研范式；其他地区或紧跟，或被抛在后面。西方法律制度及从中衍生出来的政治模式，包括民主在内，取代或击败了其他类型的法律制度或政治模式。

西方医学排斥巫医和其他信仰治疗师。首先，西方工业生产和大众消费模式将所有经济组织的替代模式甩在身后。甚至在20世纪90年代末，西方仍然在世界文明中处于明显的统领地位。西方五大领先势力——美国、德国、英国、法国和加拿大——占据全球制造总量的44%。在科研领域处于统领地位的也是西方的大学，其员工包揽了诺贝尔奖和其他荣誉的绝大部分。那时民主大潮席卷全球，诸如李维斯牛仔裤和可口可乐这样的西方消费者品牌开始盛行，几乎比比皆是。麦当劳的金色拱门招牌也几乎出现在全世界所有主要城市。不光苏联垮台了，就连人们预计能赶超美国的日本也跌跌撞撞，不知不觉进入了迷失的10年，通货紧缩，经济增长接近为零。国际关系分析家们在描述当时美国这一西方世界领军大国的优势地位时，都要搜肠刮肚，寻找足够宏大的辞藻：它是一个帝国？一个霸权国？还是一个超级强权国？

在本书撰写期间，两大金融泡沫破灭、两场突如其来的战争爆发、一次严重的经济衰退正在发生，尤其是中国地位显著提升，取代日本，成为世界第二大经济体。问题在于，西方世界5个世纪之久的统领地位现在是不是终于要渐进尾声？

我们现在正在经历西方地位的下滑吗？当然，这也并非第一次。以下是爱德华·吉鹏对公元410年8月哥特人侵略罗马时的描写：

> 在这野蛮肆虐的年代，每份激情都被点燃，每个束缚的枷锁都被解除……罗马人被残酷屠杀；同时……城市的街道上死尸满地，没有葬礼，只有惊慌失措的人群……每当野蛮人被激怒并发起反击时，他们便对柔弱、无辜和无助的人们展开混乱的屠杀……妇女和少女们惨遭迫害，贞洁的玷污比起死亡本身更加可怕……凶残的士兵们不顾女性俘虏的反抗，只求满足自己的肉欲……在对罗马的掠夺中，公平的优先权只给了黄金和珠宝……但是，勤于抢掠的士兵们把能带走的财富洗劫一空时，罗马帝国宫殿里华丽而昂贵的家具也逃脱不了他们的魔掌……
>
> 获得的财富只会使贪婪的野蛮人更加贪得无厌，他们会继续威胁、恐吓和折磨他们的囚犯，逼迫他们交出隐藏的财宝……被这样抢掠的人数不胜数，他们的境况一落千丈，从受人尊敬的身份和拥有富足的财富沦落为苦不堪言的俘虏，放逐他乡……罗马的这次灾难……使居住在那里的人们散布到最孤独、最安全、最遥远的地方避难。

《罗马帝国衰亡史》总共六卷，出版于1776年至1778年，讲述了上一次西方世界的瓦解。如今，西方许多人都害怕我们现在正上演着续集。如果你回想古罗马衰落的原因，这种担忧也并非毫无依据。经济危机，侵蚀人类的传染病，移民数量超过帝国承受范围，东方敌对国家，波斯的崛起，对阿拉里克国王统领的哥特人和匈奴王阿提拉统领的匈奴充满恐惧。在历经好几个世纪以后的今天，我们是否有可能正在面临一种相似的局面？从经济方面看，经历经济大萧条时期以来最严重的经济危机的西方经济，正处于停滞状态，然而西方以外国家的经济却以史无前例的速度增长着。我们的生活充斥着对流行病的恐惧感，也害怕人类会引起全球气候变化。发人深省的证据是我们社会里的一些移民社区已经变成恐怖主义者网络的温床。一次核恐怖袭击对于伦敦或纽约来说，与侵略罗马的哥特人相比毁灭性更大。与此同时，一个东方国家也在慢慢崛起：这就是中国，在未来10年内将很有可能成为世界最大的经济体。

在《罗马帝国衰亡史》中，吉鹏最富煽动性的论断当属：基督教是古代西方文明最为致命的瓦解剂之一。在罗马帝国鼎盛时期，越来越受重视的一神论与各种各样的异教有着本质上的差异。然而基督教却以特殊的形式——16世纪出现在西欧的一种宗教变体——赋予了现代西方文明与其他地区相比之下的关键优势中的第六项：新教，或者与之相联系的特殊道德规范，即刻苦工作，勤俭节约。现在是时候理解上帝在西方的崛起中扮演的角色了，是时候解释为什么20世纪晚期如此多的西方人对上帝不予理会了。

如果你是19世纪末生活在欧洲的一位富有的实业家，你很有可能是一位新教徒。自从宗教改革以来，许多欧洲国家脱离了罗马天主教，经济大国也从像奥地利、法国、意大利、葡萄牙和西班牙这样的天主教国家，转移为如英格兰、荷兰、普鲁士、萨克森和苏格兰这样的信奉新教的国家。似乎信仰的形式和崇拜的方式与人们经济上的财富有某种关联性。问题在于：新教有何不同之处？路德与其继承人教导并鼓励人们不仅要辛勤工作，也要积累财富，这又有何关系？就这些问题给出最有影响力的答案的人是位名叫马克斯·韦伯且情绪抑郁的德国教授。他是现代社会学之父，“新教伦理”一词由他创造。

韦伯是一个早熟青年。在德国宗教改革中心之一的埃尔福特长大。13岁的韦伯将一篇题为“结合君主与教皇的地位谈德国历史进程”的文章献给他的父母作为礼物。在14岁那年，他就开始写信，信中参考的经典作家从西塞罗到维吉尔，尤其是积累了有关康德和斯宾诺莎的哲学的大量知识。在早期的学术生涯中，他获得了一次又一次的成功：22岁的他已经是一位资历颇深的律师。在3年内，他以一篇名为“中世纪商业组织的历史”的文章获得了博士学位；在27岁时他的教授论文“罗马土地历史及其对私法的重要性”为他赢得了柏林大学讲师的职位。他在30岁被任命为弗莱堡大学经济学教授，在就职演讲中呼吁建立更加野心勃勃的德国帝国主义，为他赢得了声誉，同时也带来了恶名。

然而他的学术生涯中这一不断上扬的弧线不幸在1897年戛然而止。韦伯的父亲在与韦伯激烈争吵后去世，韦伯因此精神几近崩溃。在1899年他不得不辞去自己的学术职位，并用了3年的时间来恢复，其间他花费越来越多的精力研究宗教及其与经济生活的关系。他的父母都是新教徒；他的外祖父是一位虔诚的加尔文教徒，而他的祖父是一位成功的亚麻布商人。他的母亲是彻头彻尾的禁欲主义加尔文教徒；相反，他的父亲则是一个讲究享乐的人，靠继承的财富充分享受生活。宗教和经济生活之间的关联对于韦伯自己来说一直是个谜。是父亲还是母亲选择了对待世俗财富的正确态度？

直到宗教改革时期，基督教徒对宗教的虔诚才显得与世界物质生活相去甚远。有息贷款是一种罪恶，富有的人比穷苦的人进入天国的概率要低，但虔诚的生活赢得的奖励在来世才能享受。所有这些观念在16世纪20年代发生了改变，至少在进行宗教改革的国家发生了变化。回顾韦伯的个人经历，他开始思考宗教改革为何能够使北欧比南欧更加容易接受资本主义。这要穿越大西洋才能找出答案。

1904 年韦伯为参加世界博览会的人文科学大会来到密苏里州的圣路易斯市。举行世博会的公园占地面积达 200 英亩，但似乎并不足以为美国资本主义想展现的东西提供足够的空间。韦伯在灯火通明的电力宫殿里被晃晕了眼睛。直流电之王托马斯 · 爱迪生本人也在场，他是美国企业家精神的化身。从电话到动画，整个圣路易斯市都为现代技术而震惊。这个社会的活力甚至使工业化德国都显得死气沉沉，那么什么能够解释其活力所在呢？韦伯焦虑不安、近乎狂躁，他跑遍整个美国寻找着答案。这位心不在焉的德国教授以他漫画人物似的形象给他美国的堂妹们留下了永世难忘的印象，她们被他一身奇怪的装扮惊呆了：上身穿褐色的格子西装，下身着短灯笼裤，脚上穿着过膝长袜。但这比起美国给韦伯留下的印象来说简直是小巫见大巫。韦伯从圣路易斯市乘火车到俄克拉何马州，其间穿过像波旁和古巴这样的密苏里州小镇时，他终于找到了答案：

> 这种地方真令人难以置信：这里有工人们的帐篷营，尤其是还有无数在建铁路的护路工；“街道”以自然面貌示人，通常会在每个夏天泼洒两次柏油以防扬尘，因此闻起来也有柏油的味道；有 4 到 5 种宗教的木造教堂……此外还有缠作一团的电报和电话线缆，错综复杂的在建电力铁路线延伸至看不到边际的遥远“城镇”。

圣詹姆斯小镇在圣路易斯市往西约 100 英里处。它是数以千计的新定居点中典型的一个，这些定居点沿铁路散布，在整个美国向西延伸。当韦伯 100 多年前穿越美国时，他惊讶于这座城镇中各式各样的教堂和小礼拜堂数量如此之多。在世博会那铺张华丽的工业化表演仍然历历在目之际，他开始领悟到美国物质成功与其蓬勃的宗教生活之间有着某种神圣的关联。

韦伯返回海德堡大学继续进行学术研究，此间他完成了《新教伦理和资本主义精神》的第二部分，该论文由两部分组成，具有划时代的意义。其中包含了有关西方文明的最有影响力的论断之一：经济活力是新教改革始料未及的结果。相较于把神圣与放弃世俗之物相关联的其他宗教——修道院里的修道士、山洞里的隐士——新教认为勤劳和节俭是体现努力与虔诚的新的形式。换句话说，资本家的“呼唤”实际上起源于宗教：“要获得……自信（作为上帝选民的一员）就要加入激烈的世俗活动……因此基督教的禁欲主义……大踏步地走入了生活的市场。”韦伯口中那些“不知疲倦的劳工”是最能肯定的上帝选民中一分子的标志，被选中的这群人注定会得到上帝的救赎。他断言，新教“有让财富的获得从传统派伦理观中挣脱的作用；它打破了不得争取利益的禁令，不仅使其合法化，也……将其视为上帝的直接意志”。此外，新教伦理为资本家提供了“冷静、尽责、能干的工人，他们专心致志地工作，并将其视为顺应上帝意志的生活目的”。在大部分历史中，人们为了活着而工作。而新教徒们则为了工作而活着。韦伯说，正是这种工作理念让现代资本主义应运而生，他将其定义为“合理组织自由劳动力的、冷静的、资产阶级的资本主义”。

韦伯的论点也并非完全没有问题。他将“基于呼唤者的观念之上的合理行为”视为“现代资本主义精神基本要素之一”。但在其他地方，他又承认“基督教禁欲主义”有不合理之处，“作为资本主义的企业家的理想类型……除了出色完成了自己的工作这一非理性的成就感外，他的个人财富并不能为他带来什么”；他“不为其他，只为了自己的生意而存在”，这“从个人幸福的视角来看”也是“非理性的”。韦伯对犹太人的猛烈炮轰更是问题重重，这也是他的论证中最明显的漏洞[①]。韦伯认为："犹太人站在以政治和投机为导向的冒险资本主义一边，他们的观念是……贱民的资本主义。只有清教才持有这种合理的组织资金和劳动力的观念。"韦伯还不可思议地无视了法国、比利时和其他地方的天主教企业家们的成功。事实上，他对证据的处理是他论文中较为明显的缺陷之一。来自本杰明·富兰克林的引语，以及（明显不理想的）德国巴登州关于新教与天主教教育程度和收入的数据，均与马丁·路德的话和威斯敏斯特信条有些相左。后来的学者们，尤其是费边主义经济历史学家理查德·亨利·托尼，都倾向于对韦伯就宗教教义与经济行为之间的因果关系导向的潜在论断提出质疑。对于伦巴第和弗兰德斯镇来说，在宗教改革之前向资本主义精神进发的第一步已迈出了大半步，同时许多领军的宗教改革者们也发出强烈的反资本主义呼声。至少一项对1300年与1900年间德国276个城市的实证研究发现，最起码从城市规模扩张角度来看，"新教主义对经济增长没有任何作用"。一些跨国研究也得出了类似结论。

当然，即使如此也没有理由认为韦伯别有用意，即使他因为错误的理由而侥幸成功。事实上，据他个人称，在宗教改革后欧洲的新教国家呈现一个明显的趋势，即比天主教国家发展更快，以至于到1700年在人均收入方面明显赶超了后者。到1940年，天主教国家的人民平均要比新教国家的人贫穷40%。从20世纪50年代起，以前的新教徒殖民地在经济上也比天主教殖民地发展得更好，尽管宗教不能充分解释这一差异。因为路德把独自阅读《圣经》看成头等重要的事，新教主义便鼓励人们读书识字，《圣经》的印刷

① 事实上，20世纪犹太人在美国的表现要比新教徒更胜一筹。他们收入更高，个体经营比例也较大。《财富》杂志2003年公布的世界100强公司中的首席执行官中，至少有10%是犹太人，《福布斯》400强企业的首席执行官中犹太人的占比也不低于23%。犹太人不仅在开创金融公司方面以压倒性优势取胜，同时也是一些世界最大技术公司的创始人或共同创始人，例如戴尔、谷歌、英特尔和甲骨文。

也就更不用说了，单这两件事就鼓励了经济的发展（积累了“人力资本”）和科学研究。这一提议不仅对一些像苏格兰一样在教育、学校招生和识字率上花大价钱的国家有效，同时对整个新教世界有效。不管新教徒传教士走到哪里，他们都倡导人们读书识字，为了给社会带来长久的益处，他们甘愿对他人进行教育；从反宗教改革到梵蒂冈第二届大公会议（1962~1965 年）期间，同样的事情天主教传教士却不能保证做到。英国殖民地的学校的入学人数平均比其他国家的殖民地高出了 4~5 倍，这是新教传教士们功劳。1941 年，在如今的喀拉拉邦有超过 55%的人有读写能力，这一比例大大超过印度其他地区，比印度平均水平高出 4 倍，与一些诸如葡萄牙的相对贫困的欧洲国家相当。这是因为新教传教士们受喀拉拉邦的古老基督教徒聚集区的吸引，在该地区的活动比在印度其他地方更活跃。然而在没有新教传教士出现的英殖民地（例如穆斯林区或像不丹、尼泊尔和锡金这样的保护国），人们没有得到更好的教育。这也就表明新教传教士的活跃水平是独立后的经济表现和政治稳定的风向标。近期的意见调查显示，通常新教徒相互之间信任水平较高，这是构建高效信用网的重要先决条件。一般说来，任何种类的宗教信仰（与正式仪式相反）似乎都与经济增长相关联，特别是有些地区天堂和地狱的观念激励人们人生在世多做善事，这种关联尤为紧密。这也就意味着人们不仅要努力工作、相互信任，也要勤俭节约、诚实守信、对人坦诚，这些都是对经济发展有益的特性。

宗教的影响的确存在。在前面的章节中，我们提到了中国曾想要创造一种促进了西欧创新的竞争体制，但以失败告终，也看到了儒家思想的“稳定伦理”是如何对此造成影响的——尽管韦伯在其“新教伦理”的续篇《儒教与道教》（1916）中描绘的静止不变的中国与现实的中国社会相去甚远。我们看到了罗马天主教怎样扼制了南美的经济发展，但这也可能是宗教为西方文明史作出的最大贡献。新教不仅让西方人学会了工作，也学会了节俭与识字。工业革命实际上是技术革新与消费的产物。但是它需要人们进行强度更大、时间更久的工作，同时也需要人们存款和投资来积累资金。最重要的是，它离不开人力资本的积累。新教带来的人们文化水平的提高对以上这些条件都是至关重要的。仔细想想，我们最好还是来谈一下新教的文字伦理。

需要回答的问题是：在今日的西方，或至少西方大部分地区，原有的宗教及其伦理已丧失殆尽了吗？

享受时光

今天的欧洲人是世界上最游手好闲的人。他们的平均工作量少于美国人，更少于亚洲人。再加上受教育时间延长，退休时间提前，欧洲实际可以工作的人数越来越小。例如，年龄在 15 岁以上的比利时人和希腊人中有 54% 是劳动力，而这一比例在美国是 65%，在中国则为 74%。1980~2010 年，这些劳动力在欧洲的失业比例比其他世界发达地区的平均值要高。欧洲发生罢工的可能性也较高[①]。再加上工作日短，假期长，欧洲人工作的时间便更少了。2000~2009 年，就业的美国人年平均工作时间仅稍低于 1 711 小时（该数字受金融危机影响有所下滑，许多工人工作时间变短）。德国人年平均工作时间仅为 1 437 小时——整整少了 16%。这是差异期延长的结果。1979 年欧洲和美国的工作时间差异较小，实际上当时西班牙工人的年平均工作时间

---

① 然而大西洋两岸间的差异比过去小了。受金融危机的影响，美国失业率有所上升，比大部分欧盟国家都要高。在本书撰写期间，经济合作与发展组织中只有匈牙利、爱尔兰、葡萄牙、斯洛伐克和西班牙比美国失业率高。将 5 年里（1996~2000 年）每千名雇员因罢工而未工作的天数进行计算并得出平均值，结果显示：丹麦、西班牙、爱尔兰、意大利和法国比美国更易发生罢工，但是欧盟的其他成员国发生的罢工却更少。

比美国的要长。但从那时开始，欧洲的工作时间便减少了 1/5 之多。亚洲工作时间也有所下降，但日本劳动者的年均工作时间仍与美国相当，而韩国则增加了 39%。中国香港和新加坡人每年工作时间也比美国人要长。

令人震惊的是，大西洋两岸在工作模式上的差异同可与其相比的宗教上的差异几乎完全吻合。欧洲人不仅工作得更少，而且祈祷得也更少——也就意味着拥有信仰的人更少。有一段时期，欧洲可以毫不过分地将自己称为“宗教王国”。欧洲人在欧洲大陆上建造了最富丽堂皇的殿堂供他们做礼拜。他们在圣餐变体论和圣餐合质论的分歧上争吵不休。他们作为朝圣者、传教士和征服者，航行至世界的各个角落，致力于让异教徒皈依真正的信仰。但现在欧洲人反倒成了异教徒。根据 2005~2008 年《世界价值调查》显示，只有 4%的挪威人和瑞典人以及 8%的法国人和德国人一周至少去做一次礼拜，但相比之下， 36%的美国人、44%的印度人、48%的巴西人和 78%的撒哈拉

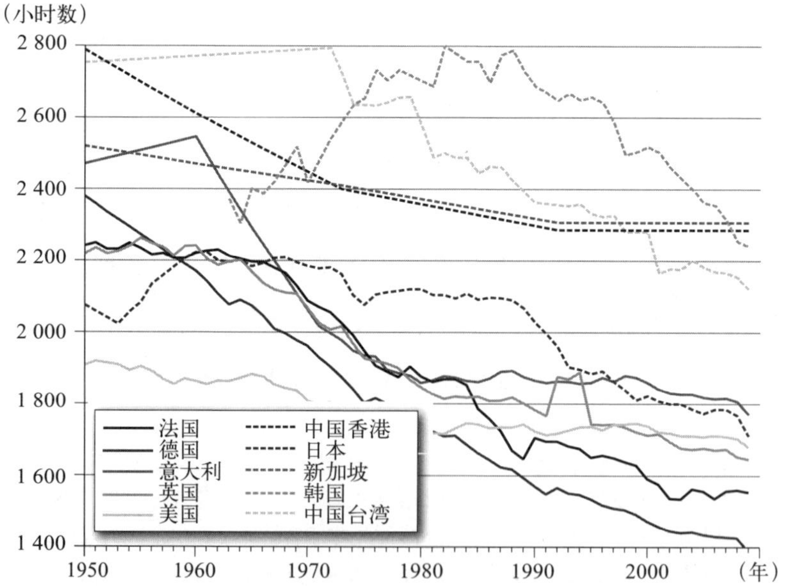

工作伦理：东西方每年的工作小时数（1950~2009 年）

以南的非洲人，每周至少做一次礼拜。这些数字要显著高于一些占主导地位的天主教国家，例如意大利（32%）、西班牙（16%）。与信奉新教的欧洲相比，宗教活动更加不活跃的国家只有俄罗斯和日本。对于德国人和荷兰人来说，10 个人中才有一个认为上帝是“非常重要的”；而这一比例在法国只是稍高一点。相比之下，有 58% 的美国人认为上帝在他们的生活中非常重要。在拉丁美洲和撒哈拉以南的非洲国家，上帝在人们观念中则更为重要。将宗教信仰摆在最重要的位置上的是一些穆斯林和中东国家。认为上帝重要的人数比例（5%）比欧洲少的只有中国。有不到 1/3 的美国人认为不信仰上帝的政治家不适合在政府机关工作，相比而言，挪威和瑞典的这一比例却仅有 4%，芬兰为 9%，德国和西班牙为 11%，意大利为 12%。一半的印度人和巴西人可以容忍无神论者作为政府官员。与西欧相比，认为宗教信仰对政治影响更小的只有日本。

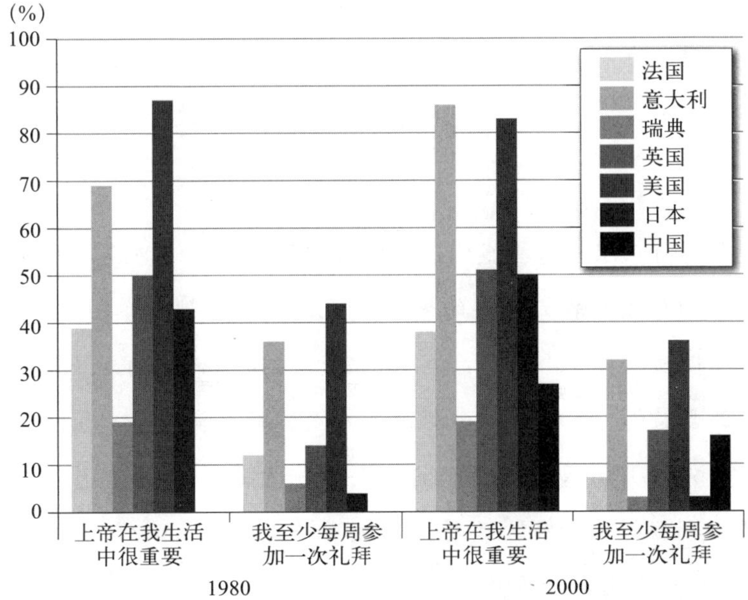

宗教的信仰程度，20 世纪 80 年代早期至 2000 年中期

从英国人19世纪传播他们自己宗教信仰的决心来看，英国的情况尤为有趣。《世界价值调查》显示，17%的英国人称他们每周至少做一次礼拜——这一比例比欧洲大陆要高，但仍不足美国的一半。不到1/4的英国人认为上帝在他们的生活中很重要，这仍不足美国的一半。的确如此，从1981年以来英国的相关数字上升甚微（当时只有14%的人说他们一周做一次礼拜，不足1/5的人认为上帝对他们来说很重要）。但调查中并没有区分宗教类别，所以几乎可以肯定的是，英国基督教衰退程度不止于此。从2004年的一项研究可以看出，每周去清真寺的穆斯林要比去教堂的圣公会教徒多。最近去教堂做礼拜的人数有所增加，而这一增幅可以说完全是由非白种人集会引起的，在福音派教会和圣灵降临教的教堂尤其如此。在2005年5月8日星期天，基督教研究院对18 720座教堂进行了一项普查，结果显示：实际参加礼拜的人数比例只有人口的6.3%，自1998年以来已经下降了15个百分点。再进一步分析的话，英国似乎也例证了宗教仪式和信仰在西欧的崩塌瓦解。

英国的去基督教化是最近才出现的现象。吉尔伯特·基斯·切斯特顿在他的《英格兰简史》（1917）中认为，把基督教看做文明的同义词是不言自明的：

> 如果任何人想知道当我们说基督教曾经是、现在也是一种文化或者一种文明的时候，我们想说的到底是什么，有一种粗略但简单的表述，就是通过提出这样一个问题：在“基督的”这一词汇的众多用法中，哪个才是最普遍的……长久以来普通大众之间的谈话中一直蕴涵着一种含义，它意味着文化或是文明。实际上本·刚恩在金银岛上并没有跟吉姆·霍金斯说“我觉得自己对某种文明一无所知”，但他确实说过“我还没有品尝过基督教的食物”。

事实上英国的新教徒并没有特别积极地参加宗教活动（例如与爱尔兰天主教相比），直到20世纪50年代后期，在不算出席率的情况下，教会会员数量才保持在一个相对高且稳定的水平。即使是在1960年，在英国总人口中也只有不足1/5的人是教会会员。但在2000年，这一相当小的比例又降到了1/10。在1960年以前，英格兰和威尔士的大部分婚礼都是在教堂中举行的；随后该比例便开始下滑，到20世纪90年代末只有大约40%的婚礼在教堂中举行。20世纪上半叶的大部分时间里，圣公会复活节圣餐者人数达到英格兰人口的6%；直到1960年这一数量才降到2%。苏格兰长老会的该数字也显示了相同的趋势：1960年以前保持稳定，随后下降了近一半。坚信礼人数的下降尤其惊人。1910年英格兰坚信礼的人数为227 135，2007年此数字仅为27 900——比仅仅5年前下降了16%。在1960年到1979年之间，12~20岁的人做坚信礼的比率下降了一半多，从那以后该比率仍继续下降。受洗礼的人中只有不到1/5进行坚信礼。对于苏格兰长老会来说，该比率下降更为严重。现在在伦敦或爱丁堡没有人会以本 · 刚恩的观念使用“基督徒”这个词。

这样的趋势好像一定会持续。以基督徒为职业的人正在变老：1999年38%的循道宗教徒和联合归正教会会员年龄都达到或超过65岁，而所有人口中这一年龄段的比例为16%。年纪较轻的英国人信奉上帝或极乐世界的可能性更小。据统计，英国已经是世界上最盛行无神论的社会之一，有56%的人从没有作过礼拜，这一比例在西欧是最高的。

2000年为迈克尔 · 布尔克的电视系列节目进行的一项名为“英国之魂”的调查，为人们揭示了日渐萎缩的宗教信仰。只有9%的被调查者认为信奉基督教是追寻上帝的最佳方法，其中32%认为所有宗教都同等有效。尽管其中只有8%自称是无神论者，有20%的人也承认他们不知道要信仰什么。超过2/3的调查对象说他们没有明确的道德方针，其中85%的人年龄在24岁以下。(奇怪的是，45%的调查对象说人们信仰上的衰退让国家变得更糟。)

一些最杰出的20世纪英国作家预料到了英国的信仰危机。牛津大学教师克莱夫·史泰博·刘易斯（尤以其儿童寓言故事而闻名）写了《地狱来鸿》(1942年)，希望对恶魔的嘲弄可以将其制止。伊林夫·沃在编写《荣誉之剑三部曲》(1952~1961年）的时候，也指出自己正在为英国罗马天主教编写墓志铭。两位作家都意识到了第二次世界大战给基督教信仰带来了重大的威胁。然而直到20世纪60年代，他们预言的世俗化才成为了现实。那么为什么英国人丢失了他们传承已久的信仰呢？像许多难题一样，乍一看答案似乎十分简单。但在我们像诗人飞利浦·拉金那样将责任归咎于充斥着披头士、避孕药和迷你裙的60年代时，我们要提醒自己，美国也在享受这种世俗之乐，但却仍然是个基督教国家。如果你问一问当今的欧洲人，他们会说宗教信仰只是一种时代的错误，是中世纪迷信遗留的残骸。他们对美国《圣经》地带的宗教狂热不屑一顾——但却没有意识到真正异常的是他们自己不信教。

如果不是约翰·列侬，那又是谁扼杀了欧洲的基督教呢？正如韦伯预料的，因为唯物主义腐蚀了原本虔诚的禁欲主义，脱胎于新教理论的资本主义精神会不会注定将其毁灭（“世俗化假设”）？这与小说家同时（在晚年）也是神职人员的列夫·托尔斯泰的观点十分接近。他看清了基督教义与“我们称之为文明、文化、艺术和科学的那些习以为常的生活习惯”之间的基本矛盾。如果是这样的话，经济发展中的哪个部分对宗教信仰敌意最为浓厚呢？是妇女地位的改变、小家庭数量的减少吗？这也似乎可以解释家庭大小的萎缩和西方人口的下降。是科学知识吗？韦伯将其称为“世界的去神秘化”，特别是达尔文的进化论颠覆了《圣经》故事的神圣。是平均寿命的提高吗？它让来世显得更加遥不可及。是国家福利吗？像一个牧羊人守护自己的羊群那样从摇篮到坟墓对我们严加看管。或者有可能是欧洲基督教被长期自我膨胀的现代文化扼杀了？

扼杀欧洲新教工作伦理的罪魁祸首会不会正是弗洛伊德？他是摩拉维亚教徒、心理分析之父，他在《幻想的未来》（1928）一书中开始对韦伯进行反驳。对于弗洛伊德这个放弃了信仰的犹太人来说，宗教也许不是西方文明成就背后的驱动力量，因为它从本质上说是一种“幻想”，一种避免人们让步于本能（特别是他们的性欲望和暴力及破坏冲动）的“普遍存在的神经症”。没有宗教就会陷入混乱：

> 如果一个人想到自己所有的禁欲被解除，便会选择任何一个自己喜欢的女人作为其性对象，会毫不犹豫地杀死对他造成干扰的对手，会不经他人许可夺走其他人的物品——只要是他想要的。

宗教不仅阻止了猖獗的性乱交和暴力，也使人们顺应了“特别是死亡所体现出的命运的残酷”和日常生活中的“苦难和贫困”。当一神论宗教将上帝塑造为一个人时，“人类与他的联系就变得如同孩子与父亲间的关系一样亲密和牢固”。如果一个人为他的父亲做了很多事情，那他理所当然应该得到回报——至少作为唯一的宠儿和被选中的人，他应该得到。

弗洛伊德对人类能够完全将自己从宗教中解放完全不抱希望，至少在欧洲是这样的。正如他所说：

> 如果你想要将宗教驱逐出我们的欧洲文明，你只能借助另外的教义体系办到；而且这个体系要从一开始就能代替宗教的一切心理特征——一样的神圣、严肃、不容异说，同样禁锢人们的思想——这些都是出于自我防卫。

这在20世纪30年代来看当然是可行的，那时希特勒在传播他荒诞的邪教。然而这种情况中极权主义政治宗教未能抑制住弗洛伊德宗教理论中所描绘的最原始的本能。直到1945年，在暴力的狂欢后，欧洲终于精疲力竭地倒下了——这种暴力包括以群奸形式出现的令人震惊的性暴力，这是从帖木儿时代以来都见所未见的。许多国家，尤其是被这场大屠杀迫害的国家（如苏联），对此作出的最初反映是恢复真正的宗教，并以它经久不衰的方式安慰和悼念死去的人。

然而，到了20世纪60年代，太过年轻而不能记住全面战争与大屠杀的一代，开始为他们被压抑的欲望寻找一个新的后基督教出口。弗洛伊德理论对克己复礼的消极态度以及对性欲冲动的认同，无疑起到了鼓动欧洲人离开教堂进入性用品商店的作用。在《文明及其缺憾》（1929~1930年，但于1961年才首次在美国出版）中，弗洛伊德曾认为从存在之时起，文明就与人类最原始的冲动之间存在着根本的“对立”：

> 这种攻击性倾向的存在我们可以在自己身上发现，且有理由认为其他人身上也存在。它是破坏我们与邻人之间关系的因素，是迫使文明消耗如此多（能量）的因素。由于人类这种本能的相互敌视，文明社会面临着无休无止的分裂威胁。共同的工作兴趣不能使其团结一致；本能的欲望胜过合理的利益。文明必须尽其最大努力对人类的攻击性本能加以限制，并且运用心理反应结构来控制它们的显现。因此……对性生活加以限制，因此……爱邻人如爱自己的戒律——实际上，事实证明再也没有比该戒律更为强烈地违背人类本性的了……文明就是为爱欲提供服务的过程，其目的是将单个的人类行为统一起来，并将家庭、种族、民族与国家统一起来，实现一种大统一，即人类的统一。这为什么会发生，我们不得而知；但爱欲的作用的确在于此……性欲使人类彼此联结……但是，个人

对所有人的敌意及所有人对个人的敌意这种人类攻击性的天然本能，却抵制了文明的这一计划。这种攻击性本能，是我们发现伴随着爱欲，并与爱欲共同统治世界的死亡本能的派生物与主要代表。所以，现在我认为文明演进的意义对我们来说不再难以理解。其必然呈现出爱欲与死亡本能之间的斗争，呈现出生存本能与毁灭本能之间的斗争，正如文明在人类历史中演进本身一样。这种斗争贯穿了人的一生。

读到此处，人们就会明白维也纳讽刺作家卡尔·克劳斯所说的那种精神分析是“伪装成疗法的疾病”的含义了。但是，这却被嬉皮士们解读成了一条新的玉律：宣泄情感。而且他们也这样做了。Hombres乐队的《情感宣泄》(1967年）是20世纪60年代较少的圣歌之一，但其开篇的内容——“亲爱的朋友，你将收到布道/关于约翰·巴雷库恩、尼古丁与夏娃的诱惑”——却很好地总结了当时所流行的风尚[①]。对于今天西方最令人注目的评论家们来说（至少不是激进的伊斯兰主义者），60年代为后弗洛伊德反文明创造了机会。这种反文明的特点是：颂扬自我快乐的享乐主义，赞同色情而排斥宗教信仰，为了以宣扬暴力、战争为主要特色的荒诞暴力电影与视频游戏，而抛弃和平之主耶稣基督。

有关新教在欧洲灭亡的所有理论面临的问题是，无论它们如何解释欧洲的去基督教化，它们都无法解释美国延续不断的基督教信仰。与欧洲人一样，美国人也经历了差不多相同的社会与文化变迁。他们已经变得更为富裕。他们的科学知识有所增进。而且，与欧洲人相比，他们甚至更多地接触

① 该歌曲后由英国歌手、唱片制作人、被定恋童癖罪的乔纳森·金（剑桥切特豪斯学校与三一学院）进行了翻唱，此外，值得注意的是，他还制作了《雀跃》(《在空中挥舞你的短裤》）与原创专辑《洛基恐怖秀》。

到精神分析与色情。但是，新教在美国并未遭遇其在欧洲所经历的衰退。相反，在某种程度上说，上帝依然如40年前一样广受欢迎。每逢星期日，数以千万的礼拜者蜂拥至美国的教堂便是最好的证据。

看似矛盾的地方在于，在美国，20世纪60年代性、毒品与摇滚乐新三位一体的出现与福音派新教的繁荣同时发生了。比利·葛拉翰牧师与甲壳虫乐队较量着，看看究竟谁能将更多的年轻人吸引到体育馆。与其说这是一种抗拒，倒不如说更多的是一种模仿。1969年，葛拉翰在迈阿密摇滚节上发表讲话时，呼吁观众“聆听上帝的声音……感受上帝的力量”。1972年，高校基督教团体学园传道会在达拉斯举办了题为“探索72”的福音会议，该会议于旨在打造基督教伍德斯托克音乐节（后来被概括为嬉皮士反文化的1969年摇滚音乐节）的音乐会中宣告结束①。当芝加哥的天主教少年，被称为“石膏连铸机”的辛西娅铸造吉米·亨德里克斯、罗伯特·普兰特与基斯·理查兹（尽管最不可能是克利夫·理查）的勃起的阴茎石膏模型时，她只不过是应验了弗洛伊德关于爱欲战胜死亡本能的观点。毕竟，正如保险杠贴纸上所说，上帝即爱。美国既重生同时又色情。

西方文明似乎一分为二：东边是不敬上帝的欧洲，西边是敬畏上帝的美国。我们该如何解释这一事实呢？我们又该如何解释基督教在欧洲急剧衰退的同时却能在美国如此持久呢？在密苏里州斯普林菲尔德我们可以找到最佳答案。该城镇被人们称为“欧扎克斯女王”，它也是战间期修建的芝加哥至加利福尼亚高速公路的发源地，因巴比·楚普1946年的歌曲《在66号公路上（找刺激）》而闻名于世。如果说马克斯·韦伯一个世纪前在此经过地时，新教教派的多样性给他留下了深刻的印象，那么今天他会感到更为震惊。今

① 在真正的伍德斯托克音乐节上，“谁人”乐队甚至首演了彼特·汤申德的摇滚音乐剧《汤米》的部分片段。该音乐剧描绘的救世主耶稣又聋又哑又瞎。

天的斯普林菲尔德，大约每千名公民就拥有一座教堂。有 122 座浸礼会教堂，36 座循道会教堂，25 个基督教会，15 个神的教会。总计约有 400 个可以作基督礼拜的场所。现在，行进在 66 号公路上不再是你的乐趣，而是你的十字架。

重要的是，所有这些教会都面临着争取信徒的激烈竞争。正如韦伯所见，美国各个宗教派别会展开竞争，浸礼会、循道会与其他教派在其当地教区中竞相展示彼此谁真正虔诚。但在今天的斯普林菲尔德，这种竞争是教会之间的竞争，而且这种竞争如同汽车经销店或快餐店之间的竞争一样激烈。在这里，教会要具有商业头脑，以吸引并留住信徒。就此而论，很清楚赢家是詹姆斯河大会教会。在欧洲人眼里，它可能像一个购物中心或商业园区，但事实上却是斯普林菲尔德最大的教堂，也是美国最大的教堂之一。这座教堂的牧师约翰 · 林德尔是一位才华出众、魅力非凡的传教士，他将旧时的精神说教与摇滚巨星式的舞台技艺相结合。的确，有时他仿佛是 1971 年《时代周刊》所报道的“耶稣革命”运动顺理成章的传人。“耶稣革命”是一场由摇滚启发的基督教青年运动，崇尚英国摇滚歌剧《耶稣基督超级巨星》（1970 年）中的精神。然而，林德尔也有一种儒雅和殷切的特质，当他颂扬上帝时（“上帝，您是如此伟大”），他不像是最初的《耶稣基督超级巨星》专辑中演唱耶稣戏份的头发蓬乱的伊安 · 吉兰（英国摇滚乐队“深紫”的主唱），而像是展示苹果公司最新便携设备的史蒂夫 · 乔布斯（比如，展示 iGod 产品）。对林德尔来说，新教道德仍然充满生机，并且在斯普林菲尔德不断得到传承。他毫不怀疑，教众们会因为信仰而更加努力地工作。他自己也是一个刻苦工作的人：每个周日三次繁忙的仪式并不轻松。当募款筒在人们之间传递时，圣灵似乎与资本主义精神融为一体。幸好，他没有像明尼阿波利斯的永恒箴言基督教中心的麦 · 哈蒙德那样厚颜无耻地募款。哈蒙德宣称，其《圣经》信条可以“提升你的精神成长，帮助你在工作、爱情和金钱方面取得成功”。

要了解新教在美国和欧洲的主要差异，只需到詹姆斯河神召会参观一下。欧洲的宗教改革被赋予了国别属性，并且建立了一些国教，比如英格兰国教和苏格兰国教。但在美国，宗教和国家一直是严格分离的，因此新教的不同教派可以公开地竞争。或许，这便是宗教在欧洲走向没落而在美国却焕发青春的原因。宗教和商业一样，国家垄断总是低效的——虽然国教有时会促使人们更多地参与宗教（前提是政府提供巨额补贴，并极少干预牧师的任命）。在一个自由的宗教市场中，不同教派间的竞争会鼓励创新，从而让礼拜活动和宗教成员身份给人们带来更大的精神满足——这便是美国宗教永葆青春的原因。（这种见解并非首创，亚当·斯密曾在《国富论》中将设立国教的国家与允许宗教竞争的国家进行了对比，得出了相似的结论。）

对于当今美国福音主义者的一些做法，亚当·斯密或许尚能接受，但马克斯·韦伯肯定会提出质疑。从某种意义上讲，当今一些最成功的教派之所以繁荣兴旺，是因为它们发展出了一种消费主义基督教，类似于人们对沃尔玛的崇拜。这些教堂便于人们开车抵达，看起来也赏心悦目，去教堂与去大型影院感觉没什么不同，而且还提供软饮料和星巴克咖啡。此外，这些教堂对信徒的要求少之又少。相反，信徒对上帝却有要求：詹姆斯河神召会的礼拜经常包含让上帝帮助解决个人问题的附加环节。圣父、圣子和圣灵的三圣一体已经被分析师、心理辅导师和个人健身师的三圣一体所取代。如今，随着2/5的美国白人一生中会改变宗教信仰，信仰已经成为一种反复无常的东西，这不能不说是一个悖论。

当美国人将宗教变成一种休闲方式时，他们已经远远偏离了马克斯·韦伯对新教道德的定义。韦伯认为，延迟的满足是资本积累的自然结果。他说：

> 新教的禁欲主义全力对抗着对财物的放任享用；它反对消费……由于这种对消费的制约，再加上追求利润的自由，禁欲主义的节约精神必然导致资本的产生。

相比之下，我们的生活刚刚经历了一场实验：没有储蓄的资本主义。美国家庭的储蓄率在房地产泡沫的顶峰时降为负值，他们不但花光了所有的可支配收入，而且不断消耗着对自家住房所拥有的权益。事实证明，节俭的缺失是金融危机的重要原因。始于2006年的房价下跌引发了连锁反应：贷款金额超过房屋价值的人们不再支付按揭利息；按揭抵押证券的投资者损失惨重；高额举债投资这种证券的银行先后面临流动性不足和资不抵债的处境；为了扭转大量银行面临倒闭的局面，政府通过救援计划进行干预；一场私人债务危机演变成了公共债务危机。今天，美国的全部私人和公共债务负担是国内生产总值的3.5倍以上。

这种现象并非美国所独有。同一故事的不同版本也在其他英语国家上演：爱尔兰和英国，以及程度较轻的澳大利亚和加拿大——这是金融杠杆时代的分形几何学：相同形态的问题以多种不同的规模重演。大多数欧洲国家的房产泡沫更加严重，因为其房价相对于收入的上涨比美国更加严重。最可怕的是葡萄牙、爱尔兰和希腊的公共债务危机，这些国家在与德国处于同一货币联盟的同时，错误地维持了很高的赤字。虽然2007~2009年的金融危机造成了全球性的影响，但其发源并不具有全球性。这是一场由于过度消费和过度金融杠杆而在西方世界酝酿的危机。在世界的其他地方，特别是亚洲，情况大不相同。

一般而言，东方的储蓄率要比西方高很多。在东方国家，私人债务负担要低得多，购房时经常是全额支付或者首付比例很高。其他形式的消费信贷扮演着较小的角色。而且我们都知道，亚洲人每年的工作时间要比欧洲人长很多，亚洲的年度平均工作时间从中国台湾的 2 120 小时到韩国的 2 243 小时不等。但我们不太了解的是，节俭和勤奋在亚洲的兴起也伴随着基督教的发展，特别是在中国，这是西方化过程中最出人意料的副产品之一。

中国的耶路撒冷

市场精神在中国的兴起是一个众所周知的故事。但你是否了解新教道德在中国的兴起？根据中国基督教组织中国伙伴和上海华东师范大学分别所作的调查，目前中国拥有大约 4 000 万名新教基督徒，而在 1949 年几乎不足 50 万。一些估测甚至认为，中国基督徒的总数最多可达 7 500 万到 1.1 亿。再加上 2 000 万的天主教信徒，中国基督徒的总数可能高达 1.3 亿。今天，中国现有的基督徒总数可能已经超过了整个欧洲。在中国，教堂的建设速度比任何国家都快，《圣经》的印刷量也比任何国家都多。南京爱德印刷有限公司是世界上最大的《圣经》印刷厂。自 1986 年成立以来，其大型印刷厂已经印刷了超过 7 000 万本《圣经》，其中 5 000 万本是普通话或中国其他方言的版本。在未来 30 年，基督徒在中国人口中的占比可能达到 20%~30%。考虑到中国历史上基督教的传播所面临的巨大阻力，如此迅速的发展确实令人惊奇。

新教之前未能在中国扎根的原因仍然是一个谜题。早在公元 7 世纪，中国唐朝就有基督教聂斯脱里派（景教）传教士。1299 年，孟高维诺建造了中国的首个罗马天主教堂。1307 年，他被任命为北京的首位大主教。然而，由于明朝对基督教的敌意，这些基督教前哨在 14 世纪末已经基本消失。第二波传教士于 17 世纪初来到中国，当时利玛窦获准在北京定居。到 18 世纪的首个10年，中国基督徒的数量可能已经达到30万。然而在1724年，雍正帝下谕驱逐传教士并没收其财产，使基督教的传播再次陷入低谷。

第三波传教士是19世纪的新教差会。英国传教士协会等组织向这个地球上人口最多的国家派遣了数百名布道师，以传播福音。首先到达的是一位25岁的英国人马礼逊，他是伦敦传教士协会的成员，于1807年到达广州。在到达之前，他的首要任务便是学习汉语，以便将《圣经》翻译成汉语版本。到达广州之后，他便开始着手编写一本拉丁语–汉语词典。到1814年，当时已经受雇于东印度公司的马礼逊完成了《使徒行传》（1810）、《路加福音》（1811）、《新约》（1812）、《创世记》（1814）以及《神道论赎救世总说真本》（1811）和《问答浅注耶稣教法》（1812）的翻译。这足以说服东印度公司允许他进口一部印刷机附带一名操作员。由于担心激怒中国政府，东印度公司之后将他解雇，但马礼逊仍然毫不气馁地继续努力。他去了马六甲，在那里建立了一所英中大学，旨在"培育欧洲和中国的文学和科学，但主要是为了通过东部群岛传播基督教"。他与米憐合作完成了《圣经》的翻译（1823年出版）；此外，他还编写了一本针对中国学生的英语语法书，以及一部完整的英汉词典。1834年，当他追随第一任妻子和儿子在广州辞世之后，又留下了一部《广东省土话字汇》。可以说，他是新教道德的化身。

然而，早期英国传教士的努力也导致了意料之外的结果。当时的中国政府决定，不惜通过杀伐的方式禁止基督教在中国的传播，理由是基督教宣扬的公众思想"容易引发叛乱"：

> 基督教既不尊重灵魂，也不崇敬先祖，明显有违于正统礼法；普通民众追随并沉迷于这种虚幻的信仰，与叛乱的暴民无异。

这种观点是有预见性的。面对基督教在中国的传播，有一个人采取了极端的做法。这个人便是洪秀全，他也曾试图通过传统的方式进入官场，参加了竞争严酷的科举考试，但未能考中。与很多落榜者一样，他立刻陷入了彻底的崩溃。1833 年，他遇到了与马礼逊合作翻译中国第一部《圣经》的米憐。受米憐的影响，洪秀全走出了落榜的失落。令米憐不安的是，洪秀全宣称自己是上帝的弟弟。他还声称，上帝派他来清除中国的儒家思想——一种将竞争、贸易和工业视为有害的舶来品的内省式哲学。洪秀全创立了一个类似于基督教的拜上帝教，聚集了以下层阶级为主的数千万信徒。洪秀全自称天王，发动了太平天国运动。他领导的叛军从广西出发，一路席卷至南京，并定都于此。他的追随者身穿红马褂，留长发，并且坚持严格的性别分离制度。到 1853 年，洪秀全的太平军已经控制了整个长江下游地区。他的宫殿贴着“天命诛妖，杀尽群妖，万里河山归化日”的条幅。

太平天国曾一度即将推翻清朝，但无法攻陷北京和上海。渐渐地，形势开始对他们不利。1864 年，清朝军队围攻了南京。到南京陷落时，洪秀全已经死于食物中毒。清朝军队将他的骨灰挖掘出来，然后用大炮把骨灰打出去。在此之后，清朝军队直到 1871 年才击败最后一支太平军。这场战争的死亡人数十分巨大：是第一次世界大战所有参战国死亡人数的两倍多。1850~1864 年，中国的中部和南部地区大约有 2 000 万人死于这场战争及其引发的饥荒和瘟疫。到 19 世纪末，很多中国人得出了这样的结论：与西方的鸦片商人一样，西方的传教士只是另一种扰乱中国的外来因素。太平天国失败之后，重返中国的英国传教士遭遇了强烈的敌意。

然而，这并没有吓退他们。当戴德生代表英国的中国传教会首次访问中国时，年仅 22 岁。他表示自己“不忍看到 1 000 多信徒在英国的布赖顿享受安全和喜悦，而海外的数百万人却因为缺乏知识而殒命”。1865 年，他成立了中国内地会。他喜欢采取的策略是，让中国内地会的传教士穿中国服装，并且像清朝人那样留辫子。与在非洲传教的戴维 · 利文斯通一样，戴德生在其广州总部既传播基督教教义，也传播现代医学。中国内地会的另一位无畏的传教士是曹雅直，一位单腿残疾的阿伯丁人，他在31岁时到达中国。他最先做的一件事便是开了一家毗邻礼拜堂的书店。在礼拜堂里，他向一群嘈杂的听众发表长篇大论，这些人更多的是出于好奇，而不是急于被救赎。他的妻子成立了一所女子寄宿学校。为了赢得皈依者，他们和其他人都采用了一个新奇的本土化布道工具：查尔斯 · 司布真编写的画册《无字书》，这本书包含了中国传统的颜色宇宙学中的主要颜色。在美国人德怀特 · 莱曼 · 穆迪于1875年设计的一个备受欢迎的版本中，黑色的页面代表罪恶，红色代表耶稣的鲜血，白色代表神圣，金色或黄色代表天堂。

大英浸信会成员、传教士李提摩太则选择了一条完全不同的道路。他认为“中国需要爱和原谅的福音，也需要物质进步和科学知识的福音”。李提摩太将传教的重点放在中国的精英而非穷苦大众的身上。1891年，他出任中国同文书会的督办。李提摩太对康有为的自强运动产生了重要影响，并曾应邀担任光绪帝的顾问。1902年山西开办的中国第一所西式大学，也是经他筹办而设立的。

截至1877年，中国一共活跃着18个不同的基督教传教团和三个《圣经》协会。个性独特的戴德生在招募新传教士方面尤其成功，他吸纳了大量的单身女性成员，她们不仅来自英国，其中有些人还来自美国和澳大利亚。继承了最好的新教徒传统，敌对传教团彼此之间竞争激烈，中国内地会和大英浸信会更是在山西上演了激烈的圈地战争。然而，1900年，义和团又一次引爆了排外情绪，义和团想要将所有的外国邪恶势力赶出中国——只是这一次他们获得了慈禧太后的明确赞许。在多国势力干涉和镇压义和团之前，共有58名内地会传教士被杀，同时丧生的还有他们的28个孩子。

传教士们播下了许多种子，但在清王朝被最终推翻后的日益混乱的局势里，这些萌芽只能枯萎。中国第一个共和国之父孙中山先生，是一名来自广东的基督徒，但1924年，在中国内战即将爆发之时，他就早早过世了。当时的国民党领导人蒋介石和他的夫人——他们俩都是基督徒[①]——在中国的长期内战中败给了共产党，随后逃亡台湾。1949年新中国成立后不久，周恩来和吴耀宗共同起草了一份《基督徒宣言》。1950~1952年，中国内地会决定撤出在新中国的人员。传教士离开后，大部分教堂也随之关闭或被改造成工厂。在接下来的30年里，这些教堂都未能再次打开大门。

对马克斯·韦伯及20世纪晚期的许多西方专家而言，新教在中国繁荣及其产业化的可能性很低——甚至与欧洲去基督教的可能性一样低，这不足为奇。

位于上海市南边的浙江省温州市，是中国著名的制造之乡。这个城市有800万人口，并且仍在继续增长，它被誉为中国最具企业家精神的城市——这是一个自由市场下的城市，国家只扮演着一个微不足道的角色。纺织厂和堆积的煤炭的景象可能让维多利亚时期的人觉得亲切，这里就是亚洲的曼彻斯特。工作伦理鼓舞着这个城市里的每一个人，从最富有的企业家到最低微的工人。温州人不仅每天的工作时间超过了美国人，还比美国人更善于储蓄。2001~2007年，当美国储蓄面临崩溃时，中国人的储蓄率超过了国民总收入的40%。中国家庭平均省下了他们收入的1/5；企业以未分配盈利的形式累积了更多的财富。

然而，真正让人着迷的是，温州人不仅从西方引入了工作伦理，他们还引进了新教。150年前英国传教士在这里埋下的种子，以最出人意料的形式，

① 蒋介石于1930年皈依基督教，他的妻子是卫理公会传教士宋嘉树的女儿。

迎来了迟到的萌芽。“文化大革命”前，温州城里仅有480座新教教堂，如今仅得到政府批准的教堂就已达1 339座之多。曹雅直在100多年前建立的教堂，如今每周日都坐满了礼拜者。中国内地会1877年在温州建立的另一座教堂，虽然在“文革”期间一度被迫关闭，并且直到1982年才重新开放，但现今已发展了1 200名教众。新建的教堂也有，屋顶上大多竖立着明亮的红色霓虹十字架。由此看来，温州被誉为中国的耶路撒冷，也就不足为奇了。2002年，基督徒已占到了温州人口总数的14%，今天，这一比例只会更高。在温州附近的农村，各个村庄也争相攀比其教堂塔尖之高。

今天中国的基督教，已绝非鸦片之于民众。温州最虔诚的基督徒中，有一群人被称为老板基督徒，如企业家、世界第三大制笔商、爱好公司主席张汉平。如马克斯·韦伯的准确理解，作为一名虔诚的基督徒，张汉平就是市场经济与新教伦理成功融合的鲜活典范。农民出身的张汉平1979年开始做塑料生意，8年后成立了他的第一家制笔厂。现在，他手下约有5 000名工人，每年生产5亿支笔。在他看来，基督教之所以在中国繁荣起来，是因为它为努力应对从计划经济到市场经济的社会转型的人们提供了一个道德框架。今天的中国社会上信任缺失。业务竞争对手之间尔虞我诈、员工偷窃雇主的利益、年轻姑娘为了骗取财礼结婚而后消失不见、婴儿食品故意添加有毒成分、学校教学楼是豆腐渣工程。但是张汉平认为他可以信任基督徒教友，因为他们努力工作、诚实守信。正如工业革命早期的新教欧洲和美国一样，宗教团体兼饰有信誉、可信任的信徒的信用网络和供应链这两种角色。

在新中国成立后，以建立在自治、自养、自传——即没有国外势力的影响——原则上以“三自”爱国运动形式存在的官方基督教还是得到了政府的允许。今天，南京的圣保罗堂是一个典型的官方“三自”教堂；在这里，阚仁平牧师的会众已经从1994年他刚接手时的几百人发展到现在的约5 000名固定礼拜者。这座教堂是如此受欢迎，以至于新成员须在附近 4 个附属小教堂里通过闭路电视观看礼拜的过程。自从 1982 年的第 19 号文件颁布后，“家庭教会”运动也断断续续地得到了官方容许，教徒们或公开或秘密地在家中会面，并往往采用美国的礼拜方式。在北京，礼拜者蜂拥到金明日牧师所在的锡安教堂，这是座只有 350 名成员的非官方教堂，但几乎所有的成员都是企业家或是职场精英，并且年龄都在 40 岁以下。在中国，基督教已经成为一种时尚。前奥运会足球守门员高红、女演员吕丽萍以及流行歌手郑钧都是基督徒。唐逸等中国学者公开预测，基督教信仰可能将中国文化基督教化——尽管它或许“和佛教一样，被中国文化吸收……并成为中国式宗教”，或“保留其基本的西方特点，成为一种次文化非主流宗教”这两种可能性都较大。

学者卓新平认为，“基督教对超然存在的理解”在当代西方人们接受社会和政治多元化中发挥了“关键作用”：

> 只有将对超然存在的这种理解作为我们的标准，我们才能够理解自由、人权、宽容、平等、公正、民主、法治、普遍性和环境保护等概念的真实含义。

基督徒、电影制作人远志明也对此表示赞同：“……西方文化核心……是基督教。”改信基督教的赵晓教授也指出，基督教给中国带来一个新的“公共道德基础”，这个基础可以减少腐败、缩小贫富差距、推动慈善发展，甚至是防止污染。“经济的可行性需要严谨的道德风貌，”另一名学者也指出，“不仅仅是消费享乐主义和虚假欺诈策略。”第 14 届中国共产党中央委员会提交的工作报告中，则详细指出了可持续性经济发展的三大要求：以产权为基础、法律为保障、道德为支持。

无信仰的土地

听起来很熟悉，那是必然的。正如我们所见，那些曾经是西方文明的关键基础。然而近几年来，看起来身处西方的我们已经失去了对它们的信仰。不仅仅是欧洲的教堂空无一人，我们也开始怀疑改革后在欧洲发展起来的绝大部分理念的价值。近期的金融危机和银行家们猖狂的贪婪，已经让资本家的竞争蒙受耻辱。在学校和大学里，只有少数孩子会学习科学。私人财产权被政府一次又一次地侵犯，政府对所得税和我们财富的胃口，似乎永远无法满足，并浪费了大量的收入。尽管欧洲帝国主义者为世界其他国家送去了利益，“帝国”还是变成了一个肮脏的词汇。我们冒险的所得最终只剩下空虚的商业社会和文化相对主义——这个文化认为任何理论或观点，无论它多么稀奇古怪，都与我们过去相信的所有文化一样好。

与大众信仰不同的是，切斯特顿并没有说“无神论的问题是，当人们不再信仰上帝，他们将不再信仰任何事物，同时也信仰任何事物”。但是他的神甫布朗则在《弯月的神迹》里表达了类似的说法：

> 你们都发誓自己是坚定的物质主义者；事实上，你们都平衡于信仰的刀刃上——信仰几乎所有事物。今天有很多人取得了平衡；但是这个刀刃很锋利，坐上去很不舒服。在你找到信仰之前，你都无法休息。

要理解信仰和无信仰之间的区别，想想穆克塔尔 · 赛义德 · 易卜拉欣与萨拉 · 斯考特之间的对话吧。前者是2005年发现的密谋在伦敦交通系统引爆炸弹的伊斯兰恐怖分子中的一员。后者则是前者在伦敦北郊乡村斯坦摩尔的前邻居。易卜拉欣出生于厄立特里亚省，14岁时来到了英国，曾因为参与持枪抢劫而被定罪和入狱，他刚刚被授予了英国国籍。“他问我，”萨拉·斯考特回忆道，“是不是因为出生于爱尔兰家庭所以信奉天主教。我说我不信仰任何事物，他说我应该有信仰。”事实上，更让人奇怪的是，像萨拉·斯考特一样，一些人什么也不相信。萨拉想起了前邻居易卜拉欣在被捕后说：“人们很害怕宗教，但事实上他们不应该害怕。”

切斯特顿害怕的是，如果基督教在英国衰落下去，“迷信”会“淹没你所有的理性主义和怀疑思想”。从芳香疗法到《万里任禅游》的流行，今天的西方的确充斥着现代邪教，这些邪教无法和以前的新教道德一样，提供任何与经济鼓励或社会凝聚相关的事物。更糟糕的是，这一精神真空让西欧社会易受少数无宗教信仰人群的不良野心——以及在他们所选择国家扩大他们的信仰的力量的政治野心的影响。极端伊斯兰和西方文明之间的斗争可以被讽刺地形容为有声的“圣战斗争”对“麦当劳资本主义世界”的斗争。

人们对西欧国家中穆斯林人口的预测也各不相同。根据一项预测，其总人口已经从1990年的约1 000万上升到了2010年的1.7亿。作为国民人口的一部分，从穆斯林群体的大小来看，其在法国占总人口的9.8%，而在葡萄牙，这一比例仅为0.2%。这些数字看起来与有些学者对未来“阿拉伯的欧洲”——到21世纪末欧洲将成为伊斯兰大陆——的警告不符。然而，如果英国的穆斯林人口按照每年6.7%的速度（2004~2008年的增长速度）持续增长，其在英国总人口中占据的比例将从2008年的不足4%到2020年的8%，到2030年为15%，2040年这一数字为28%，并将最终在2050年超过50%。

如果移民者接受，并且被鼓励接受他们迁往国家的文明的价值，大规模移民并不一定意味着一个文明的溶解。但如果移民社区未能成功被同化，并因此成为极端理论家的猎物，可能造成当地社会的不稳定。问题的关键不是单纯的数字，而是有些穆斯林群体已经被阿拉伯穆斯林兄弟会、巴基斯坦伊斯兰群众会、沙特赞助的世界穆斯林联盟和世界穆斯林青年大会等伊斯兰教组织所渗透。我们举一个或许是最麻烦的例子，在英国有穆斯林兄弟会的一个活跃分支英国穆斯林协会、两个从伊斯兰群众会拆分的团体：英国伊斯兰社会及其青年分翼英国青年穆斯林，以及一个名为伊斯兰解放党（“解放党”）的组织。伊斯兰解放党曾公开宣称其“到 2020 年将英国变为伊斯兰国家”的意图。积极招募恐怖分子的还有基地组织和同样危险的圣战者运动。这些渗透绝不是英国独有。

赫扎德 · 坦维尔的案件向世人展示了激进化的过程是如何险恶。坦维尔是 2005 年 7 月 7 日在伦敦进行报复性破坏的自杀式人肉炸弹中的一员，他们在阿尔盖特到利物浦街的伦敦地铁环线列车上引爆了一枚炸弹，他本人和另外 6 名乘客均在爆炸中丧生。1983 年出生于约克郡的坦维尔家境并不贫寒；他的父亲是一名来自巴基斯坦的移民，成功经营着鱼和薯条的外带食品生意，开着一辆奔驰。他也受到了良好的教育，已经获得了利兹城市大学体育科学专业的学位。他的案例说明，如果被意图不轨的人所接近，那么无论拥有多好的经济条件、教育条件或休闲条件，都有可能发展成为宗教狂热者和恐怖分子。鉴于此，伊斯兰激进主义者“中心”在大学和地方发挥着重要作用，有些中心与招募圣战运动者的机构所差无几。这些中心往往扮演着通往巴基斯坦等国家训练营大门的角色，从不信仰的土地招募的新人被送到那里去接受更实际的教化。1999~2009 年，共有 199 人因在英国从事与极端伊斯兰相关的恐怖袭击而被判处有罪，其中 2/3 以上的人拥有英国国籍，约 1/3 的人接受了高等教育，差不多同样比例的人参加了恐怖主义的训练营。以英国作为根据地的圣战分子进行的其他袭击被成功阻止了，一半是因为运气，还有一半是因为有效的反恐运动，其中著名的有：2006 年 8 月一群英国穆斯林青年策划在多架横渡大西洋的飞机上引爆自制炸弹；以及 2009 年圣诞节当天，一名出生于尼日利亚的伦敦大学学院毕业生，企图在从阿姆斯特丹起飞的飞机上接近底特律机场时，将藏在他内衣里面的塑料炸药引爆。

世界末日？

在吉鹏的《罗马帝国衰之史》一书中，他讲述了从公元180年至公元1590年间1400多年的历史。这是一段长远的历史，导致西方文明衰弱的原因包括各个君主的个性混乱、古罗马禁卫军的力量以及一神论的兴起。自马克·奥里略在公元180年去世后，充满抱负的君主为最高权力而相互斗争，内战成为了常态。到公元4世纪，匈奴人的入侵或移民顺利地进行，并随着匈奴人的西进而加剧。同时，波斯萨珊王朝对东罗马帝国造成的威胁稳步增长。在吉本的讲述中，西方文明第一次瓦解了，这是一次缓慢的毁灭。

但如果政治冲突、匈奴人的入侵和帝国的敌对都仅仅是古典时代晚期不可或缺的特点——正常的预兆，而非未来命运的先兆，又该如何呢？从这个角度来看，罗马的衰亡实际上是非常突然和戏剧化的。西罗马帝国的最终瓦解始于公元406年，德国侵略者越过了莱茵河，涌入高卢，然后进入了意大利。罗马也于公元410年被哥特人攻陷。在和一位无能君主的共同决定下，哥特人随后为控制西班牙而与汪达尔人展开大战，但是这仅仅将问题移到了南部。公元429至公元439年间，亨塞里奥带领着汪达尔人在北非获得了一个接一个的胜利，并最终以迦太基的沦陷而告终。罗马失去了其在地中海南部的产粮地以及巨额的税收来源。罗马战士只能在阿提拉的匈奴人从巴尔干半岛国家向西扫荡时，勉强将其打败。到公元452年，西罗马帝国已经失去了整个英国、西班牙的大部分，以及北非最富裕的几个省、高卢的西南和东南部；除了意大利之外，几乎所剩无几。公元468年，教皇利奥一世的妻弟巴西里库斯曾试图重新收复迦太基，但却惨遭失败。拜占庭帝国存活了下来，而西罗马帝国却灭亡了。到公元476年，罗马变成了西西里国王奥多亚塞的封地。

在对这段历史的现代解读中，最引人注目的就是罗马帝国瓦解的速度。在短短50年的时间里，罗马的人口下降了1/3。实际上晚期的考古学证据——低劣的建筑、更原始的陶器、更少的钱币、更小的家畜——都显示罗马快速消亡给西欧其他国家造成的良性影响。某史学家所说的“文明的终结”，仅在一代人的时间里就完成了。

我们自己的西方文明是否也会如此突然地瓦解呢？无可否认，从切斯特顿到一个世纪以前的肖（Shaw），这个古老的恐惧一直萦绕在英国知识分子的心中。而到今天，人们似乎更有理由感到恐惧。大部分科学家都支持这一观点，特别是随着中国和其他亚洲及南美国家缩小了西方与世界其他国家在经济上的差距，人类面临着灾难性气候变化的危险。毫无疑问，地球空气里的二氧化碳含量前所未有地增加。不少证据都显示这已经导致了平均气温的上升。虽然人们还不是很清楚这些趋势持续下去将如何影响地球的气候，然而，极地冰川的进一步融化会导致洋流的变化或淹没地势较低的沿海地区；或进一步加剧现在还能维持农耕的地区的荒漠化，这些已经不再是异想天开。除了气候变化，有些环境学家还担心人口密集的亚洲国家为了摆脱贫穷，会走上西方的老路，全球能量、食物或饮用水供应将会越来越无法负荷人类的要求。

大部分讨论这些事情的人——包括我自己——都不具备足够的科学素养去权衡证据。环境灾难的这一概念吸引我们的，并不是数据，而是对预测的熟悉。自从最早的有记录的神话和传说开始，从尼伯龙格传说里“诸神的黄昏”到基督教徒末世论的重要文本、耶稣的门徒约翰所写的《启示录》，人类一直被世界的壮观毁灭这个想法所吸引。在这个版本的世界末日里，弥赛亚或上帝的羔羊将回到地球，并在世界末日善恶决战的战场中击败反基督者，之后的1 000年里，撒旦将被关进一个无底洞。整个故事的高潮就是撒旦离开无底洞再次出现于世人面前，并召唤出戈格和玛各人。这会是“又有闪电、声音、轰雷、大地震——自从地上有人以来，没有这样大、这样厉害的地震”的线索。耶和华见证人和基督复临安息日会都同意对这一预言的字面解释。美国福音派教徒中，也有不少人表示他们相信我们离世界末日越来越近。对许多人而言，唯一的问题是当“最终审判日”来临时，谁会被留下。有些人说苦难时期已经开始了。据说，2008年12月14日，随着金融危机迫近谷底，第一只喇叭已经吹响。一旦吹响第二、第三和第四只喇叭，美国世界强权的地位将会瓦解。当吹响第五只喇叭时，第三次世界大战将爆发，数十亿人民将因此丧生。随后，正如《启示录》的预示，在这个伟大灾难的最后一天，耶稣基督将再次出现，挽救真正的信徒。在一次去往以色列美厉多的荒山——普遍被认为是即将到来的世界末日善恶决战战场的所在地——的旅行中，我碰到了一群美国人，他们也是被这个千年预言吸引来到这里的，这并不让我感到很惊讶。

我们的命运早已注定——衰落与瓦解不可避免、所有事情都只会变得更糟——这一想法与我们自己对必然的死亡的看法紧密联系在一起。作为个体，我们必将走向衰亡，因此，我们本能地认为，文明也应该和我们一样走向没落。凡有血肉的都似草，必然干枯。同样的，所有辉煌的历史遗迹也终将化为废墟。只剩下微风，轻轻吹过我们前人成就的悲伤遗迹。

但我们难以决定，在这个复杂的社会和政治结构中，这一衰亡的过程将如何揭开序幕。在世界末日的善恶大决战中，人类文明是随着一声巨响而瞬间崩塌，还是在漫长的呜咽声中慢慢消失呢？回答这一最终问题的唯一途径就是回到历史解读的首要原则本身。

CIVILIZATION

那么，安东尼阁下，鉴于您的愿望，我们将不再期待过去——所以记住，年轻人——我们回顾的将是未来。

他觉得，应该在地狱区电动火焰的地方为这场拙劣演出的导演放上一个特制的烤架：这出戏是多么和文明精神背道而驰。

谢里登

结论

对手

最能诠释文明生命周期理论的莫过于托马斯·科尔的组画《帝国的兴衰》，这套组画由5幅画组成，现挂于纽约历史协会的画廊内。作为哈得孙河画派的奠基人以及19世纪美国风景画的先驱，科尔优美地捕捉到了令现今大多数人仍深信不疑的理论：文明的生命周期理论。

这5幅虚构出来的画描绘了同一个掩映在粗粝岩石后的大河口。第一幅"荒蛮时代"，呈现的是在暴风雨的黎明下，人们在郁郁葱葱的原野上狩猎的原始状态。第二幅"田园时代"描绘的是田园牧歌，人们已经清理了树木，耕种了土地，并建造了一个典雅的希腊神庙。第三幅，也是最大的一幅，名为"全盛时代"，自然山水已被大理石砌成的气势恢宏的中转港所覆盖，取代前一幅画中乐知天命的田园哲学家的，是一群身裹绫罗的商贾、地方总督以及买卖中的大众民生，此刻正处于当午时分。第四幅是"毁灭时代"，在阴沉的傍晚，城内火光冲天，一群入侵者肆虐淫掠，人们四散奔逃。第五幅是"衰亡时代"，月亮升起，看不到一丝生命，只留下长满了荆棘和藤蔓的破败的廊柱。

这一组科尔在19世纪30年代中期构思的油画传递出一个明确的信息：所有的文明，无论多么辉煌，终将难逃衰败的命运。言下之意是科尔时代的年轻的美利坚合众国应坚守它的田园时代，应抵制商业发展、征疆拓地和殖民扩张的诱惑。

几个世纪以来，历史学家、政治学家、人类学家以及广大公众都在这种周期性和循序渐进模式下思考文明的兴衰。在波里比阿的《历史》第六卷中，写到有关罗马的崛起，其政治演变历程如下：

1. 君主制
2. 王权
3. 暴政
4. 贵族统治
5. 寡头政治
6. 民主
7. 暴民政治（暴民统治）

这种观点在文艺复兴时期再次抬头，波里比阿重新被发现并被接受，从马基雅弗利到孟德斯鸠的著述中，它被广为提及。这种文明的周期性观点还见于 14 世纪阿拉伯历史学家伊本 · 赫勒敦的著作和明代的程朱理学。在 1725 年《新科学》一书中，意大利哲学家维柯将所有文明都描绘成三个阶段的循环往复：文明在经历神的时代、英雄时代、凡人时代或称理性时代之后，会通过维柯所称的“反思的野蛮”，再次步入神的时代。“完美的政府组织就如同完美的动物躯体构造，”英国政治哲学家博林布鲁克子爵亨利 · 圣约翰在 1738 年写道，“它们体内携带着毁灭的种子，虽然它们在一段时期内会成长完善，但它们很快会趋于解体，它们每过一个小时就意味着失去了一个小时的生命。”亚当 · 斯密在《国富论》中是这样设想经济增长的：“富裕”终将会被“停滞”所取代。

唯心论者和唯物论者在这点上也达成共识。对于黑格尔和马克思等人来说，运用辩证法才能对历史进行明白无误地剖析。德国历史学家斯宾格勒认为历史具有季节性，他在《西方的没落》(1918~1922 年）中写道，19 世纪是“西方的冬天，它是唯物主义和怀疑主义的胜利，是社会主义、国会和金钱的胜利”。英国历史学家阿诺德 · 汤因比在 12 册巨著《历史研究》(1936~1954 年）中提出挑战和应战的循环理论：人们在少数有创造力的精英领袖领导下成功地回应挑战，文明从而兴起；又在领导阶层停止创造性回应时衰微。另一个宏大理论来自俄国流亡社会学家索罗金，他认为所有的主要文明都经历三个阶段：观念阶段，(这一阶段现实体现在精神层面)，感知阶段（这一阶段现实体现在物质层面)，理念阶段，(它是前两者的结合)。美国历史学家卡罗尔 · 奎格利在乔治敦大学外交事务学院任教时，教导他的学生（其中包括未来的美国总统比尔 · 克林顿)，文明如同人类可分为 7 个年龄段：结合、妊娠、扩张、冲突、大帝国、没落和入侵。奎格利在解释生命周期理论时有一段经典的话：

> 在演进过程中，每种文明都由诞生之初，开始进入迅猛发展阶段，其间，它的规模和实力不断增强，直到内部矛盾逐渐显现。当危机过去后，这一文明将经历重组，它的活力和士气都有所削弱，它变得稳定，并最终滞留不前。在度过了和平及繁荣的黄金时代后，它再次出现内部危机，此时首次显露出人心的背离和国力上的虚空，这也让人们对这一文明是否还具备抵御外敌的能力产生质疑。随后这一文明逐渐式微，直至被外敌侵吞，并最终消失。

以上的理论模式虽各有不同，但它们都有一个共同的假设，即历史具有节律性。

虽然如今很少有人再去读斯宾格勒、汤因比或索罗金的著作（奎格利倒是仍被阴谋论者所津津乐道①），但类似的思想在更多现代学者的论作中清晰可见。保罗·肯尼迪的《大国的兴衰》(1987 年)，就是另一部对历史的周期性进行阐述的论作。书中认为，大国的兴衰取决于其工业基础的增长速度，以及相对于其经济实力的帝国扩张成本。这一思想暗合了科尔的组画《帝国的兴衰》，认为帝国的扩张为未来的衰败埋下了隐患。保罗·肯尼迪写道："如果一个国家战略扩张过度，它将面临这样的风险：过度扩张所带来的潜在利益将无法弥补其庞大的开支。"他认为，这种"帝国的过度扩张"现象是所有大国的通病。保罗·肯尼迪这本书一经问世，这种顾虑便被许多美国人所认同，他们担心自己的国家也将被这一疾病击垮。

贾德·戴蒙近期提出的关于兴衰变迁的理论再次引发共鸣。他的《崩溃：失落与延续的文明》(*Collapse: How Societies Choose to Fail or Succeed*, 2005 年)，是一部绿色年代的周而复始的变迁史，它讲述了多个文明的兴亡故事，包括从 17 世纪的复活岛到 21 世纪的中国，这些文明或已为滥用自然资源付出代价，或者正在为此承受着风险。戴蒙援引了美国探险家和业余考古学家约翰·劳埃德·史蒂文斯——正是他在墨西哥发现了惊人的玛雅文化遗迹——的话："这里就是那些享有过高度文明的奇特民族的遗骸，他们经历过国家起起落落的各个阶段，步入他们的黄金年代，而后消亡。"根据

---

① 在 1966 年出版的《悲剧与希望》一书中，奎格利将某个神秘的英美"秘密社团"描绘成一个掌握着巨大权力的集团，据称这个社团由塞西尔·罗德斯、阿尔弗雷德·米尔纳和记者威廉·斯特德建立，它致力于"大英帝国的扩张"，并力图将它演变为联邦制。奎格利称，这个"罗德斯-米尔纳集团"及其圆桌联盟，是挑起布尔战争的幕后黑手，它动摇了《凡尔赛和约》，主张对纳粹德国采取绥靖政策。1925 年米尔纳去世后，该集团仍通过罗德斯信托基金、皇家国际事务研究所（查塔姆大厦）和在纽约的外交关系委员会，继续施展它的邪恶影响力。奎格利对于米尔纳活动的隐秘性和阴谋的得逞都有所夸大。

戴蒙的观点，玛雅跌进了典型的马尔萨斯陷阱：其脆弱低效的农业系统无法负荷它过快的人口增长。更多的人口意味着更多的开垦，更多的开垦则意味着森林砍伐、水土流失、河渠干涸和土壤耗竭。结果就会因争夺日趋减少的资源而引发战乱，并最终招致灭亡。

戴蒙的推断自然是今天的世界也可能步玛雅文明的后尘。关键问题在于自然环境的自杀是一个缓慢而漫长的过程，而不幸的是，无论是落后国家还是发达国家，几乎所有社会的政治领导人对这个可能在100多年后才会彰显出的问题置之不理。虽然2009年12月，在哥本哈根召开的联合国气候变化大会发出了清晰而殷切的呼吁：为子孙后代保护地球。但与这个问题相比，解决当前贫富国家之间在财富分配上的争端则显得更为紧迫。我们爱自己的孙子，但之后的子子孙孙便无暇顾及了。

然而是否有这么一种可能：这种周期观念的总体框架是错谬的。科尔艺术创作中所展现的文明由诞生到成长直至死亡的漫长周期变迁，可能是对历史进程的错误解读。历史演变是否有可能并不遵循缓慢的周期规律，而是一种心律失常的悸动：有时看似平静，却蕴涵着激烈的躁动因子。历史的时钟是否有可能并不像季节更替那么缓慢悠长、可以预测，而是像我们做梦的时间一样忽长忽短。总之。文明的崩塌是否有可能并不需要靠几个世纪来酝酿，而是像夜贼一样突然来袭。

正如我在本书中所力图展现的，文明是一个复合体系，它是由众多交互因子组成的非对称的机体，它的结构较之埃及的金字塔，更像纳米比亚白蚁的蚁丘。它行走在有序和无序之间，处于一种被计算机学家克里斯托弗·兰顿称为“混乱的边缘”的状态，这样的体系在一段时期内可能运转平稳，并能够持续地进行自我调节应变。但它也有出现危机的时候，一个细微的扰动就可能让它从良性的平衡状态滑向沦亡，一颗沙粒也能造成一座稳定的沙塔的坍塌。

为能理解这种复合性，我们不妨来参考一下它在自然界是如何体现的。设想一个蚁群自发性的组织机制，它让50万只白蚁构筑起复杂的蚁丘；或设想一下由水分子构成的雪花的分形几何，它能变化出无数种各式的六边形。人类的神经系统也是一个复合体系，它由中枢神经系统中10亿个相互作用的神经元构成，它被神经学家查尔斯·谢林顿称为“被施过魔法的梭机”。我们的免疫系统同样是一个复合体系，我们的抗体会自发抵御外来抗原。自然界的所有复合体系都有一些共同特征。对于这种复合体系，一个细小的介入都可能会引发剧烈而未曾预料的变动，科学家将其称之为“放大器效应”。其间的因果关系通常是非线性的，这也意味着传统的通过观测的归纳法（如趋势分析和取样）难有作用。事实上，甚至有理论家认为这种复合体系具有完全的非确定性，这也意味着我们无法依据过去的数据对它们未来的行为进行预测。我们可以用典型的或惯常的森林火灾来解释这个问题。借用现代物理学术语，森林在火灾发生前处于“自我组织的临界”状态，它摇摇摆摆地走在火灾的边缘，但火灾规模大小是个未知数，因为森林火灾规模的分布并不遵循常见的钟形曲线，并非多数火灾都集中于平均值上下，这不像多数男性的身高处于175厘米附近。但是，如果你想在火灾大小与其发生频率之间得出函数关系的话，你将得到一条直线。下一场火灾是大是小，是小如篝火还是燎原大火？我们最多只能说今年发生两倍于去年火灾规模的可能性大约是去年的1/4（或者1/6，或1/8，取决于它是何种森林）。这种模式被称做“幂律分布”，它在自然界非常普遍，不仅森林火灾遵循这种分布规律，地震和时疫也同样如此，只是那条函数直线的陡度不尽相同而已。

人类的政治经济结构也具备复合体系的许多特征。事实上，一些非正统经济学家，如布赖恩·阿瑟，几十年来都保持着这种观点，他的学说超越了亚当·斯密“看不见的手”的假说，长久以来引导着追求利益最大化的各式个体，弗里德里希·哈耶克后来对经济计划和需求管理的批判也是受他启发。阿瑟认为，一个复合体系是离散因子相互作用下的产物，它缺乏任何的中央控制。它由多种层面的组织构成，能够持续进行调整适应，并不断创造新的市场契机，它不存在总体均衡状态。与古典经济学的核心论点（竞争导致收益下降）相反，在经济复合体下，竞争很可能会提高收益。从这个角度看，硅谷就是一个卓有成效的经济复合体，同样，网络本身也是如此。而始于 2007 年的金融危机也可以用类似的理论来解释。正如纳西姆塔·勒布所说，2007 年春，全球经济就如同一个过于优化的电网，而美国次级抵押贷款拖欠行为造成的小小的涌动，即会导致金融体系跳闸停电，致使全球经济陷入黑暗，并在一段时间内造成国际贸易的瘫痪。圣菲研究所的研究人员正在探索如何将这一独到理论应用于人类的其他集体行为，包括“元历史”。

这并不像看上去那么复杂，因为相比金融危机，战争爆发的分布更不规则。物理学家兼气象学家刘易斯·弗莱·理查森[①]曾对“致命的争端”进行归类，范围小至谋杀大至世界大战，他用以 10 为底数、总死亡人数的对数为标尺，对这些事件的严重程度进行划分。比如，一场导致 100 人死亡的恐怖袭击，其严重度为 2。而一场导致上百万人死亡的战争，其严重度为 6。（严重度为 6±0.5 的战争，它导致的死亡人数可从 316 228 到 3 162 278。）理查森发现在 1815~1945 年，有 300 多起冲突的严重度达到或超过 2.5（即导致的死亡人数达到 300 人以上）。在这当中，两次严重度达到 7 的战争（两次世界大战）造成至少 3 600 万人死亡（约占总死亡人数的 60%），该数据不

① 理查森于 1881 年出生在约克郡，是一名贵格会信徒，他在“一战”期间出于道义拒绝服兵役（虽然他在西线也曾开过救护车），他还是世界语的提倡者。让他感到沮丧的是战争的发生毫无减少的趋势，并且对于战争会在何时何地爆发，统计学上也难以作出有力的预测，除了得出两个较为松散的关系：战争较常见于邻国之间，以及比较容易发生在不同信仰的国家之间。

包括战争引发的灾荒和疾病所导致的死亡人数。而数百万起严重度为 0 的谋杀事件（被害人为少数几人）累计造成的死亡人数为 970 万（占总死亡人数的 16%）。这些数据初看时似乎完全随机，但它们也遵循着幂律分布规律。

战争像森林火灾一样难以预测，又由于战争直接关系到社会复合体的起落成败，因此任何一种理论对文明的兴衰都无法一言概之。文明从定义上讲是一个高度复合体（无论在形式上它设有怎样的中央权威机构），在本质上，它都是一个由经济、社会、政治构成的动态的、可进行自我调节应变的关系网。因此无论何种式样的文明，都会表现出自然界复合体的许多特征，包括容易发生时局突变，平稳可能骤变为动荡。

正如我们在最后一章所见，西方文明的最初雏形——罗马帝国的衰败消亡，并非缓慢而平静。它在 5 世纪初遭到匈奴人入侵后轰然倾覆，它的灭亡仅用了一代人的时间。又如印加人在 1530 年仍是站在岿然的安第斯城上俯视一切的霸主，但仅在 10 年不到的时间，一群外国人便用马匹、火药和瘟疫将这个帝国砸得粉碎。中国明朝的沦亡也是在倏忽一间，它从政权尚稳到被推翻同样历时十载不到。与此类似，法国的波旁王朝同样是从辉煌迅速陷入绝境。法国介入北美殖民地对英的独立，这在 18 世纪 70 年代看来似乎是明智之举，但它也将法国财政推入艰难窘困的境地。1789 年召开的三级会议引发了政治连锁反应，王政迅速垮台，仅在 4 年后，国王即被送上断头台，而断头台这一新事物也只是在 1791 年才问世。在 1908 年的青年土耳其运动时期，奥斯曼帝国似乎仍具备自我变革的能力，但到 1922 年，随着最后一位苏丹登上英国战舰离开伊斯坦布尔，他的政权也宣告灭亡。日本在 1942 年所占领的土地之辽阔可谓在其历史上从未有过，但到 1945 年亦不复当时。

大英帝国落日的到来也相当突然。1945 年 2 月，英首相温斯顿 · 丘吉尔尚能昂头挺胸地站在世界舞台上，作为“三巨头”之一，他在雅尔塔会议上与美国总统富兰克林 · 罗斯福和苏联领导人斯大林决定着各国的命运。但在之后的十多年间，缅甸、埃及、加纳、印度、以色列、约旦、马来西亚、巴基斯坦、锡兰以及苏丹纷纷独立，英国在其殖民地独立的浪潮面前已无能为力。1956 年的苏伊士运河危机表明英国已无法在中东问题上与美国抗衡，大英帝国从此落幕。虽然直到 20 世纪 60 年代麦克米伦“变革之风”才吹遍撒哈拉以南的非洲和苏伊士东部剩余的殖民地地区，但英国的霸权时代在它战胜了德国和日本后不到 12 年的时间里即已告终。

较近的最为人知的时局骤变的例子当属苏联的解体。从事后的分析看，历史学家们可以把苏联体制内的种种腐化迹象推溯至勃列日涅夫时期或更早。据近期某一言论称，只是由于 20 世纪 70 年代油价高昂，这才“避免了美苏大决战”，但这在当时并不明显。1985 年 3 月，米哈伊尔 · 戈尔巴乔夫成为苏联共产党总书记时，美国中央情报局还（错误地）估计苏联经济规模约为美国的 60%。苏联的核武器当量也的确超出美国。而那些第三世界国家的政府，从越南到尼加拉瓜，在之前的 20 年中大都也倾向于亲苏。而戈尔巴乔夫上台不到 5 年，苏联在中欧和东欧的统治便开始瓦解，在随后的 1991 年，苏联自身也宣告解体。如果说有那么一个国家，它是从悬崖上急坠而下，而不是徐徐降落，那它就是苏联。

如果文明是这么一种复合体，它遵循的不是从田园经鼎盛再到末日这种平缓的周期规律，而是迟早会因突如其来的、灾难性的故障而崩塌，那么今天的西方文明又意味着什么？首先，我们需要回顾西方是如何在 1500 年左右开始掌控世界其他地区的。

时下流行的观点认为，在 1800 年之前，中国在经济上一直都与西方并驾齐驱，但近期的研究结果驳斥了这一观点。中国明朝时期的人均国内生产总值基本处于停滞状态，并远低于工业化前的英国。这是由于中国当时仍以农业经济为主，低生产率的农耕作物占国内生产总值的90%，该比例远远高于近代早期的英国。此外，在1520年后的一个世纪中，中国的国民储蓄率为负值，明代晚期并没有形成资本积累，这也与通行的观点不同。因此，彭慕兰所提出的东西方之间的“大分流”，其发端要远早于他所认为的时间。而已故的安格斯 · 麦迪森虽然认为1700年中国的平均生活水平略好于当时的美国（这点上他或许过于乐观了），但他同样估计早在17世纪初，英国的人均国内生产总值就已超过中国60%，这还是很贴近现实的。

在此之后，中国的产值和人口保持同步增长，故而人均收入并不见长。而英语国家发展迅猛，西北欧国家也紧随其后。到1820年，美国人均国内生产总值已两倍于中国，到1870年拉开到5倍之差，到1913年差距达到了10倍。虽然美国之后受到大萧条的严重干扰，但远不及中国在悲苦的20世纪所遭遇的磨难，其间中国经历了革命、内战、日本入侵、更多的革命和运动、人为的饥荒，以及接踵而至的“文化大革命”。到1968年，若以购买力平价计算（将两国生活成本差异考虑在内），美国平均富裕程度是中国的33倍。若以美元当前汇率计算，两国在贫富最为悬殊时差距可达70 ： 1。

东西方大分流还体现在其他各个方面。1500年，世界十大城市几乎都集中在东方，其中又以北京为首（北京当时的规模相比残破的伦敦10倍有余）。而到1900年，大城市又几乎都集中到了西方，伦敦4倍于东京这一亚洲最大都市。东西方的分流在地缘政治上也有显现。如我们所见，后来成为现代全球帝国的欧洲10个国家在1500年时，其占地面积为世界领土的1/20，人口为全球的16%，产值所占世界份额略高于1/5。但到1913年，同样这些国家，另加上美国，控制了世界58%的陆地面积，拥有世界57%的人口，国内生产总值占全球的74%，其中16%的国内生产总值为他们的殖民地所创造。此时西方与其他地区之间形成了惊人鸿沟，这种世界格局也让不少人认为白色人种具有优越性，而非白色人种在进步的过程中存在许多正式和非正式的障碍。这也是根本性的全球失衡。

我在本书开篇引述了拉塞勒斯的问题：“欧洲人为何能如此强大？他们为什么能如此轻易地踏足于非洲和亚洲，进行贸易或征服？亚洲人和非洲人为什么不能入侵他们的海岸线，在他们的港口设立殖民地，将法令加诸他们的王室？”埃米莱科对此的回答是“知识就是力量”。但他无法解释为什么欧洲人的知识优于其他人的知识。现在或许可以给拉塞勒斯一个更为满意的答案。为什么西方可以主宰其他地区，而非相反呢？我认为这是因为西方发展出6项撒手锏，这是其他地区所没有的。它们是：

1. 竞争。欧洲的政治处于割据分裂的局面，在每个君主制国家或共和制国家内，都存在着多个相互竞争的集团。

2. 科学革命。17世纪，数学、天文学、物理学、化学和生物学的所有重大突破均发生在西欧。

3. 法治和代议制政府。这一优越的社会政治秩序出现于英语国家，它以私有财产权以及由选举产生的代表财产所有者的立法机构为基础。

4. 现代医学。医疗保健在19和20世纪的所有重大突破都发生在西欧和北美，其中包括对热带疾病的控制。

5. 消费社会。随着工业革命的兴起，以棉纺织品为开端，涌现出大量提高生产力的先进技术，同时对物美价廉的商品的需求也为之扩大。

6. 工作伦理。西方人最早将更广泛而密集的劳动和更高的储蓄率结合在一起，从而促进了资本的持续积累。

这6项必杀技是西方崛起的关键。而我们现在所处的时代，事实上可以追溯到日本的明治时期（1867~1912年），它其实是世界其他地区复制西方模式的时代。但这样的复制并非一帆风顺。日本并不清楚在西方的文化和体制中哪些是至关重要的因素，于是它全盘照搬，从服饰、发型到欧洲的殖民扩张政策。但不幸的是，到日本进行帝国建设的时候，已是帝国的扩张成本开始超出其所获利益的阶段。其他亚洲国家，特别是印度，由于错误地认为苏联所实行的计划经济体制要优于美国奉行的以市场经济为基础的体制，从而浪费了数十年时间。但自 20 世纪 50 年代起，东亚国家相继追随日本开始仿效西方的工业模式，它们以纺织品和钢铁为起点，基于此逐步深化价值链。而现在对西方模式的借鉴也有取舍，内部竞争和代议制政府在亚洲的发展中并不突出，而科学、医药、消费社会和工作伦理（新教伦理在这里并不如马克斯 · 韦伯设想的那么强烈）却尤为重要。在世界经济论坛对各国（地区）近期竞争力的排名中，新加坡位列第三，中国香港位列 11，随后是中国台湾（第 13 名），韩国（第 21 名），中国内地（第 27 名）。这个排名次序与这些

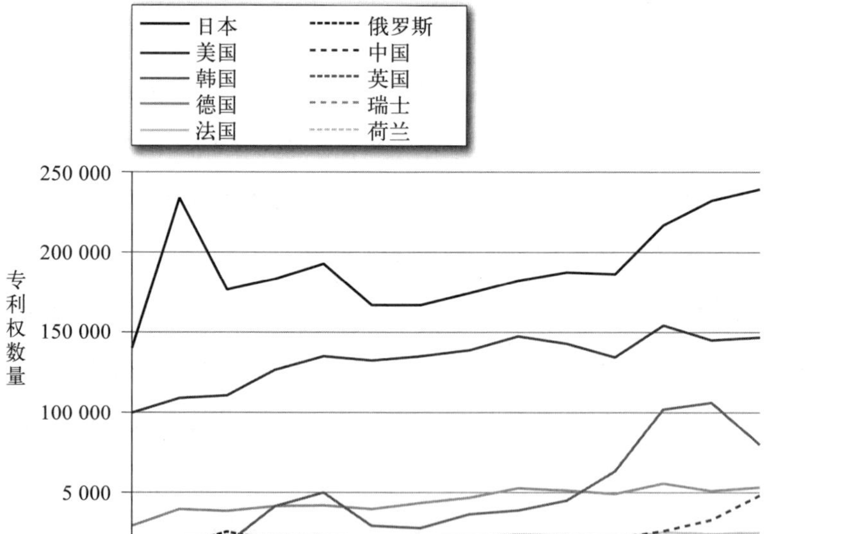

各国的专利授权数量（1995~2008）

国家开始市场化经济的时间顺序大致吻合。

中国目前人均国内生产总值为美国的19%，而它在30年前经济改革之初，人均国内生产总值仅为美国的4%。中国香港、日本和新加坡早在1950年即已达到中国内地现今的水平，中国台湾和韩国也分别在1970年和1975年达到这一水平。据世界大型企业联合会统计，新加坡目前的人均国内生产总值比美国高出21%，中国香港与美国持平，日本和中国台湾低于美国25%，韩国低于美国36%。几乎可以肯定的是，中国内地在今后的数十年间也会沿着相同的轨迹发展。中国的工业革命规模最大，发展也最快。在短短26年内，它的国内生产总值增长了10倍，而英国在1830年之后的70年才实现了4倍的增长。据国际货币基金组织估算，到2013年，中国占全球国内生产总值的份额将超过10%（以当前价格计算）。金融危机爆发之前，高盛的经济学家预测中国的人均国内生产总值将在2027年赶超美国。而金融危机对美国经济增长的打击更甚于中国，如果经济增长率仍维持目前的水平，那么若以国内购买力计算，中国的经济将在2014年超越美国；若以当前美元汇率计算，中国则将在2020年超越美国。事实上，在某些方面，亚洲时代已经到来。中国制造业占全球的份额在新世纪伊始已经超过了德国和日本，并将很快超越美国。中国最大的城市上海，其规模已经远远超越美国任何一座城市，它在非西方的大都市排名中位居第一。纯粹从数字上看，亚洲长期以来都是人口最为稠密的地区。而非洲人口的迅速增长则进一步加深了西方的颓势。就塞缪尔 · 亨廷顿的定义，西方国家即为西欧、北美和澳大拉西亚，其人口在1950年占世界人口的20%。据联合国估算，到2050年该比例将降至10%。而亨廷顿所统计的数据也从不同方面反映出西方的衰退：语言（西方语言占比在1958~1992年下降了3个百分点），宗教（1970~2000年下降了1个百分点），领土控制（1971~1993年有小幅下降），人口（自

1971年下降了3个百分点），国内生产总值（1970~1992年下降4个百分点）[①]，军事人口（1970~1991年下降了6个百分点）。如果从1913年或1938年开始统计的话，西方国家的相对衰退在多个方面表现得更为明显。

始于2007年夏的金融危机对于已经显露出相对颓势的西方国家来说更是雪上加霜。这次危机几近于大萧条，它之所以没有构成那么大危害，是由于三方面原因：第一，中国大量放出银行贷款，这缓解了对西方出口的疲软；第二，美联储主席本·伯南克大幅放松美国银根；第三，几乎所有发达国家都推行巨额财政赤字，美国的借款更是连续3年高达国内生产总值的9%有余，为各国之最。这些措施与20世纪30年代初期的做法截然相反，它自2009年6月起逐渐将世界经济拉出旋涡。然而在这一系列刺激措施下，发达国家的经济现仍处于宿醉阶段。出于多种原因，债券投资人对希腊、爱尔兰、葡萄牙这3个欧元区国家的财政政策失去了信心，这提高了它们的借贷成本，并进一步加深了它们的财政窘境。只要对这些国家公债的长期趋势稍加观察，就如国际清算银行在2010年初对此进行的分析，我们就能知道其中的原因。对于已经出现的严重的债务积累结构性问题，金融危机的到来更是雪上加霜。面临相同问题的还有英国和美国，但是在本书行文之际，只有英国对此采取了措施。

必须谨记的是大多数文明的衰落都与财政危机和战争相关。在之前所举的所有实例中，文明衰落之前都出现了严重的财政收支失衡，并且难以进行公债融资。回想一下16世纪的西班牙：1543年，西班牙2/3的经常性收入被用于支付公债的利息，该公债即为哈布斯堡王朝为自身融资的借款。及至1559年，公债利息支出已经超出西班牙的经常性收入。1584年情况稍有好

① 事实上，亨廷顿所定义的所有西方国家的国内生产总值合计（以当前美元汇率计）所占全球份额，自1960年以来一直保持在相当稳定的61%~69%。

转，利息支出占经常性收入的84%。但到1598年，该比例又回升至100%。或者回想一下18世纪的法国：从1751年到大革命前夕的1788年，法国还本付息的开支占税收收入的比例，从25%攀升到62%。19世纪的奥斯曼土耳其亦是如此：其本息支出占财政收入的比例从1868年的17%，升至1871年的32%，并在1877年攀至50%。在拖欠巨额债务两年后，奥斯曼帝国在巴尔干地区也随即解体。最后来回顾一下20世纪的英国：在20世纪20年代中期，英国的债务支出占政府财政总开支的44%，并一直高于国防开支，直至1937年重整军备终于紧迫起来，才被国防开支反超。但注意英国真正的问题出现在1945年之后，当时英国巨额债务的很大一部分为外国持有：战后英国210亿英镑的债务中，外债高达34亿英镑，相当于国内生产总值的1/3。

自2001年起，美国联邦公债占国内生产总值的比例在短短10年间翻了一番，从32%攀升至2011年的66%。根据国会预算办公室2010年的预测（使用的是“另一财政预设情景”，国会预算办公室认为这种预设情景相比“基准线扩展情景”，其政治可能性更大），美国联邦债务对国内生产总值的比率将会在2021年达到90%以上，到2031年该比率将攀至150%，并在2047年达到300%。需要注意的是，这些数字尚不包括高达100万亿美元并且未备基金的医疗和社保系统的负债，这些数字也不包括各州政府迅速增长的财政赤字，而公务人员退休金计划中日益扩大的负债也未考虑在内。由此可见，美国的财政处境相比希腊更为艰难。债务对财政收入比率达312%的希腊已是举步维艰，而根据摩根士丹利的计算，美国的债务对财政收入比率已高达358%。

虽然这些数字已令严峻的形势表露无遗，但人的主观感受却是影响财政稳定更重要的因素。目前世界各国仍期待美国能够挣脱泥沼，用丘吉尔的话来说，我们相信美国会做正确的事——在它尝尽其他一切可能之后。20世纪80年代拉响的赤字警报实为虚惊一场，到20世纪90年代后期，美国联邦政府开始出现预算盈余。那还有什么可担心的呢？这种悠然的心态竟延续了很久，在各种统计数据指标闪起红灯之后相当长的一段时间都未引起警觉。但是有一天出现了一条看似偶然的坏消息，可能是某家评级机构给出的负面报道，原本祥和的新闻环境骤然掀起轩然大波。突然之间，不再是少数专家在担心美国财政能否支撑下去，而是人们的普遍恐慌，外国投资者更是惴惴难安。当一个可自我调节的复合体中，个体广泛对它能否维持失去信心时，它就到了倾覆的边缘。自 2007 年夏，全球经济这一复合体倏忽间由荣转败，就是因为投资者对次贷偿还能力的预期突然发生改变，致使高杠杆化的金融行业瞬时崩盘。如果这些投资者开始对美国政府的信用度重新评估的话，可能会引发下一阶段的危机。无论美国采取的是零利息率还是财政刺激措施，一旦美国内外普遍认为这些措施将导致通货膨胀或债务违约的话，美国经济就无法实现可持续性复苏。正如经济学家托马斯 · 萨金特在 20 多年前所指出的，这种预期是自我实现的，因为决定通货膨胀的不是基础货币的供应量，而是它的流通速度，而货币流通速度又是预期的函数。同样，决定政府偿债能力的不是债务对国内生产总值的比率，而是投资者所要求的利率。如果投资者对政府未来偿债能力的预期和对货币稳定性的预期发生改变，那么债券利率便会扶摇直上，而新债利息的提高将促使已然严峻的财务状况进一步恶化。信心丧失的结果便是利率和赤字相互抬升的恶性循环，这也正是 2010 年发生在希腊、爱尔兰、葡萄牙身上的事。

的确，日本能够将公债对国内生产总值比率抬至更高而不触发信任危机。但是，几乎所有的日本债务都在日本投资者和机构手中，而美国联邦公债的一半为外国投资者持有，其中 1/5 握在中国货币当局手中。唯有依靠印制国际主要储备货币这一“过度特权”，才能为美国争取到片刻喘息的时间。但此举招致中国强烈不满，中国商务部部长陈德铭在 2010 年 10 月表示：“由于美国发行货币失控，国际商品价格持续上涨，这让中国受到输入型通胀的冲击。”中国银行的经济顾问夏斌认为，美国在“失控地”、“不负责任地”印制货币，他表示：“如果不控制美元这种国际货币的发行，另一场危机就将无法避免。”中国当代国际关系研究院研究员苏景祥指责量化宽松政策（由美联储购买政府债券）实质上一种“金融保护主义”。2010 年 11 月，中国大公国际资信评估有限公司将美国主权信用评级从 AA 降为 A+，评级展望为负面。

中国的担忧是可以理解的。自经济滑至谷底以来，除少数商品外，几乎所有商品的价格都在持续上涨①。中国官方所持有的美国政府债券在 2009 年 7 月到 2010 年 6 月期间缩水了 10%。即使黄金价格达到前所未有的高价，中国仍在 2010 年将其购入作为抵御通货膨胀的保值手段。然而美国担心的不是通货膨胀，而是通货紧缩。美国物价目前的增长速度是自 20 世纪 50 年代消费者物价指数诞生以来的最低水平。虽然美联储作出了多种努力，但广义货币仍在收缩，信贷也迟迟不见增长。即便 10 年期债券的名义利率处于低位，长期实际利率在可预见的未来也可能呈现上行，这意味着居民、银行以及政府所承受的沉重债务难以通过通货膨胀得到缓解，而以通货膨胀来抵消负债是许多国家在 20 世纪 20 年代和 70 年代采用过的成功手法。经济增长将持续低迷，这也意味着美国政府会继续实行赤字预算——即便是小额赤字，也仍会增加利息支出。根据国会预算办公室的另一财政预设情景，联邦债务的利息支出占联邦税收收入的比重将从 9% 升至 2020 年的 20%，2030 年将达到 36%，2040 年将达到 58%。

通过以上数据可以预见许多事情，其中一件便是美国将迅速削减海外军事投入。国会预算办公室已经就美国海外驻军若能在 2013 年前裁军 3 万人

① 根据国际货币基金组织的综合数据库，自 2009 年 2 月以来，价格没有上涨的商品仅为：天然气、木材、橄榄油、虾和鸡肉。这对打算去冲浪或在草坪上烧烤的人来说倒是个好消息。

所省下的经费进行了预测。当利息支出占联邦政府收入的比重超过军事开支时，裁军也为意料中的结果，并且它也会在不久后实现。

世界重心从西方向东方的转移是否意味着未来将发生冲突？塞缪尔·亨廷顿在一篇颇有启发意义的文章中预言，“文明的冲突”将成为20世纪的标志，西方文明会与中华文明、大中东的伊斯兰文明，或许还有前苏联的东正教文明形成对垒。他写道：“国际间的政治冲突将主要在异质文明的国家或集团之间展开。文明的冲突将主宰全球政治。不同文明之间的断层线将成为未来的战线。”这个观点一经出版即引来颇多争议。然而亨廷顿就世界在“冷战”后的发展所作的一番预测，相比他所摒弃的竞争理论，似乎更为可信：它或者成为一个在美国统领下的后历史世界（或新保守主义的世界）；或者成为200多个国家各自为政的现实主义的世界；或者彻底沦为“无极世界”，或称混乱世界。

然而亨氏模型存在一处硬伤：作为预言，它没有应验，至少从目前来看如此。亨廷顿称：“较之同一文明内的冲突，异质文明之间的冲突将更频繁，更持久，也更猛烈。”但事实并非如此。自“冷战”结束后，不同文明之间的战争并没有增加，所持续的时间也并不比其他类型的冲突更久。过去20年间发生的战争大多为内战，只有少数冲突与亨廷顿模型相符。在无序新世界下，同一文明内的种族冲突更为常见。进一步说：无论是仍在酣战还是近期在2005年停火的30起重大武装冲突中（2005年距亨廷顿最初那篇文章发表也有12年了），只有9起冲突在某种意义上可称为文明的冲突；而19起基本为种族冲突，其中的大中东地区主要为穆斯林与穆斯林之间的相互残杀，继大中东地区之后最为严重的冲突是仍在滋扰着非洲中部地区的种族仇杀。此外，其中带有宗教因素的冲突大多也是种族间的对抗，而宗教间的摩擦也通常在区域内新近发展起来的教派之间产生，而不是由来已久的基督文明或伊斯兰文明之间。因此从走势看，未来发生多处局部战争的可能性较大，大多为非洲、南亚及中东地区的种族冲突，而各大文明之间发生国际战争的可能性却不大。事实上，这种文明内部分裂的趋势恰恰有可能导致亨廷顿所指的文明面临崩解。简而言之，“文明的冲突”不如称为“文明的崩解”。

在一款由席德梅尔于1991年发明、现推出第五版的相当成功的电脑游戏《文明》中，共有16种对立的文明供玩家选择，其范围可从美国到祖鲁。游戏任务是“建立一个经得住时间考验的帝国”，并与其他2~6个对手展开竞争。你可以通过三种途径赢得游戏的胜利：以最高分抵达现代时代的终点，抵达阿尔法半人马座星系赢得太空竞赛，或者摧毁其他文明。但这是否就是真实的历史进程的写照呢？正如我们所见，西方文明，无论是君主制还是共和制的西欧国家，的确在1500年之后摧毁或征服了世界其他大部分地区的文明。但是如果与西方列强之间相互交战的数量和规模相比，西方在征服其他地区时并未诉诸过多的武力。旧中国经济停滞不前，国土日削，这并非鸦片战争所致，其源头还在于远东地区执著于以农为本的传统观念，并囿于千百年来的封建统治，内部的僵化已是迁延日久。而奥斯曼帝国从欧洲大陆撤退，从鼎盛一时到恹恹不振，从表面看是因为军事上的失败，但军事失败却是由于帝国长久来未能成功地推行科学革命。南北美洲之间也未爆发过大规模的冲突，北美仅凭着体制上的优越，便很快轻易地插足于南美洲的各项事务。同样，欧洲在征服非洲时也仅动用了零星火力，如果和它们在欧洲本土打的仗相比的话。若说非洲是屈服于马克沁机枪，也可以说是教会学校、电报局和实验室征服了非洲。工业革命和消费社会无须强加于非西方国家，如果这些国家稍有见地，就会主动效仿，比如日本。至于工作伦理，它的传播也并非依靠武力，而是凭借交流，凭借20世纪中叶之后公共卫生和教育所取得的杰出成就。

对于中国的崛起，我们也应该通过这个角度去理解。虽然中国习惯用

"韬光养晦"这一提法，但有些评论家却已察觉到亨氏文明冲突的一丝迹象。2010年末，美联储的第二轮定量宽松货币政策似乎点燃了中美货币之战。奥巴马总统于当年9月在纽约发表讲话，如果"中国不采取措施"停止对其货币的操纵行为，"我们将采取其他手段保护美国利益"。中国总理温家宝对此迅速出回应："不要压人民币升值……中国出口企业将大量倒闭，工人将失业，农民工将返乡，社会很难稳定。如果中国经济和社会出现问题，将会给世界带来灾难。"然而这种交锋并不是亨氏预言的印证，同样，中美之间偶尔的海事摩擦，以及就中国台湾和朝鲜问题的外交口水战，也并非为亨氏理论平反。这些事件不过是皮影戏，我们看到的只是在幕布上的投影。真正的货币之战将在中美共生体（中美联合经济体）与世界其他地区之间展开。如果美国印制钞票，而人民币仍能有效地钉住美元，则中美两国皆能获益。而印尼、巴西等国家则沦为受害者，由于采用贸易加权汇率，印尼和巴西的汇率在2008年1月~2010年11月分别上升了18%和17%。

中美共生体无疑已经渡过了它的黄金时期，这场挥霍者和节俭者的经济联姻，已经显露出濒于破裂的种种迹象。中国2010年中期的产值比危机前高出20%，而美国则低了2%，由此可以清楚地看出这一共生体更利于债权人，而非债务人。美国政策制定者挂在嘴边的一句话就是："他们需要我们，正如我们需要他们。"或者搬出劳伦斯·萨默斯的名言："经济上的同归于尽。"但他们并不知道的是，中国领导人已经计划终止中美共生体，并减少对美元储备积累和补贴出口的依赖。这种策略并不是要按西方帝国主义模式来统领世界，也不是要将中国重建为"天朝上国"——亚太地区各国来朝的宗主国。如果要对中国新的宏伟战略加以总结，可以以中国方式把它归结为4个"更多"：

1. 更多消费

2. 更多进口

3. 更多向海外投资

4. 更多创新

其中任何一个方面的经济战略的变革，都将带来可观的地缘政治红利。

通过更多的消费，中国可以缩小它的贸易顺差，同时会受到主要贸易伙伴尤其是新兴市场的欢迎。中国最近超过美国成为世界最大的汽车市场（每年 1 400 万辆的销售，相较于美国的 1 100 万辆），预计在未来几年，中国汽车市场的需求将增长 10 倍。根据国际能源署的预测，到 2035 年，中国的能源消耗将占到全球的 1/5，比 2008 年的消耗量增长 75%。世界煤炭研究所预计，中国 2009 年煤炭的消耗量占世界总消耗量的 46%，而铝、铜、镍、锌的消耗量也接近这一水准。这些数据为上述商品和其他商品的出口商带来了巨大的利益。中国已经成为澳大利亚最大的出口市场，2009 年澳大利亚对中国的出口额占到其出口总额的 22%。中国购买了巴西 12% 和南非 10% 的出口商品，同时也是日本和德国高端成品的大买家。中国曾经主要是低价制品的出口国，如今它足足占据了全球经济增长的 1/5，成为了别国产品最具活力的新兴市场。这也为中国赢得了朋友。

但是，中国有理由对变幻莫测的国际商品价格感到紧张。在经历了 2004~2010 年价格的剧烈波动之后，他们又怎能不紧张呢？所以，从安哥拉的油田到赞比亚的铜矿，中国开始着力进行海外投资、收购商品生产资产。仅仅在一个月内（2010 年 1 月），中国就向世界上 75 个国家和地区的 420 家海外企业进行了价值 24 亿美元的直接投资，其中绝大多数是亚洲和非洲国家。投资最多的领域是矿产、交通运输和石油化工。如今，中国的运营模式在整个非洲都很好地建立了起来。典型的交易是用对高速公路和其他基础设施的投资换取对矿藏和农业用地的长期租赁，而绝少过问人权问题和政治腐败。2008 年 7 月，中国特使刘贵今重申了对非洲的援助政策："我们不附加任何政治条件。我们认识到（非洲的）政治经济环境并不理想。但我们不必等到一切都令人满意了、人权状况尽善尽美的时候再开始。"

不断增加对海外自然资源的投资，不仅是减少中国受美元贬值影响的多样化战略，而且还可以加强中国的金融实力，特别是通过其庞大而富有影响力的主权财富基金——中国投资有限责任公司，它拥有的资产约高达 2 000 亿美元。另外，它还使中国宏大的海军扩张计划变得理所当然。用东海舰队副司令员、海军少将张华臣的话说："随着中国经济利益的不断延伸，海军希望更好地保护运输线路和我们主要海上航线的安全。"中国已将南海列为其"核心国家利益"，并且在巴基斯坦、缅甸和斯里兰卡修建深水港，其中巴基斯坦的深水港即位于前阿曼飞地瓜达尔。

最后，与认为中国只配当"加州设计"产品装配线的观点相反，中国正锐意创新，致力成为诸如风力涡轮机和光电板等产品制造的领军人。2007 年，中国申请新专利的数量超过了德国。在专利授权数量方面，中国也分别在 2004 年超过英国、2005 年超过俄罗斯、2006 年超过法国。自 1995 年以来，中国创新者获得的专利权数量增长了 29 倍，这是东方崛起大趋势的一个部分。在过去 10 年中，中国在研究开发上投入的经费增长了 6 倍，科研人员的人数翻了一倍有余，目前它每年的科研论文数量以及超级计算机的运算能力，仅次于美国。虽然中国的研究在对国际文献的参考上仍有不足，但是我们有理由相信这点将来会得到改善。体现东西方换位最有说服力的证据或许在于教育领域。2005 年，在对 25~34 岁人群接受教育程度的调查中，经济合作与发展组织发现排名靠前的国家——韩国和日本，与排名落后的国家——英国和意大利，差距悬殊。同样的差距也体现在对 14 岁学生数学天

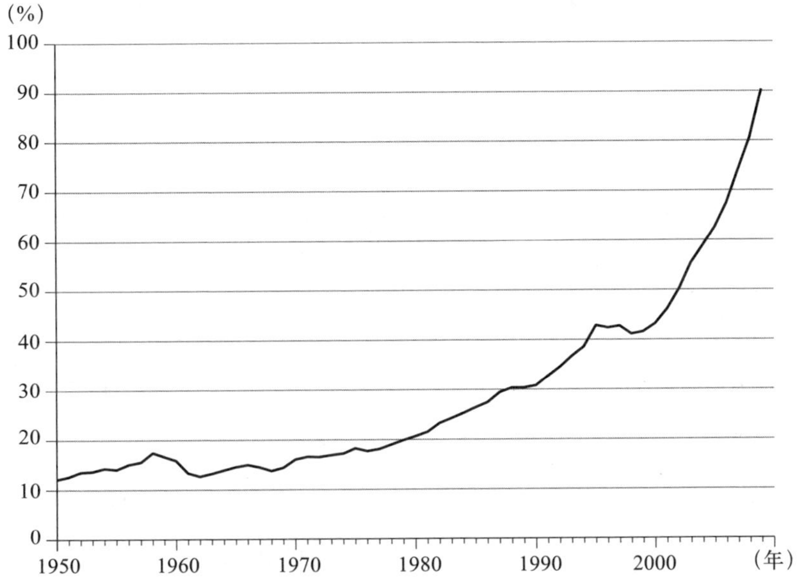

大中华地区国内生产总值（中国大陆、中国香港、中国台湾和新加坡）占美国国内生产总值的比重，1950~2009 年

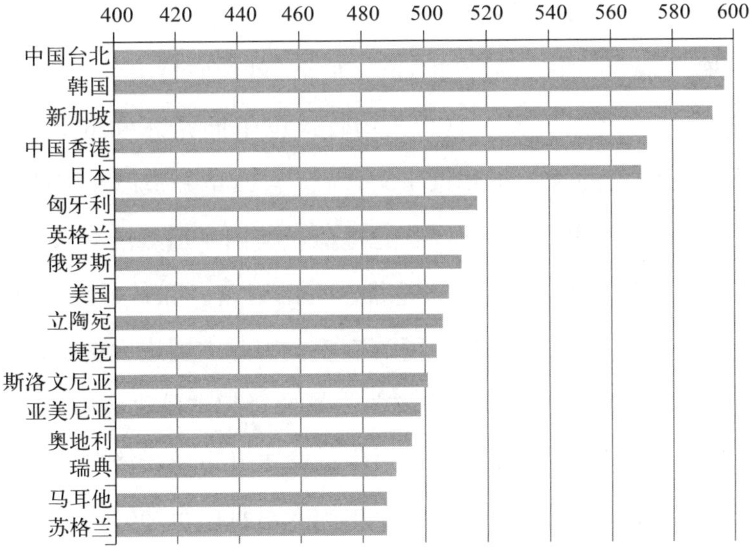

八年级（14 岁）学生数学平均分，2007 年（国际平均分为 500）

分的标准测试上，新加坡学生的成绩远优于苏格兰学生，前者高出国际平均分 19%，而后者则比平均分低了 3%。

中国龙在腾飞的过程中又会碰到哪些问题呢？一些对中国前景不甚乐观的专家提出了至少四种假说。第一种假说，和今天的中国类似，日本当年的崛起同样势不可当，它也曾被认为将超越美国成为世界第一经济强国。故而有观点认为中国有一天也会遭受日本 1989 年后的命运。由于在经济和政治上缺乏真正的竞争力，房地产和股市泡沫一旦破灭，必将导致银行瘫痪、经济增长停滞以及通货紧缩，由此拖垮整个国家，日本在过去的 20 年间就因此深受其害。但持不同意见的观点认为，日本这个地处欧亚大陆东岸的岛国没有可能超越诸如美国这样的大陆国家。如果在一个世纪前预言日本将超越同为岛国的英国的话，尚且可信，事实上它也的确做到了，但说要超越美国却绝无可能。此外日本在 1945 年的战败，意味着它在经济起飞时期仍要依靠美国来保障它的安全，它的汇率也会因此或多或少受到钳制而被迫升值，例如 1985 年《广场协议》的签订。

第二种假说认为中国可能发生社会动荡，就像它过去经常发生的那样。毕竟中国仍是一个贫困国家，它的人均收入位于世界第 68 位，约 1.5 亿人（即 1/10 人口）每天的收入不超过 1.5 美元。自改革开放以来，收入分配不均问题日益突出，中国收入分配现状已近似于美国（虽然没有像巴西那么严重）。据估算，中国 0.4%的人口掌握着 70%的财富。除贫富分化问题之外，空气、水、土壤的污染问题也是中国的痼疾。因此中国边远贫困地区发生抗议活动并不令人惊讶，但仅凭这些薄弱力量要掀起动乱洪涛却也不太可能。中国的经济发展多少拉开了贫富差距，但社会主义市场经济制度却被人民广为认同，事实上有民意调查显示，如今中国人对自由市场的认可度比美国人更高。真正对中国稳定构成威胁的社会问题是人口问题。由于 1979 年推行的计划生育政策，到2030年中国的老年人口将远高于另一大国——其邻国印度，其时中国65岁以上的人数将达到总人口的16%，1980年该比例仅为5%。而安徽、河南、广东和陕西等省份的性别失衡也远远偏离了现代社会的惯常范围，这些地区男性人口竟高出女性人口30%~38%。如果中国再次爆发运动的话，那么这场运动将由不满的单身汉挑起。而历史也告诉我们，青年的单身男性除了可能发动运动外，也可能成为激进的民族主义分子。

第三种假说可能的情况是日益壮大的中产阶级将要求更多的政治话语权，这种情况也常见于西方历史。中国曾是一个农村社会，1990年，3/4的人口居住在农村，而今天45%的人口为城镇居民，而且该比例到2030年可达70%。中国的中产阶级不仅在城镇得到迅速发展，移动通信和互联网的普及更让他们首次自发地组织起横向关系网络。

第四种假说，也是中国发展中最后一个障碍，就是它可能激怒周边国家，促使它们倒向现在更注重现实主义外交政策的美国，与美结成盟友，以求制衡。中国现今一些举动引起了亚洲其他国家的不满。如在钓鱼岛问题上中日关系有所恶化，日本扣押了迷航的中国渔民作为报复。但是这些摩擦还不足以让美国的外交政策发生重大转变，虽然奥巴马总统在2010年底对印度和印尼的访问耐人寻味，但是自从1972年尼克松总统和基辛格打开中美外交大门后，要摒弃这一现实主义的外交传统对现任的这位44届总统来说似乎还很遥远。

"新生"力量对"没落"力量造成的困境总是令人痛苦的。为了抵制德国的崛起，英国付出的代价的确太过惨重；而当它默默地成为美国的小兄弟时，情况就要容易得多。美国对中国是该遏制还是该容忍呢？民意调查显示，美国普通民众和总统一样不知该如何抉择。在皮尤研究中心的一项调查中，49%的受访者表示他们并不认为中国会"超过美国成为世界上的主要超级大国"，但46%的受访者持相反的观点。许多西方评论员都认为，苏联解体之后，适应一个新的全球秩序已是非常困难。“冷战”持续了40多年，苏联未在经济上超过美国。我们现在正在经历的是西方主导世界500年的尾声。这一次，不论从经济上还是从地缘政治上来讲，来自东方的挑战真真切切。有一点是确定的：中国不再是学徒了。亨廷顿文明冲突论的实现似乎还很遥远，我们更有可能看到的是，在过去500年中总是青睐于西方的运势即将发生转变。当一个文明开始衰退，另一个文明就会兴起。关键问题并不在于两种文明是否会发生冲突，而在于当一方文明衰退时，它是否会就此彻底沦亡。

从兴都库什山脉或美索不达米亚平原撤军预示着苏联的衰败和瓦解。苏联1989年从阿富汗撤军和1991年的解体是历史的重要一页。当时的这些事件，和5世纪那些远古往事一样，再次提醒我们文明并不遵循从出现、兴起、全盛再到衰败和消亡这种循环的、可预测的生命周期规律。历史学家们习惯对覆亡的过程进行慢动作回放，并究其深刻的历史原因。事实上，文明的运转就像任何一个具有适应性的复合体，它可以在一段未知的时期内保持平稳，但随后非常突然地崩塌了。再来套用组画《帝国的兴衰》的作者托马斯·科尔的名词，从全盛时期经毁灭时期直至衰亡时期的变迁历程，不是渐进式的，而是非常突然的。对这种复合体的崩塌，一个比较贴切的视觉阐释是一张旧海报，这张海报曾在大学宿舍中风靡一时，海报上是一列破墙冲出维多利亚火车站的火车，头朝下翻倒在街道上。一个刹车故障或一个打瞌睡的司机就会带来毁灭。

有什么可以让西方文明免于这种灾难？我们不必太过宿命论。诚然，那些曾让西方称雄的撒手锏已经不再为我们所独有。中国有了市场经济，伊朗有了科学，俄罗斯有了民主，非洲（慢慢）掌握了科学，土耳其有了消费社会。但这并不意味着西方模式的凋敝，相反，这标志着它的四面开花，只有在少数地方西方文明仍受到抵制，现在越来越多的非西方人在睡觉、沐浴、着装、工作、娱乐、饮食以及旅游等生活习惯上、也在向西方人靠拢。此外

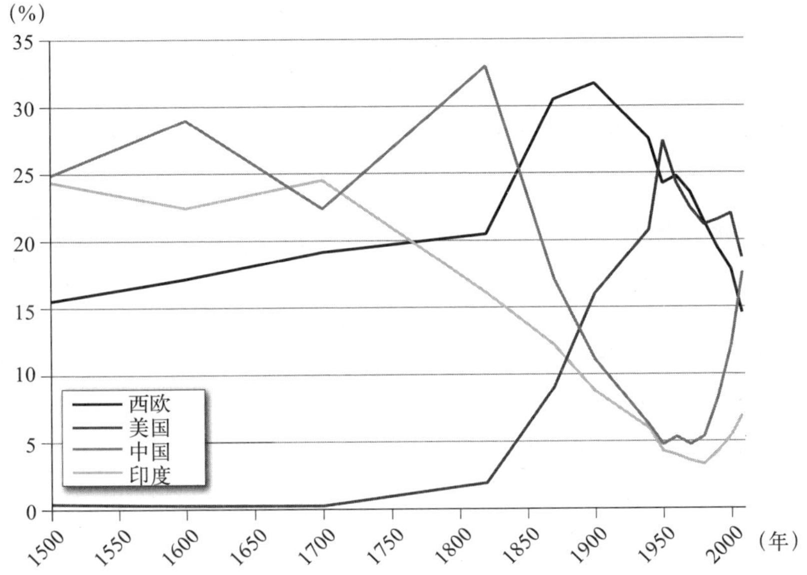

西欧、美国、中国及印度占全球国内生产总值份额，选定年份，1500~2008 年

我们也看到西方文明并不是单一片面的，它囊括了方方面面。它既包括资本主义，也包括政治多元化（多个国家和多个权威机构）；它既包括科学方法，也包括思想自由；它既包括民主，也包括法治和财产权。

当然西方文明远非完美，它也曾在历史上犯下过错误，从帝国主义的暴行到消费社会的陈腐。其强烈的实利主义遗留下各种利弊参半的后果，特别是弗洛伊德鼓励我们要沉溺于其中的不满情绪。它还失去了韦伯在新教伦理中尤为推崇的节俭和节制。

然而，西方文明在解决 21 世纪将要面临的问题上，仍能激发个人的创造力。在过去 500 年间，在发现和培育埋藏在分布曲线右尾尾梢上的人才方面，没有哪种文明做得像西方文明一样出色。关键是我们是否还能认识到这一文明的先进性。一种文明对于它的人民来说，最根本的意义不是其中心的宏伟大厦，也不是他们建立起来的运作流畅的体制。究其核心，文明就是学校所教授的知识，它为学生所吸收，并在身处困境时能再次被想起。中国的文明曾建立在儒学文化的传承上，伊斯兰文明则有《古兰经》作为基础。而西方文明又是基于怎样的文本，来坚定我们对自由人类无穷力量的信心呢[①]？鉴于我们的教育理论家对正规知识及死记硬背的学习方法多有诟病，我们又该如何进行更好的教育呢？或许对西方真正的威胁并非来自中国、伊斯兰或者是二氧化碳的排放，而是我们对从祖先那里继承下来的文明丧失了信念。

我们的文明不只是（伍德豪斯玩笑中的）业余演出的对立面。丘吉尔在阐述“（西方）文明的中心原则”时抓住了它的要义，即统治阶级要服从人民的习俗，要服从体现在宪法上的人民意愿：

> （丘吉尔问道）为什么各国不能在一个更大的体系内联合起来，建立法治，让全体人民一同受益呢？这当然是个崇高理想，我们也应为之鼓舞……
>
> 但是空喊一些堂皇的口号毫无意义，除非支持它的是人们的美德和气概，是科学和力量，最后，是对权力和正义的维护。
>
> 文明将不再延续，自由将难以图存，和平将难以为继，人民唯有广泛联合起来捍卫家园，拿出保家卫国的气概，让那些野蛮落后的势力在我们面前战栗，舍此别无他法。

在1938年，这些野蛮落后的势力来自国外，其中又以德国为首。然而诚如我们所见，它们同样也是西方文明的产物，同样也是丘吉尔所珍视的自由和法治的价值体现。因此今天威胁西方文明的不是其他文明，而是我们自身的怯懦，是滋生着这种怯懦的对历史的无知。

① 我会列举国王詹姆斯版的《圣经》，牛顿的《自然哲学的数学原理》，约翰 · 洛克的《政府论》，亚当 · 斯密的《道德情操论》和《国富论》，埃德蒙 · 伯克的《对法国大革命的反思》，以及达尔文的《物种的起源》。此外还有莎士比亚的戏剧，亚伯拉罕 · 林肯和温斯顿 · 丘吉尔的某些讲话。如果一定要选择一部作为我的“圣经”的话，那将会是莎士比亚的全集。